Pratique a ressurreição

Pratique a ressurreição

Uma conversa sobre amadurecer em Cristo

EUGENE H. PETERSON

Traduzido por Almiro Pisetta

MUNDO CRISTÃO

Copyright © 2010 por Eugene H. Peterson
Publicado originalmente por Wm. B. Eerdmans Publishing Co., Grand Rapids, Michigan, EUA.

Os textos bíblicos foram extraídos da *Almeida Revista e Atualizada* (ARA), da Sociedade Bíblica do Brasil, salvo as seguintes indicações: *Almeida Revista e Corrigida* (ARC) e *Nova Tradução na Linguagem de Hoje* (NTLH), ambas da Sociedade Bíblica do Brasil; *Bíblia de Jerusalém* (BJ), da Editora Paulus; *Nova Versão Internacional* (NVI), da Bíblica, Inc.; *Nova Versão Transformadora* (NVT), da Tyndale House Foundation; e *A Mensagem*, da Editora Vida.

Todos os direitos reservados e protegidos pela Lei 9.610, de 19/02/1998.

É expressamente proibida a reprodução total ou parcial deste livro, por quaisquer meios (eletrônicos, mecânicos, fotográficos, gravação e outros), sem prévia autorização, por escrito, da editora.

Edição
Daniel Faria

Revisão
Ana Luiza Ferreira

Produção e diagramação
Felipe Marques

Colaboração
Raquel Carvalho Pudo
Raquel Xavier

Capa
Douglas Lucas

CIP-Brasil. Catalogação na publicação
Sindicato Nacional dos Editores de Livros, RJ

P578p

Peterson, Eugene H., 1932-2018
   Pratique a ressurreição : uma conversa sobre amadurecer em Cristo / Eugene H. Peterson ; tradução Almiro Pisetta. - 1. ed. - São Paulo : Mundo Cristão, 2024.
   288 p.

   Tradução de: Practice resurrection
   ISBN 978-65-5988-275-5

   1. Jesus Cristo - Ressurreição. 2. Bíblia. N.T. Evangelhos - Crítica, interpretação, etc. 3. Vida cristã. I. Pisetta, Almiro. II. Título.

23-86596
                        CDD: 248.4
                     CDU: 27-312.9:27-584

Gabriela Faray Ferreira Lopes - Bibliotecária - CRB-7/6643

Publicado no Brasil com todos os direitos reservados por:
Editora Mundo Cristão
Rua Antônio Carlos Tacconi, 69
São Paulo, SP, Brasil
CEP 04810-020
Telefone: (11) 2127-4147
www.mundocristao.com.br

Categoria: Espiritualidade
1ª edição: fevereiro de 2024

*Para Jan,
jungida comigo por cinquenta anos
na prática da ressurreição*

Sumário

Agradecimentos	11
Introdução	13

PARTE I — ÉFESO E OS EFÉSIOS

1. A igreja de Éfeso: Efésios 1.1-2	23
A igreja que nunca vemos	26
Ilusões e decepções da igreja	32
O milagre da igreja	35
2. A mensagem aos efésios: Efésios 4.1,7	41
A metáfora de axios	42
O texto do salmo 68: "Subiste às alturas..."	50

PARTE II — A BÊNÇÃO DE DEUS

3. Deus e sua glória: Efésios 1.3-14	63
Perdidos no cosmos	64
Verbos de Deus	65
A glória de Deus	77
4. Paulo e os santos: Efésios 1.15-23	79
"Fazendo menção de vós nas minhas orações"	81
"Todos os santos"	86
"É aqui. Estamos no topo. Ele está sob nossos pés."	94
5. Graça e boas obras: Efésios 2.1-10	98
Passividade adquirida	100
Boas obras	108
Obras como configuração da glória	111

PARTE III — A CRIAÇÃO DA IGREJA

6. A paz e a parede derrubada: Efésios 2.11-22	119

Os espinhos do individualismo 122
"Uma casa séria num terreno sério" 123
A igreja ontológica 127
"[Jesus] é a nossa paz" 133
A igreja hospitaleira 136

7. A igreja e a multiforme sabedoria de Deus: Efésios 3.1-13 139
"[Eu,] o menor de todos os santos" 141
Meseque e as tendas de Quedar 143
Paisagem interior 147
Trabalho de sombra 152

8. A oração e toda a plenitude: Efésios 3.14-21 156
"Glória, na igreja e em Cristo Jesus" 157
"[Eu] me ponho de joelhos diante do Pai" 163
"Toda a plenitude" 166
"O homem interior" 169

9. Um e Todos: Efésios 4.1-16 174
"A vocação a que fostes chamados" 177
A linguagem da paraclese 178
Deometria 183
Barão von Hugel 187

PARTE IV — A CONGREGAÇÃO EM AÇÃO

10. Santidade e Espírito Santo: Efésios 4.17-32 195
Stalamus Chief 197
Espaço negativo 200
O membro tímido da Trindade 205

11. Amor e adoração: Efésios 5.1-20 211
"Tudo esboroa; o centro não segura..." 214
A linguagem do amor 216
"Desperta, ó tu que dormes!" 224

12. No lar e no local de trabalho: Efésios 5.21—6.9 233
Barrioboola-Gha 235
"Braço com braço e remo com remo" 239
Entre 247
A arca e a tumba 254

13. As ciladas do diabo e a armadura de Deus: Efésios 6.10-17   258
    "Estai, pois, firmes"   259
    "As ciladas do diabo"   262
    "Toda a armadura de Deus"   266
    "Orando em todo o tempo no Espírito"   272
    "De tudo vos informará Tíquico"   276

Apêndice: Obras sobre a prática da ressurreição   279
Sobre o autor   287

Agradecimentos

Ministrei meu primeiro curso sobre Efésios em 1965, para uma turma de adultos de minha recém-formada congregação em Bel Air, no estado de Maryland. A turma tinha três membros: Catherine Crouch, Betty Croasdale e Lucille McCann. Eu tinha 33 anos; elas estavam na casa dos 50. Catherine e Betty não tinham nenhuma escolarização além do nível secundário; Lucille, viúva de um camponês, nunca foi além da oitava série. Muitos estudiosos acreditam que Efésios é a carta mais difícil de Paulo. Eu me dispus a provar que eles estavam enganados. Não se requer um diploma universitário para aprender como amadurecer na vida da ressurreição; não se requer uma vida de realizações no campo profissional para crescer em Cristo. Passei um ano com essas três mulheres estudando o texto de Efésios e no fim daquele período percebi que havia descoberto o texto que formaria, como um todo, minha personalidade de pastor atuando numa congregação em que o Espírito Santo estava desenvolvendo uma comunidade de santos — homens e mulheres crescendo para atingir "a medida da estatura da plenitude de Cristo". Ao longo dos 26 anos subsequentes lecionei Efésios muitas e muitas vezes em minha igreja. Depois fui convidado a ser professor de Teologia Espiritual no Regent College, em Vancouver, no Canadá. O primeiro curso que planejei baseava-se no texto de Efésios. Denominei-o "Trabalho da alma: Formação de uma vida madura em Cristo". Repeti esse curso por seis anos seguidos. Aqueles 32 anos de conversas sobre Efésios (26 com minha congregação, outros 6 na sala de aula) estão agora reunidos neste livro. Não o escrevi sozinho. Aquelas três mulheres já mencionadas — Catherine, Betty e Lucille — o iniciaram, mas elas foram sucedidas pelos comentários e perguntas, os escritos e as orações de literalmente centenas de cristãos anônimos em congregações e salas de aula, a "boa terra" em que germinaram as páginas de *Pratique a ressurreição*.

Há outras pessoas importantes a mencionar: Jonathan Stine, constante interlocutor durante todo o processo; meus editores Jon Pott e Jennifer Hoffman, da Eerdmans; meu agente literário Rick Christian, presidente da Alive Communications; a dra. Joyce Peasgood, professora assistente do Regent College; o dr. Steven Trotter, professor assistente do Fuller Seminary; e os pastores Michael Crowe, Miles Finch, Linda Nepsted, Eric Peterson, Ken Peterson, Wayne Pris e David Woods.

Introdução

Este livro é uma conversa sobre tornar-se um cristão maduro, sobre formação cristã, sobre crescer e atingir a estatura de Cristo.

Todos nós nascemos. Sem exceção. O parto nos trouxe vivos, espernando e chorando, para um mundo que é vasto, complexo, degenerado, exigente... e belo. Progredindo dia após dia, começamos a entendê-lo. Sugamos o leite do seio materno, dormimos, depois acordamos. Um dia, ao acordar, ficamos de pé e surpreendemos a todos com nossas prosaicas acrobacias. Depois de um breve tempo nos acostumamos com a fala, usando substantivos e verbos com os melhores usuários dela. Estamos crescendo.

Jesus usou o acontecimento do parto como metáfora para outro tipo de nascimento: a consciência de estarmos vivos para Deus. Vivos para um Deus vivo. Vida vasta, complexa, degenerada, exigente... e bela. Vivos para a santidade de Deus, para a vontade de Deus, para o reino de Deus, para o poder e a glória de Deus. Depois do nascimento a vida nos oferece mais do que leite materno, mais do que dormir e acordar, caminhar e falar. Existe Deus.

Jesus apresentou a metáfora do nascimento numa conversa com o rabi Nicodemos certa noite em Jerusalém, dizendo-lhe que devia "nascer do alto" (Jo 3.7, BJ). A metáfora também pode ser traduzida por "nascer de novo" (ARA). Nicodemos não entendeu a metáfora, não captou seu significado. Os literalistas, talvez especialmente os literalistas religiosos, têm dificuldades com metáforas. A metáfora é uma palavra que estabelece uma conexão orgânica entre o que se pode ver e o que não se pode ver. Em qualquer conversa envolvendo Deus, a quem não podemos ver, as metáforas têm valor inestimável por manter a linguagem vívida e imediata. Sem metáforas, só dispomos de abstrações sem cor e generalizações vagas.

Jesus gostava de metáforas e as usou muito. "Nascer do alto" é uma das mais memoráveis. À medida, porém, que Jesus elaborava essa metáfora

(Jo 3.5-21), podemos ter bastante certeza de que Nicodemos acabou por entendê-la, pois na vez seguinte em que ele é mencionado, desempenhando um importante papel, ao lado de José de Arimateia, no sepultamento do corpo de Jesus crucificado (Jo 19.38-40), tem-se a nítida impressão de que ele decidiu participar do caminho de Jesus. Apesar da metáfora, ou mais provavelmente por causa dela, Nicodemos nasceu do alto. E não apenas nasceu, mas também estava crescendo. Sua presença no sepultamento é prova de que desde aquela conversa com Jesus ele vinha crescendo, crescendo em entendimento e participação, a caminho da maturidade no mundo do Deus vivo.

Então, o nascimento. Depois, o crescimento. O crescimento mais significativo que qualquer pessoa desenvolve é o de crescer como cristão. Todos os outros crescimentos são uma preparação ou um auxílio para esse crescimento. O crescimento biológico e o social, o mental e o emocional são em última análise absorvidos no crescimento em Cristo. Ou não. A tarefa humana é amadurecer, não apenas no corpo e nas emoções e na mente dentro de nós mesmos, mas também em nosso relacionamento com Deus e outras pessoas.

Crescimento implica o trabalho do Espírito Santo formando nosso espírito renascido à semelhança de Cristo. É o trabalho antecipado pela frase de Lucas sobre João Batista. Depois da história de seu nascimento, lemos: "O menino crescia e se fortalecia em espírito. E viveu nos desertos até ao dia em que havia de manifestar-se a Israel" (Lc 1.80). Isso vem seguido mais ou menos uma página adiante pela frase sobre Jesus, depois da história de seu nascimento: "E Jesus crescia em sabedoria, estatura e graça, diante de Deus e dos homens" (Lc 2.52).[1] Paulo usa vocabulário semelhante na descrição do programa que ele estabelece para os cristãos na carta aos efésios: que nós "cheguemos [...] à perfeita varonilidade, à medida da estatura da plenitude de Cristo" e "cresçamos em tudo naquele que é a cabeça, Cristo" (Ef 4.13,15). Ou, conforme traduzi: "Deus quer que cresçamos, conheçamos toda a verdade e a proclamemos em amor — à semelhança de Cristo, em tudo [...] para que possamos crescer com saúde em Deus, fortalecidos em amor" (*A Mensagem*).

João cresceu.

---

[1] Lucas adapta sua frase conclusiva tanto acerca de João quanto de Jesus a partir de 1Samuel 2.26. "Mas o jovem Samuel crescia em estatura e no favor do Senhor e dos homens".

INTRODUÇÃO

Jesus cresceu.
Paulo nos diz: "Cresçam".

* * *

Primeiro, o nascimento. Depois, o crescimento. Nenhuma das duas metáforas se sustenta sozinha. O nascimento pressupõe o crescimento, mas o crescimento procede do nascimento. É um exagero dizer que, na igreja hoje, o nascimento tem recebido muito mais atenção do que o crescimento? Penso que não. É verdade que a metáfora do crescimento é usada com frequência, como em "crescimento da igreja" e "igrejas em crescimento". Mas é também óbvio que a metáfora foi extraída de sua origem na biologia e enfraquecida até tornar-se um item aritmético abstrato e desprovido de alma, um emprego tão distante do terreno bíblico quanto se possa imaginar — uma perversão ofensiva da metáfora, responsável por uma enorme distorção na imaginação cristã do que está implícito em viver no reino de Deus.

Para o pai e a mãe, o nascimento se caracteriza por alegria e assombro e é acompanhado por anúncios do fato e presentes para o recém-nascido. Os detalhes, por mais escassos que sejam — peso: 3 quilos e 200 gramas; comprimento: 50 centímetros; nome: Ana Verônica; data de nascimento: 6 de maio — são recebidos com admirável reverência. A euforia do nascimento dura algumas semanas, tempo muito mais longo do que o orgasmo que acompanhou a origem do processo, mas não dura indefinidamente. Para esses mesmos eufóricos pai e mãe, o crescimento é caracterizado por fadiga, ansiedade, ligações assustadas para o médico no meio da noite, decisões confusas acerca de disciplina, reuniões preocupantes com professores, indagações sobre o comportamento e a má conduta da adolescência. O nascimento é rápido e fácil (pelo menos assim parece para os pais — as mães têm um ponto de vista diferente do caso); o crescimento é complexo e não tem fim.

* * *

Tenho uma boa amiga que, logo depois que a conheci — ela estava com mais ou menos 40 anos na época — me disse que cresceu na pobreza do Arkansas numa rígida atmosfera fundamentalista em circunstâncias abusivas. Ela fugiu de casa e da cidade e foi para a Califórnia, e aos 18 anos de idade engravidou. Contou-me como se sentia: absolutamente em êxtase com essa vida crescendo dentro dela. Nunca se sentira tão "ela mesma". Tinha um sentido, tinha alegria, carregava no seio essa nova, inocente e intacta vida — esse mistério. Ela já não era religiosa em nenhum sentido convencional, mas estava absolutamente convencida, sem nenhuma sombra de dúvida, de que Deus criara e lhe dera essa vida que estava dentro dela.

Ela deu à luz o bebê. Pleno êxtase, beleza, bondade. Jamais se sentira tão viva, tão singularmente ela mesma. E em seguida, após algumas semanas, ela desmoronou. Não sabia nada da vida. Não sabia o que fazer, estava confusa, atrapalhada, descontrolada. Não tinha ideia sobre o que fazer com o bebê. Começou a beber e virou alcoólatra. Passou a usar cocaína e ficou viciada. Não demorou muito para tornar-se prostituta. Passou os vinte anos seguintes nas ruas de San Francisco tentando sustentar a si mesma e a seu bebê.

E então, certo dia ela entrou numa igreja que estava vazia. Tornou-se cristã. Não sabe exatamente como isso aconteceu, mas sabia que *tinha* acontecido. Outra gravidez. Foi um caso praticamente tão acidental e imprevisto como quando engravidara de seu menino. Ela não sabia o significado disso, mas sabia que *isso* era o que ela era: uma cristã.

Dessa vez ela sabia que não sabia coisa alguma sobre a vida, mas também sabia que já não levaria uma vida precária sustentada por drogas, álcool e sexo. Depois de procurar um pouco, descobriu e abraçou o estilo de vida cristão e entregou-se ao crescimento em Cristo, o que ela vem fazendo desde aquela época.

Mas sabe o que ela achou mais difícil? As igrejas. Não que ela não fosse bem-vinda. Ela era. Era uma espécie de prêmio, um "tição tirado do fogo" — uma cristã! Mas ela também descobriu que as igrejas pareciam saber tudo sobre nascer de novo em nome de Jesus, mas não pareciam nem interessadas nem competentes em questões de crescimento para atingir "a medida da estatura da plenitude de Cristo".

Ela olhava ao redor e via que seus novos amigos faziam a mesma coisa que ela havia feito antes, mas não de maneira tão óbvia. Essas igrejas lhe pareciam cheias de ideias e projetos que as pessoas usavam como ela outrora usara álcool, drogas e sexo — para evitar a Deus, para não se apresentar à vida, para aparecer aos olhos dos vizinhos. Elas praticavam

INTRODUÇÃO

todos os atos religiosos, exceto seguir Jesus. Seguiam seus impulsos mais infantis e adolescentes e recusavam-se a assumir a cruz de Jesus. Não estavam crescendo em Cristo. Muitas doutrinas, muito estudo bíblico, muita preocupação moral e ética, muitos projetos. Mas isso lhe parecia uma sopa muito rala. Ela estava alarmada com os paralelos com sua vida anterior e determinada a levar uma vida mais sadia como cristã do que havia levado como pagã.

Precisou de algum tempo, mas no fim encontrou novos amigos, um professor, um pastor. Agora ela havia achado companheiros para levar uma vida de crescimento a fim de atingir a estatura da plenitude de Cristo, amadurecendo.

* * *

Portanto, crescer "com saúde em Deus, fortalecidos em amor". Esse é meu projeto: descobrir e viver de uma forma que a tradução de um salmo denomina "beleza da santidade" (Sl 29.2). A formação de nosso espírito e mente, nossa alma, nossa vida — nossa vida transformada, crescendo forte em Deus, crescendo para a maturidade, para atingir a estatura de Cristo.

Não podemos enfatizar demais a ideia de trazer homens e mulheres para um novo nascimento em Cristo. O evangelismo é essencial, rigorosamente essencial. Mas não é óbvio que o crescimento em Cristo é igualmente essencial? No entanto, a igreja não o tem tratado com a mesma urgência. A igreja avança com base na euforia e adrenalina de um novo nascimento — trazendo gente para a igreja, para o reino, para causas, para cruzadas, para programas. Deixamos as questões relacionadas ao crescimento aos cuidados da escola dominical, de especialistas em educação cristã, de comissões para revisão curricular, de centros de retiros e encontros que tratam da vida mais profunda, terceirizando-as para grupos paraeclesiásticos de assistência remediadora. Não vejo pastores e professores, de modo geral, muito interessados em questões de formação na santidade. Eles têm coisas mais relevantes com que se ocupar.

Os cristãos neste país, em geral, têm pouca tolerância com certo estilo centralizador de vida que se submete às condições em que o crescimento acontece: silencioso, obscuro, paciente, independente do controle e gerenciamento humanos. A igreja se sente desconfortável nessas condições. De modo característico, em nome da "relevância", ela se adapta à cultura predominante e logo se confunde com ela: loquaz, barulhenta, ocupada, controladora, consciente da própria imagem.

Enquanto isso, o que em outros séculos e outras culturas tem sido a principal preocupação da comunidade cristã, formando homens e mulheres que vivem para o "louvor da sua glória", tornou-se uma simples nota de rodapé dentro da igreja que adotou a agenda da sociedade secular: seus objetivos educacionais, seus objetivos de atuação, seus objetivos psicológicos. Delegando a formação de caráter, a vida de oração, a beleza da santidade — o crescer em Cristo — a ministérios ou grupos especializados, nós afastamos essas coisas do centro da vida da igreja. Desconectamos o crescimento do nascimento e, com efeito, o colocamos num banco de reservas fora do campo da vida da igreja. Wendell Berry, um de nossos mais perspicazes profetas da cultura e espiritualidade contemporâneas, escreveu: "Achamos normal gastar doze, dezesseis ou vinte anos da vida de alguém e muitos milhares de dólares com 'educação' — e nem um centavo, nem uma consideração com seu caráter".[2]

Platão formulou o que ele chamou de os "universais", o Verdadeiro, o Bom e o Belo. Ele acreditava que, para viver toda uma vida madura e plena, os três valores devem funcionar dentro de nós harmoniosamente. A igreja contemporânea excluiu a Beleza dessa tríade. Somos veementes na defesa do Verdadeiro, do pensar correto acerca de Deus. Somos enérgicos na insistência do Bom, do comportamento correto diante de Deus. Mas a Beleza, as formas pelas quais o Verdadeiro e o Bom se apresentam na vida humana, nós praticamente as ignoramos. Delegamos a Beleza a floricultores e decoradores de interiores. Platão, e muitos de nossos professores mais sábios que o seguiram, insistiam que as três qualidades — Verdade, Bondade, Beleza — estão ligadas de forma orgânica. Sem a Beleza, a Verdade e a Bondade não têm nenhum recipiente, nenhuma forma, nenhuma maneira de se expressar na vida humana. A Verdade divorciada da Beleza fica abstrata e exangue. A Bondade divorciada da Beleza fica desprovida de amor e graça.

Se precisamos de um termo formal para expressar isso, "estética teológica" servirá como qualquer outro.

* * *

[2] Wendell Berry, *What Are People For?* (San Francisco: North Point Press, 1990), p. 26.

INTRODUÇÃO

Durante a maior parte de minha vida de adulto eu me opus a essa marginalização de questões de maturidade, de formação espiritual, de estética teológica, de crescermos em Cristo "com saúde em Deus, fortalecidos em amor". Tentei testemunhar tudo o que está envolvido nessa prática. Sem, devo dizer, muito sucesso.

Não fui exatamente ignorado; de fato fui tratado com muito apreço. Na maioria das vezes, contudo, parece polida condescendência. Pastores me dizem que eles não conseguiriam sucesso com uma agenda dessas — *estética* teológica? As pessoas não suportarão isso, as congregações não aguentarão isso. Não muito tempo atrás um pastor que criou a arte de pular de uma igreja para outra me disse que eu estava desperdiçando meu tempo nessa questão, que ela não apresentava nenhum desafio, e era tão empolgante quanto ficar parado vendo tinta secar.

Sugeri a ele que a maioria de nossos ancestrais, tanto em Israel quanto na igreja, passou a maior parte de seu tempo vendo tinta secar; que o perseverante, paciente, desapressado trabalho de crescimento em Cristo tem ocupado o centro da vida da igreja por séculos; e que essa marginalização americana é, digamos, americana. Ele me dispensou. Precisava, disse ele, de um desafio. Deduzi de seu tom de voz e maneira de agir que o desafio era por definição algo que podia ser encarado e realizado em quarenta dias. Esse, no fim das contas, foi o tempo que Jesus levou.

* * *

Por um tempo já longo demais, com total apoio de nossa cultura, deixamos que as divagações de nossas necessidades emocionais decidissem por nós. Por um tempo já longo demais, deixamos que analistas de mercados eclesiásticos estabelecessem a agenda da igreja. Por um tempo já longo demais, ficamos parados sem protestar enquanto autointitulados peritos sobre questões da vida cristã substituíram "a medida da estatura da plenitude de Cristo" por figuras dessecadas e quebradiças.

Portanto, o que pretendo fazer aqui é estabelecer uma conversa longa e séria com meus irmãos e irmãs cristãs sobre a frase "crescer em Cristo". E quero trazer para a conversa uma voz sábia e digna de confiança, a voz de Paulo, o homem que cunhou a metáfora do "crescimento". As palavras que ele escreveu numa carta dirigida a uma congregação de cristãos de Éfeso dois mil anos atrás são tão atuais como quaisquer outras que possamos ouvir nos dias de hoje e têm importância estratégica para aquilo que nos aguarda. Quero que ele tenha um papel principal na conversa.[3]

* * *

A ressurreição de Jesus estabelece as condições em que vivemos e amadurecemos na vida cristã e em que conduzimos esta conversa: Jesus vivo e presente. Uma noção clara da ressurreição de Jesus, que se deu sem nenhuma ajuda ou comentário de nossa parte, impede-nos de assumir o controle de nosso próprio desenvolvimento e crescimento. A meditação frequente sobre a ressurreição de Jesus — seu enorme mistério, as energias sem precedente que dela fluem — nos impede de reduzir a linguagem de nossa conversa àquilo que podemos definir ou controlar. "Pratique a ressurreição", frase que extraí de Wendell Berry,[4] dá a nota certa. Vivemos a vida na prática daquilo que não originamos e não podemos antecipar. Quando praticamos a ressurreição, entramos continuamente naquilo que é mais do que somos. Quando praticamos a ressurreição, ficamos na companhia de Jesus, vivo e presente, e ele sabe para onde estamos indo melhor do que nós mesmos, e é sempre "de glória em glória".

---

[3] Nem todos concordam que Paulo é o autor de Efésios, e eu não insisto nisso. Mas, para evitar a confusão das qualificações, usarei o tradicional "Paulo" quando me refiro ao autor da carta. Um levantamento completo e imparcial de todas as considerações envolvidas no caso encontra-se em Ernest Best, *A Critical and Exegetical Commentary on Ephesians* (Edimburgo: T. & T. Clark, 1998), p. 6-35.

[4] Wendell Berry, "Manifesto: The Mad Farmer Liberation Front", in *Collected Poems* (San Francisco: North Point Press, 1985), p. 151-152.

PARTE I
ÉFESO E OS EFÉSIOS

Qualquer pessoa que leia este livro
corre o risco de perder para sempre qualquer pertence
que, na visão dela, a definia.

MARGARET AVISON, *Always Now*

1

A igreja de Éfeso: Efésios 1.1-2

> Paulo, apóstolo de Cristo Jesus por vontade de Deus, aos santos que vivem em Éfeso e fiéis em Cristo Jesus, graça a vós outros e paz, da parte de Deus, nosso Pai e do Senhor Jesus Cristo.
>
> EFÉSIOS 1.1-2

> A igreja não é um ideal pelo qual se deve lutar; ela existe e eles estão dentro dela.
>
> GEORGE BERNANOS, *Diário de um pároco de aldeia*

A igreja é o contexto complexo no qual crescemos em Cristo visando a maturidade. Mas a igreja é difícil. Mais cedo ou mais tarde, porém, se levamos a sério o crescimento em Cristo, teremos de lidar com a igreja. Eu diria mais cedo. Quero começar pela igreja. Muitos cristãos acham que a igreja é o aspecto mais difícil de ser cristão. E muitos desistem — o número de cristãos que não frequentam a igreja ou só a frequentam esporadicamente talvez seja superior ao daqueles que a abraçam, com todos os seus defeitos. E certamente os defeitos existem em profusão. Não é mais fácil para os pastores. O nível de desgaste entre os pastores que abandonam suas congregações é alarmante.

Então, por que a igreja? A resposta breve é que o Espírito Santo a formou para que ela seja uma colônia do céu no país da morte, o país que William Blake, em sua abrangente recriação da vida espiritual, denominou "terra de Ulro". A igreja é o elemento central na estratégia do Espírito Santo para prover testemunho humano e presença física ao reino inaugurado por Jesus neste mundo. Não é o reino completo, mas é um testemunho desse reino.

No entanto, requer-se um esforço contínuo e uma imaginação determinada para entender e abraçar a igreja por inteiro. Uma experiência casual e superficial com a igreja muitas vezes nos deixa a impressão de lutas sangrentas, discussões acirradas e facções em pé de guerra. Essas coisas são mais que lamentáveis; são escandalosas. Mas elas não definem a igreja. Há profundas continuidades que sustentam a igreja em todas as épocas e em toda parte (*ubique et ab omnibus*, conforme diz o rótulo latino) como sendo primeira e fundamentalmente obra de Deus, por mais que cristãos e não cristãos possam profaná-la e abusar dela. C. S. Lewis introduziu o termo "igreja profunda" para transmitir a ideia das profundezas oceânicas da tradição que são continuamente revividas "em todas as épocas e em toda parte".[1] Gosto disso: igreja profunda.

A igreja é um ajuntamento constituído de certas pessoas em determinados lugares que praticam a vida da ressurreição num mundo em que a morte recebe as principais manchetes: morte de nações, morte de civilizações, morte de casamentos, morte de carreiras, obituários sem fim. Morte por guerra, morte por assassinato, morte por acidente, morte por inanição. Morte por cadeira elétrica, por injeção letal, por enforcamento. A prática da ressurreição é uma decisão intencional, deliberada, de acreditar na *vida* da ressurreição e participar dessa vida que supera a morte, vida que vence a morte, vida que é a última palavra, a vida de Jesus. Essa prática não é um vago desejo voltado para o alto, mas abrange muitas ações distintas, porém entrelaçadas, que sustentam um estilo de vida fiel e digno de confiança, Vida Real, num mundo preocupado com a morte e com o diabo.

Essas práticas incluem a adoração de Deus em todas as operações da Trindade; a aceitação de uma ressurreição, de uma identidade nascida do alto (no batismo); a adoção da formação pela ressurreição no ato de comer e beber do corpo e do sangue da ressurreição de Cristo (à mesa do Senhor); a leitura atenta e obediente da revelação de Deus nas Escrituras; a oração que cultiva uma intimidade com as realidades que não estão ao alcance de nossos sentidos; a confissão e o perdão de pecados; o acolhimento de estranhos e marginalizados; o trabalho e o discurso em favor da paz e da justiça, da cura e da verdade, da santidade e da beleza; o cuidado

---

[1] A expressão de Lewis aparece pela primeira vez numa carta que ele escreveu para o *Church Times*, nº 135 (8 de fev. de 1952), p. 95.

em relação a todos os seres da criação. A prática da ressurreição estimula a improvisação sobre a história fundamental da ressurreição apresentada em nossas Escrituras e revelada em Jesus. Milhares de detalhes imprevistos e derivativos da ressurreição proliferam por toda a paisagem. A companhia de gente que pratica a ressurreição reproduz o caminho de Jesus nas rodovias e estradas secundárias nomeadas e numeradas em todos os mapas do mundo.

Isso é a igreja.

A prática da ressurreição não é um ataque contra o mundo da morte; é um abraço dado, sem violência, à vida no país da morte. É um convite aberto a viver a eternidade no tempo.

Mas a prática da ressurreição, por sua própria natureza, não é algo que algum de nós saiba fazer muito bem. Muitos dos que estão fora da igreja (e também muitos dos que estão dentro dela!) olham para nós e percebem como nos saímos mal. Eles observam que grande parte de nossa prática se dá por acaso e tem consequências imprevisíveis.

É fácil dispensar a igreja como algo ineficaz e irrelevante. E muitos a dispensam. É fácil ser condescendente com a igreja porque muitos de seus membros são nulidades inexpressivas. A condescendência está muito difundida. É comum desiludir-se com a igreja porque expectativas formadas no país da morte e motivadas pelas mentiras do diabo são decepcionantes. A desilusão é, de fato, comum.

Diante de todas as rejeições sumárias, da condescendência generalizada e da desilusão epidêmica, como manter a prática da ressurreição na companhia de homens e mulheres na igreja?

Isso requer uma conversa séria, pois se a igreja tem o propósito de ser a propaganda de Deus no mundo, uma comunidade utópica exposta numa vitrine para que as pessoas acorram pedindo para entrar, então ela obviamente tornou-se um exemplo de estratégia fracassada. E se a igreja tem o propósito de ser um grupo disciplinado de homens e mulheres incumbidos de eliminar a corrupção no governo, de purificar os costumes do mundo, de convencer as pessoas a levar uma vida casta e honesta, de ensiná-las a tratar as florestas, os rios e o ar com reverência, e as crianças, os idosos, os pobres e os famintos com dignidade e compaixão, isso não tem acontecido. Estamos tentando isso há dois mil anos, e as pessoas não estão pedindo aos gritos para se associar a nós. Estamos tentando isso há dois mil anos, e acabamos de atravessar o século mais violento e sangrento da história recente, e o século atual que mal começa parece ter a intenção infernal de superar o anterior. É óbvio que a igreja não é uma comunidade ideal que todos avistam e depois perguntam: "Como posso entrar?". É claro que a igreja não está progredindo muito na eliminação e correção do que está errado no mundo. Então, o que resta?

O que resta é o seguinte: contemplamos o que nos foi dado nas Escrituras e em Jesus e tentamos entender em primeiro lugar por que temos uma igreja, o que é essa igreja tal qual nos foi dada. Não somos uma comunidade utópica. Não somos anjos vingadores de Deus. Quero olhar para aquilo que temos, o que a igreja é neste exato momento, e perguntar: Vocês acham que isso pode ser exatamente o que Deus tinha em mente quando criou a igreja? Talvez a igreja que temos ofereça as condições reais e a companhia apropriada para o crescimento em Cristo, para amadurecermos, para atingirmos a medida da estatura de Cristo. Talvez Deus saiba o que está fazendo, dando-nos uma igreja, esta igreja.

A igreja que nunca vemos

Efésios é uma revelação da igreja que nunca vemos. Mostra-nos a boa terra e o sistema radicular de todas as operações da Trindade das quais se origina a igreja que de fato vemos. Não descreve as várias expressões do que cresce desse solo transformando-se em catedrais e catacumbas, missões com fachadas de lojas comerciais e barracas de reavivamento, tabernáculos e capelas. Tampouco trata das várias maneiras em que a igreja toma forma em liturgias, missões e políticas. Em vez disso, trata-se de um olhar voltado para dentro, para o que está debaixo e por trás e no íntimo da igreja que realmente vemos e todas as vezes e em qualquer lugar onde ela se torna visível.

* * *

A igreja de Éfeso foi uma igreja missionária estabelecida pelo eloquente e erudito pregador judeu Apolo (At 18.24). Paulo passou por Éfeso para visitar essa incipiente comunidade cristã no decurso de sua segunda viagem missionária. Encontrou-se com uma pequena congregação (só havia doze pessoas) e orientou-as a receber o Espírito Santo. Isso aconteceu provavelmente no ano 52 d.C. Ele ficou por lá três meses, usando a sinagoga local como centro para pregar e ensinar "o reino de Deus" (At 19.8). Essa visita de três meses, seguida pelo dramático encontro com os sete filhos de Ceva e a cena do tumulto provocado por Demétrio sobre a questão da deusa Ártemis (Diana), estendeu-se por três anos. Paulo ficou em Éfeso três anos, como pastor daquela congregação cristã em formação (At 20.31).

Mais tarde o nome Éfeso foi anexado a uma carta que nos fornece o melhor acesso para o que diz respeito à formação da igreja, não tanto à forma que ela assume em nossas aldeias e cidades, mas à essência que está por trás das aparências: a vontade de Deus, a presença de Cristo, a obra do Espírito Santo. Isso, não o que fazemos ou deixamos de fazer na crença e na dúvida, na fidelidade e na traição, na obediência e na desobediência, é o que simplesmente devemos botar na cabeça se quisermos entender e integrar corretamente qualquer igreja de que fazemos parte. Efésios é o único texto do Novo Testamento que nos oferece um relato tão detalhado e vívido das atividades internas e ocultas da complexa e variada profusão de "igrejas" com que deparamos e as quais tentamos entender.

Há quinze igrejas identificadas pelo nome no Novo Testamento.[2] A todas elas, excetuadas duas (Antioquia e Jerusalém), foram endereçadas cartas. A carta aos efésios é única no sentido de que somente ela não foi provocada por algum problema, seja de comportamento, seja de crença. Efésios pode ter sido uma carta geral para a igreja que circulou entre as congregações do primeiro século. O contraste entre Efésios e as outras cartas do Novo Testamento é total. Todas as outras foram escritas *ad hoc*. Se algo não houvesse dado errado ou não tivesse sido mal-entendido naquelas outras igrejas, não teria havido cartas dirigidas a elas. Efésios funciona num outro sentido, mergulhando-nos nas condições santas e sadias a partir das quais se pode desenvolver uma vida madura.

Em Tessalônica, alguns membros da igreja tinham tanta certeza de que o Senhor voltaria a qualquer momento que abandonaram seu trabalho. Ficavam sentados pelos cantos especulando sobre o tipo de nuvem que traria a carruagem para a chegada de Jesus, deixando que os irmãos e irmãs menos espiritualizados lhes provessem as refeições. Os coríntios eram um bando de brigões, que discutiam e faziam barulho acerca de diversos pontos comportamentais em relação a dieta, sexo e culto. Os cristãos de Colossos se

---

[2] Roma, Corinto, Tessalônica, Galácia, Filipos, Colossos, Esmirna, Pérgamo, Tiatira, Sardes, Filadélfia, Laodiceia, Antioquia, Jerusalém, Creta.

atrapalhavam com seu pensamento esotérico e careciam de esclarecimentos. Os cristãos gálatas estavam regredindo para antigas chatices legalistas e precisavam de um bom tratamento de choque. Os romanos, uma congregação mista de judeus e gentios, tinham dificuldades para achar uma base comum em Cristo. Filemom, um dos líderes da igreja colossense, teve um escravo fugitivo devolvido e precisou de conselhos firmes de Paulo sobre como tratá-lo. Timóteo e Tito eram responsáveis pela direção de igrejas nada ideais e precisaram de orientações específicas e incentivos de Paulo.

Às vezes ouvimos nossos amigos falando sobre a igreja primitiva em termos sonhadores, românticos. "Precisamos voltar a ser como a igreja primitiva." Deus nos livre! Aquelas igrejas eram uma bagunça, e Paulo lhes enviou suas cartas para desfazer a confusão.

Mas a preocupação dominante na carta aos efésios não é tratar de problemas humanos que inevitavelmente surgem na igreja — nenhuma igreja está isenta —, e sim explorar a glória de Deus que confere à igreja sua identidade única. A carta também nos oferece um vocabulário apropriado e uma imaginação suficientemente ampla para levarmos uma vida na plenitude da glória de Deus, vivendo para o "louvor da sua glória" (Ef 1.14). "Glória" é um termo amplo em nossas Escrituras, irradiando as inúmeras dimensões da grandeza, do brilho e do resplendor de Deus, e iluminando tudo a seu redor. A carta também esclarece que nenhum de nós pode compreender isso individualmente, cada cristão escolhendo itens de seu agrado, como num restaurante self-service. Agimos como uma *igreja*, uma congregação de cristãos que se sentam à mesa juntos e recebem com gratidão o que é preparado e servido por nosso Senhor, o Espírito. É como se Paulo interrompesse suas tarefas e dedicasse parte de seu tempo para resolver problemas de crença e comportamento que de súbito apareceram nas várias igrejas e expor, da maneira mais clara e completa, o que faz uma igreja ser *igreja*. E o que fica bem claro é que a igreja não é o que fazemos; é o que Deus faz, embora participemos do processo.

Quando nós que seguimos Jesus entramos numa igreja e participamos de sua vida, nosso entendimento do lugar e da companhia de que fazemos parte é fortemente condicionado por aquilo que observamos e experimentamos nessa congregação e em sua história local, essas pessoas com virtudes e falhas pessoais e coletivas. Isso significa que ninguém de nós jamais vê a igreja em sua totalidade e completude. Temos acesso apenas a algo parcial, algo distorcido, sempre incompleto.

Efésios nos proporciona um entendimento da igreja de dentro para fora, das bases escondidas e dos elementos estruturais que dão forma e fundamento às pessoas, quem quer que sejam elas, e ao lugar, onde quer que for. Efésios documenta as realidades trinitárias das quais se formam as congregações, por mais incompleta ou fragmentada que seja essa formação. Temos a carta aos efésios diante de nossos olhos para que, embora cercados por igrejas imaturas, deficientes e incompletas, possamos ter uma impressão do que é a maturidade, em que consiste o crescimento em Cristo. Por meio de Efésios temos um relato preciso do que Deus está fazendo e de como o Espírito está trabalhando no âmago de cada congregação. Sendo assim, essa carta é uma grande dádiva de revelação. Sem Efésios nós teríamos de tentar adivinhar, imaginando a "igreja" ao longo do caminho, e seríamos presa fácil de cada moda religiosa que surgisse. Sem a clara visão de Efésios, ficaríamos olhando para a igreja através de um para-brisa estilhaçado, prejudicado por manchas e borrões de insetos nele espatifados.

Assim, não lemos Efésios como a representação de uma "igreja perfeita" com a qual comparamos nossas congregações e tentamos copiar o que vemos. Mais propriamente, lemos Efésios como a revelação de todas as operações do Deus trinitário que são fundamentais para tudo o que entre nós é visível e atua em cada congregação. *Isso* é o que somos, por mais imperfeitos e neuróticos que sejamos em nossa vida prática.

* * *

Há quem idealize a igreja de Éfeso como a única igreja do Novo Testamento que era praticamente perfeita. Mas há duas, talvez três referências que definitivamente não permitem isso. Alguns anos depois da estada de Paulo no seio da congregação de Éfeso (At 19.20), ele escreveu uma carta a Timóteo, que havia sido enviado à congregação de Éfeso para ser seu pastor. Essa primeira carta de Paulo a Timóteo contém seus conselhos sobre como lidar com aquela igreja. O quadro que vemos nessa carta nem remotamente se parece com o de uma congregação ideal. Os efésios aparecem nas páginas da carta de Paulo como um grupo barulhento, inclinado a discussões, empenhado em especulações tolas e marcado por uma "loquacidade frívola [...] não compreendendo, todavia, nem o que dizem, nem os assuntos sobre os quais fazem ousadas asseverações" (1Tm 1.6-7).

Paulo examina algumas coisas muito elementares sobre a indicação de líderes. Ao tecer comentários acerca da congregação que agora está sob a administração de Timóteo, Paulo menciona o perigo das "fábulas profanas e de velhas caducas" (4.7). Ele observa que "já algumas [viúvas mais novas] se desviaram, seguindo a Satanás" (5.15). Alerta contra aqueles que têm "mania por questões e contendas de palavras" (6.4). Em suma, uma congregação briguenta. Isso não parece uma igreja madura ou sadia.

Paulo também se refere a Éfeso em sua primeira carta aos coríntios quando lhes diz que "lutei em Éfeso com feras" (1Co 15.32). Ele não especifica se essas "feras" estavam dentro ou fora da própria igreja. Muitos leitores suspeitam, com certa razão, de que elas talvez estivessem dentro.

Outra referência do Novo Testamento à igreja de Éfeso provém de uma época de vinte ou trinta anos mais tarde, depois da estada de Paulo entre eles. Foi durante um período de perseguição das igrejas cristãs por Roma. Naquela época o apóstolo João era pastor de um conjunto de sete congregações que incluíam Éfeso. Na perseguição ele se viu exilado na prisão da ilha de Patmos. Em certo Dia do Senhor ele teve uma esplendorosa visão do que estava acontecendo na época e das consequências daqueles acontecimentos. Enquanto suas sete igrejas celebravam seu culto semana após semana nessas circunstâncias desesperadoras, ele teve a visão de uma grande guerra entre o bem e o mal envolvendo as igrejas; um conflito cósmico entre os anjos do céu e feras apocalípticas e um enorme dragão. Cristãos eram mortos porque Roma atacava igrejas fracas e empobrecidas com a força bruta de espadas e cavalos. Cristãos nessas congregações vacilavam, tentando sobreviver mediante a adaptação àquelas condições.

Mas aqui existe algo muito superior à força bruta de Roma. Existe a adoração: Deus está em seu trono, Cristo está revelando sua abrangente salvação, os presbíteros e toda a criação se rejubilam cantando e adorando a Deus, e no exato momento em que os cristãos em suas igrejas praticam seu culto com suas Escrituras e orações, Babilônia/Roma é condenada. João descreve a visão para suas sete congregações. Ele força a imaginação delas para incluir tudo o que está acontecendo exatamente durante a adoração naquele Dia do Senhor.

Antes, porém, de apresentar o quadro geral a suas igrejas, ele se dirige individualmente a cada uma das sete congregações. Ele é um pastor e sabe que cada congregação tem seus pontos fortes e pontos fracos que devem ser reconhecidos e tratados localmente, mesmo enquanto vão sendo abrangidas pela visão que ocupa todo o horizonte. Cada igreja é primeiro elogiada pelo que está fazendo bem em sua fidelidade a Jesus, e depois censurada pelo que está fazendo mal, recebendo por fim uma graciosa promessa.[3] Éfeso é a primeira igreja mencionada. Jesus elogia os efésios por sua paciente "perseverança" (Ap 2.2). Os tempos são difíceis, e ele os elogia por sua magnífica resistência contra o mal. Mas isso é seguido por uma áspera repreensão: "Tenho, porém, contra ti que abandonaste o teu primeiro amor. Lembra-te, pois, de onde caíste" (2.4-5). Uma congregação sem amor? Não parece uma congregação ideal.

Não, a igreja de Éfeso não é a igreja ideal. Alguns anos depois de Paulo passar um triênio com eles como seu pastor, os efésios haviam se tornado uma anarquia briguenta, contenciosa e crítica, e Timóteo fora enviado para lá a fim de levar paz àquela comunidade. Mais ou menos trinta anos depois eles mostraram seu caráter corajoso e não sucumbiram à perseguição. Mas eram visivelmente carentes em relação à "única coisa necessária". Eram determinados, mas não tinham amor.

* * *

Assim, o que pretendo fazer, durante todo o tempo que for preciso para ler e ponderar essa carta aos efésios, é pôr de lado por enquanto os problemas de comportamento, as heresias da crença e a insensatez da imaturidade que nos afligem nas congregações a que pertencemos. Essas questões de teologia ruim e costumes e atitudes ruins são tratadas em outras cartas do Novo Testamento. Quero conceder a Paulo completa liberdade para que ele nos ensine e incentive como cristãos em formação a tirar a máxima vantagem na descoberta das formas apropriadas de mostrar para o que fomos criados e salvos, e viver para o "louvor da sua glória".

Ao longo dos vinte séculos em que temos sido a igreja em várias formas e condições, Efésios sempre foi o melhor texto em toda a Bíblia para nos mostrar o que está escondido nos bastidores de nossas congregações enquanto crescemos "com saúde em Deus, fortalecidos em amor".

[3] Uma das igrejas desse grupo de sete, Sardes, não é elogiada: "tens nome de que vives e estás morto" (Ap 3.1).

Ilusões e decepções da igreja

Meu entendimento da igreja conforme eu crescia foi o de uma casa mal construída que havia sido ocupada por inquilinos que não fizeram os devidos reparos quando necessário, foram descuidados na manutenção e deixaram o mato tomar conta do gramado. Mais tarde, depois que me tornei pastor, pressupus que minha tarefa era executar a parte mais importante da restauração, reformando tudo de cima a baixo, removendo o entulho acumulado ao longo de décadas, talvez até séculos, para podermos começar tudo de novo.

Esse entendimento me foi passado pelos pastores que serviram à congregação na qual cresci. Eles nunca duravam muito tempo em nossa pequena cidade de Montana.

Um de meus sermões preferidos sobre a igreja, pregado com variações por todos os pastores que consigo lembrar, provinha de Cântico dos Cânticos: "Formosa és, minha querida, como Tirza, aprazível como Jerusalém, formidável como um exército com bandeiras" (Ct 6.4). Esse era um dos textos preferidos naquela antiga cultura de Montana para referir-se à igreja. A igreja era a formosa Tirza e o formidável exército com bandeiras. Essas metáforas eram recheadas com esplêndidas imagens criadas por meus pastores. Durante pelo menos trinta ou quarenta minutos nossa igreja rústica com seu pórtico caindo aos pedaços era transformada em algo quase tão belo como a própria Segunda Vinda.

Esses sermões funcionavam como o quadro pintado na tampa da caixa de um quebra-cabeça. Diante de mil peças desconexas espalhadas sobre a mesa, a gente deixa o quadro postado a nossa frente. A gente sabe que, trabalhando nisso o tempo necessário, todas aquelas peças se encaixarão e formarão um belo quadro. Mas meus pastores não tinham essa paciência toda. Talvez concluíssem que havia acontecido algum erro na embalagem do quebra-cabeça e, acidentalmente, muitas peças não tinham sido incluídas. Seja como for, logo ficava evidente que não havia peças suficientes nos bancos da igreja de nossa congregação para completar o quadro de Tirza e do formidável exército com bandeiras. Meus pastores sempre iam embora depois de uns dois anos em busca de outra congregação, e depois de outra, e depois de outra. Minha conjectura hoje é que eles haviam concluído que nossa igreja estava degradada demais para que se perdesse mais tempo com ela.

Outro texto predileto de meus pastores provinha de Efésios, em que Cristo é retratado purificando a igreja "por meio da lavagem de água pela palavra", para que ela pudesse ser apresentada a ele como "igreja gloriosa, sem mácula, nem ruga, nem coisa semelhante", para que pudesse ser "santa e sem defeito" (Ef 5.26-27). Mas eu nunca me acostumei com a metáfora de "sem mácula, nem ruga" que eu associava com minha mãe em nosso nada glorioso porão, ao lado de uma pilha de roupa suja que passaria pela precária e manual máquina de lavar e com as aborrecidas horas que ela depois gastaria passando roupa. A formosa Tirza e o formidável exército com bandeiras, esse era o texto para mim: metáforas que conferiam à igreja um delicioso ar romântico, essa arrebatadora mulher associada a uma vitória obtida em renhida batalha contra as forças do mal. As metáforas combinadas nunca deixaram de provocar sonhos e idealismo em minha alma adolescente. Elas também mostravam o melhor lado de meus pastores quando eles as enfeitavam com suas extravagâncias.

E depois eu me tornei pastor. Foi difícil abandonar a ilusão romântica e sentimental da igreja, típica de um cruzado. Não que eu sequer tentasse. Aquela ilusão tinha raízes muito fundas em minha imaginação. Eu nem mesmo sabia que se tratava de uma ilusão, pois a essa altura ela se transformara em ideia fixa. Sabia qual devia ser a imagem da igreja. Minha ordenação me encarregara de fazer os consertos, as reformas, o trabalho de manutenção necessário para deixar o prédio em ordem a fim de que as pessoas se sentissem inspiradas pela formosa Tirza e achassem seu lugar estabelecido no exército com bandeiras.

Mas essa ideia fixa não durou muito. Logo descobri que a imagem com a qual eu crescera, fosse a de uma igreja romântica fosse a de uma igreja digna de um cruzado, havia mudado. Já não se pregavam sermões baseados em Cântico dos Cânticos ou Efésios para sensualizar ou militarizar a igreja. Os textos bíblicos já não bastavam para essas coisas. Imagens novas e recém-criadas eram agora fornecidas pelo mundo dos negócios. Enquanto eu crescia numa cidadezinha do interior, uma nova geração de pastores havia recriado a igreja. Tirza e o formidável exército com bandeiras foram descartados e substituídos pela imagem de um negócio eclesiástico com uma missão: vender espiritualidade para consumidores e fazê-los felizes. Simultaneamente, campanhas visavam novos clientes para induzi-los a comprar qualquer coisa que nos trouxesse felicidade.

Para mim, esses eram novos termos para enfocar a missão da igreja. A igreja não era mais concebida como algo que precisava de conserto, mas como uma oportunidade comercial para satisfazer o gosto de clientes pecadores com propensões espirituais, dentro ou fora da congregação. Os pastores não levaram muito tempo para descobrir que isso, como estratégia para vergastar a igreja e ajustá-la, funcionava muito melhor do que os sermões sobre o formidável exército com bandeiras ou sobre a igreja sem mácula nem ruga. Ali estavam métodos testados e garantidos desenvolvidos no mundo dos negócios que tinham um impressionante histórico de sucesso. Aprendi que os pastores já não pregavam sermões fantasiosos sobre o que a igreja deveria ser. Nós realmente poderíamos fazer alguma coisa para melhorar a imagem desgastada que tínhamos de nós mesmos. Poderíamos usar técnicas de propaganda para criar a imagem de uma igreja como um lugar onde nós e nossos amigos poderíamos nos misturar com gente bem-sucedida e charmosa. Poderíamos usar a manipulação pela mídia para convencer as pessoas a fazer coisas que já sabiam fazer muito bem: consumir. Tudo o que precisávamos fazer era retirar das paredes de nossas igrejas as imagens do Deus de Gomorra e de Moriá e do Gólgota e mudar algumas coisas para tornar os locais de reunião mais atraentes para nossos consumidores. Depois que Deus fosse despersonalizado e reembalado como um princípio ou uma fórmula, as pessoas poderiam comprar conforme seu gosto qualquer coisa que lhes desse a impressão de tornar a vida mais interessante e satisfatória. A pesquisa de *marketing* logo avançou para nos mostrar exatamente o que as pessoas queriam em termos de Deus e religião. Assim que descobríamos o que era, nós o fornecíamos a elas.

* * *

Tenho sido um membro ativo da igreja cristã na América do Norte toda a vida (por 75 anos no momento em que escrevo isto). Durante cinquenta desses anos tenho mantido uma posição de responsabilidade como pastor da igreja. Ao longo desses cinquenta anos tenho visto a igreja e também minha vocação de pastor implacavelmente diminuídas e corrompidas por uma redefinição em termos de administração de um negócio eclesiástico. A tinta em meus documentos de ordenação ainda não estava seca, e eu já recebia a informação de especialistas no campo da igreja de que minha tarefa era administrar uma igreja do jeito que meus irmãos e irmãs cristãos administram postos de gasolina, quitandas, corporações, bancos, hospitais e serviços financeiros. Muitos desses especialistas escreveram livros e fizeram palestras sobre como conseguir isso. Fiquei atônito quando aprendi num desses livros campeões de venda que o tamanho do estacionamento de minha igreja revelava muito mais sobre a situação de minha congregação do que qualquer escolha que eu fizesse de textos para a pregação. Depois de tentar por alguns anos levar tudo aquilo a sério, concluí que eu era vítima de mentiras.

Isso é a americanização da congregação. Significa transformar cada congregação num mercado para consumidores religiosos, um negócio eclesiástico administrado segundo os princípios de técnicas de propaganda e fluxogramas organizacionais, e depois energizado por uma impressionante retórica de motivação.

* * *

A conclusão foi que eu não tinha a imaginação adequada para lidar com minha experiência real de membro ativo da igreja ou com minha responsabilidade de pastor. As ilusões da infância e adolescência com as quais me criei não sobreviveram por muito tempo depois que descobri meu caminho de adulto na igreja, adorando e trabalhando sobretudo com homens e mulheres definitivamente nada atraentes e muitas vezes desligados da realidade. Sempre havia algumas exceções, mas nada que combinasse com a esbelta Tirza ou o formidável exército. Em contrapartida, a adoção profissionalizante pragmática da tecnologia e do consumismo que prometia retirar congregações da ineficaz obscuridade violava tudo aquilo que formara minha identidade de seguidor de Jesus à luz das Escrituras, da teologia e da experiência. Aquilo me impressionava como uma terrível profanação do estilo de vida para o qual a igreja me ordenara, algo semelhante a uma abominação profissionalizante da desolação.

O milagre da igreja

E assim parti para uma pesquisa sobre a "igreja" que me levou para Efésios. Mas não comecei com Efésios. Comecei com Atos dos Apóstolos, em que o termo "igreja" ocorre 24 vezes, uma frequência maior do que em qualquer outro livro da Bíblia. É também o livro em que a cidade de Éfeso é mencionada pela primeira vez.

O que notei em primeiro lugar foi algo que nunca tinha levado a sério antes, o exato paralelo entre a concepção de Jesus pelo Espírito Santo e a concepção da igreja pelo Espírito Santo. Lucas 1—2 e Atos 1—2 são histórias paralelas, o nascimento de nosso Salvador Jesus e o nascimento de nossa comunidade de salvação, a igreja.

Como foi que Deus trouxe nosso Salvador para o mundo, para a história? Nós temos o relato do que poderia ter acontecido, mas não aconteceu. Deus poderia ter enviado seu Filho para a terra a fim de transformar pedras em pão e resolver o problema da fome do mundo inteiro. Não fez isso. Poderia ter mandado Jesus passar pela Palestina, enchendo sucessivamente os sete grandes anfiteatros e hipódromos construídos por Herodes, e maravilhar todo mundo com atuações circenses sobrenaturais, impressionando as multidões com milagres da realidade e da presença de Deus no meio delas. Mas não fez isso. Poderia ter designado Jesus para que ele governasse o mundo — já não haveria guerras, nem injustiças, nem crimes. Tampouco fez isso.

Também temos o relato do que Deus realmente fez. Ele nos deu o milagre de Jesus, mas um milagre na forma de um bebê desamparado nascido na pobreza num lugar perigoso sem nenhuma percepção nem apoio dos meios culturais, políticos ou religiosos. Jesus nunca deixou o mundo no qual havia nascido, o mundo da vulnerabilidade, da marginalidade, da pobreza.

Como foi que Deus trouxe nossa comunidade de salvação para o mundo, para a nossa história? Praticamente da mesma forma que trouxe para o mundo o nosso Salvador. Por meio de um milagre, tão prodigioso em cada detalhe como o nascimento de Jesus, mas também nas mesmas condições desse nascimento. A celebridade foi visivelmente excluída. O governo parecia ignorar o que estava acontecendo.

Deus nos deu o milagre da congregação da mesma forma que nos deu o milagre de Jesus, pela Descida do Paracleto.[4] O Espírito Santo desceu

---

[4] A expressão foi extraída de Charles Williams, *The Descent of the Dove: The History of the Holy Spirit in the Church* (Londres: Longmans, Green and Co., 1939). [No Brasil, *A descida da pomba: Uma breve história do Espírito Santo na igreja*. São Paulo: Mundo Cristão, 2019.]

para o ventre de Maria na aldeia galileia de Nazaré. Cerca de trinta anos mais tarde o mesmo Espírito Santo desceu para o ventre espiritual coletivo de homens e mulheres, inclusive de Maria, que haviam sido seguidores de Jesus. Aconteceu quando eles se reuniram em adoração na festa judaica de Pentecostes na cidade de Jerusalém. A primeira concepção nos deu Jesus; a segunda nos deu a igreja.

Foi um milagre que não parecia um milagre, um milagre na forma de gente desamparada, vulnerável, insignificante — não muito diferente da gente de qualquer congregação que se possa encontrar nas páginas amarelas de uma lista telefônica. O relato de Paulo acerca da igreja da primeira geração é totalmente desprovido do aspecto romântico, de gente charmosa, célebre ou influente: "Irmãos, reparai, pois, na vossa vocação; visto que não foram chamados muitos sábios segundo a carne, nem muitos poderosos, nem muitos de nobre nascimento; pelo contrário, Deus escolheu as coisas loucas do mundo para envergonhar os sábios e escolheu as coisas fracas do mundo para envergonhar os fortes; e Deus escolheu as coisas humildes do mundo, e as desprezadas, e aquelas que não são, para reduzir a nada as que são; a fim de que ninguém se vanglorie na presença de Deus" (1Co 1.26-29). Ele ainda faz o mesmo.

Aqui está um outro jeito de dizer isso: "Lembrem-se de quem vocês eram quando foram chamados para esta vida. Não vejo entre vocês muitos representantes da elite intelectual, nem cidadãos influentes, nem muitas famílias da alta sociedade. Não é óbvio que Deus, deliberadamente, escolheu homens e mulheres que a sociedade despreza, explora e abusa? Não é óbvio que ele escolheu gente do tipo 'zé-ninguém' para desmascarar as pretensões vãs dos que se julgam importantes?" (*A Mensagem*).

Falamos muito sobre o Cristo morto numa cruz como um escândalo, "escândalo para os judeus, loucura para os gentios" (1Co 1.23). Quero falar sobre a igreja, essa congregação real que eu frequento, como uma loucura, um escândalo, um absurdo.

O Espírito Santo poderia ter formado congregações a partir de um grupo de elite de homens e mulheres talentosos com fome da "beleza da santidade", congregações tão assombrosas como a curvilínea Tirza e tão aterradoras para as forças do mal como o exército com bandeiras. Por que não o fez? Porque o Espírito Santo não age desse jeito. Sabemos que não foi assim que o Salvador foi introduzido em nossa vida. Por que o Espírito mudaria de estratégia para introduzir em nossa vida a comunidade de salvação, a igreja?

Lucas é um autor cuidadoso. Ele escreve sua história da igreja em Atos como a continuação da história de Jesus em seu evangelho. A maneira como ele conta a história da igreja reproduz a história de Jesus tal qual ela continuou a ser vivida na Palestina, na Síria, na Galácia, na Grécia e na Roma sob a ocupação do Império. É a mesma história de Jesus que atualmente é vivida nas congregações da Noruega sob um regime democrático, na China sob um regime comunista, em Zimbábue sob uma ditadura.

Quanto mais eu prestava atenção à maneira de Lucas de contar a história de Jesus em seu evangelho e via o paralelo com sua maneira de contar a história de igreja em Atos, tanto mais eu conseguia ver a mesma história sendo vivida e contada em minha congregação. O entendimento se deu lentamente. Era difícil para mim largar aquelas antigas ilusões românticas da doce Tirza e das formidáveis bandeiras. E o enganador afluxo de adrenalina e a satisfação do ego proporcionados por uma posição no controle de um negócio religioso eram uma sedução constante. O consumismo espiritual, o pecado que "jaz à porta" (Gn 4.7) e acabou com Caim, sempre estava presente. Mas o estilo narrativo de Lucas me impressionou, e aos poucos passei a ver minha congregação nos termos dele. Emily Dickinson tem um verso maravilhoso em que diz que "a verdade precisa deslumbrar aos poucos / senão todo mundo fica cego".[5]

Eu percebi que esse era o meu lugar e a minha tarefa na igreja, isto é, ser um testemunho da verdade que deslumbra aos poucos. Eu seria um testemunho da formação da congregação do Espírito Santo a partir dessa mistura confusa de seres humanos que é minha congregação: falidos, coxos, aleijados, vítimas de abusos sexuais, vítimas de abusos espirituais, cidadãos emocionalmente instáveis, passivos e passivos-agressivos, homens e mulheres neuróticos. Homens de cinquenta anos que fracassaram uma dúzia de vezes e sabem que nunca chegarão a ser alguma coisa. Mulheres que foram ignoradas e desprezadas e abusadas num casamento em que elas foram fiéis. Pessoas vivendo com filhos e cônjuges afundados no vício. Leprosos e pecadores cegos e surdos e mudos. Também recém-convertidos, entusiasmados por estarem nessa nova vida. Jovens

---

[5] Emily Dickinson, *Collected Poems*, ed. Thomas H. Johnson (Boston: Little, Brown and Company, 1960), p. 506.

determinados, enérgicos e ávidos de orientação para uma vida de amor e compaixão, missão e evangelismo. Alguns santos experientes que sabem como orar e ouvir e tolerar. E um número considerável de pessoas que simplesmente aparecem. Eu me pergunto por que se dão ao trabalho de fazer isso. Lá estão eles. Os quentes, os frios e os mornos, cristãos, meio--cristãos, quase cristãos. Adeptos da *new age*, zangados ex-católicos, doces recém-convertidos. Eu não os escolhi. Não me *compete* escolhê-los.

Qualquer congregação se presta a uma demorada e amorosa observação de gente assim. Não parece nada óbvio no início, mas quando insistimos, quando persistimos nessa demorada e amorosa observação, percebemos que de fato estamos observando a igreja, essa comunidade criada pelo Espírito Santo que forma Cristo nesse lugar. Mas não em algum rarefeito sentido "espiritual", almas preciosas por quem Cristo morreu. Elas são isso também, mas leva-se algum tempo para vê-lo, ver as várias partes do corpo de Cristo exatamente aqui e agora: um dedo do pé aqui, um dedo da mão ali, seios e traseiros caídos, joelhos e cotovelos esfolados. A metáfora de Paulo da igreja como um conjunto de membros do corpo de Cristo não é mera metáfora. As metáforas têm dentes. Elas nos prendem àquilo que temos diante de nossos olhos. Ao mesmo tempo elas nos mantêm conectados com todas as operações da Trindade que não podemos ver.

Essas coisas estão implícitas em nosso entendimento do Espírito Santo e na adesão a ele — as realidades criadas da igreja. Fazemos uma demorada e amorosa observação do que temos bem diante dos olhos na congregação que escolhemos ou que nos foi atribuída ou que foi nossa última opção. E depois, persistindo no que vemos, internalizando tudo em nossas orações enquanto a igreja se forma na adoração, no batismo e na eucaristia, damos testemunho daquilo que aos poucos, mas com muita certeza, sabemos ser a igreja nos termos em que o Espírito Santo a constitui — nesta terra, neste chão, com seus santos e pecadores locais identificados pelo nome.

Quem mais além de um cristão batizado tem esse acesso contínuo à história que nos mantém atentos àquilo que o Espírito Santo traz a nossa visão, a nossa consciência — a *igreja* como ela de fato é? Não uma Tirza ilusória, não uma ilusão "formidável como um exército com bandeiras", não a mentira de um fornecedor popular de bens e serviços religiosos sob o gerenciamento de seres humanos, mas uma congregação de pessoas embaraçosamente comuns nas quais e pelas quais Deus escolhe estar presente para o mundo.

Isso não é o que a igreja parece aos olhos de quem está fora dela; de fato, isso não é nem mesmo o que ela, na maior parte das vezes, parece aos olhos de quem está dentro. Mas é isso que ela *é*. Deus não atua sem a participação de homens e mulheres pecadores e imperfeitos (perdoados, sem dúvida) que na maioria das vezes não têm credenciais.

Representações românticas da igreja, representações próprias de cruzados ou de consumidores atrapalham o reconhecimento do que é a igreja na realidade. Se permitirmos — ou, pior ainda, promovermos — distorções sonhadoras e ilusórias da criação do Espírito Santo, nossa participação vai interferir no fato real. A igreja que queremos torna-se o inimigo da igreja que temos.

É significativo que não haja nenhum exemplo na revelação bíblica de uma congregação do povo de Deus que nos foi dada em termos românticos, própria de cruzados ou de consumidores. Não há congregações "bem-sucedidas" nas Escrituras ou na história da igreja.

* * *

Mas nós temos Efésios. Nós mergulhamos em Efésios para conseguir uma imagem mental límpida e ordenada dos métodos e meios pelos quais o Espírito Santo forma a *igreja* a partir de gente exatamente como nós. Este é o solo sagrado no qual fomos plantados, estas são as condições que nos possibilitam crescer em Cristo, para nos tornarmos maduros, "com saúde em Deus, fortalecidos em amor".

2

A mensagem aos efésios: Efésios 4.1,7

> Rogo-vos, pois, eu, o prisioneiro no Senhor, que andeis de modo digno da vocação a que fostes chamados. [...] E a graça foi concedida a cada um de nós segundo a proporção do dom de Cristo. Por isso, diz:
> Quando ele subiu às alturas, levou cativo
> o cativeiro e concedeu dons aos homens.
>
> Efésios 4.1,7-8

> Esta carta é pura música. [...] O que lemos aqui é verdade que canta, doutrina musicada [...] o livro bíblico mais contemporâneo.
>
> John A. Mackay, God's Order:
The Ephesian Letter and the Present Time

"Aquilo que sabemos a respeito de Deus e o que fazemos para Deus de alguma maneira influencia profundamente nossa vida. Quando a unidade orgânica entre crença e comportamento é prejudicada, sentimo-nos incapazes de viver plenamente a humanidade para a qual fomos criados.

"A carta aos Efésios reúne o que sobrou do nosso mundo devastado pelo pecado. Paulo começa com uma brilhante exposição acerca do que os cristãos creem com relação a Deus e, como um cirurgião trabalhando habilidosamente numa fratura exposta, 'insere' em nosso comportamento os pinos da crença em Deus, de modo que os ossos — crença e comportamento — se unam e sejam curados.

"Uma vez que nossa atenção foi chamada para esse ponto, percebemos que as fraturas são múltiplas. Praticamente, não restou um osso em nosso corpo que não esteja de alguma forma afetado. É raro um relacionamento na cidade, no emprego, na escola, na igreja, na família ou no país, que não esteja desajustado ou correndo perigo de se esfacelar. Portanto, há muito trabalho a ser feito.

"Assim, Paulo inicia seu trabalho apresentando uma visão ampla, do céu à terra e vice-versa, mostrando como Jesus, o Messias, está eterna e incansavelmente unindo tudo e todos. Ele também mostra que, além da obra realizada em nós e para nós, somos participantes dessa mesma obra, que é tão necessária. Agora que sabemos o que está acontecendo, que a força da reconciliação é o dínamo no coração do Universo, é imperativo que nos dediquemos a essa tarefa com vigor e perseverança, convencidos de que cada detalhe em nossa vida contribui (ou não) para o que Paulo descreve como o plano de Deus executado por Cristo, 'um plano de longo alcance, em que tudo está ajustado e centralizado nele, nos mais altos céus e na terra.'"[1]

A metáfora de *axios*

Começamos no ponto central, primeiro com uma metáfora e depois com um texto. No centro de Efésios há uma palavra grega singular, *axios*, em torno da qual gira a carta inteira. Traduzida como "de modo digno", essa palavra ocorre na seguinte frase: "Rogo-vos, pois, eu, o prisioneiro no Senhor, que andeis *de modo digno* da vocação a que fostes chamados" (4.1).

Axios é uma palavra que contém uma ilustração. O termo grego *axios* em Efésios funciona como uma metáfora. Um *axios* é o conjunto que constitui uma balança, o tipo de balança formado por um travessão equilibrado sobre uma haste, com pratos pendentes em cada extremidade do travessão. Colocamos um peso de chumbo, digamos, de meio quilo sobre um dos pratos e depois colocamos farinha no outro prato até que os dois se equilibrem. Balança significa equilíbrio. Quando a farinha num dos pratos equilibra o peso de chumbo de meio quilo do outro prato, sabemos que temos meio quilo de farinha. O peso desconhecido do que está sendo medido num dos pratos equivale ao peso conhecido que está no outro prato. Os dois itens, chumbo e farinha, são *axios* — dignos. Eles têm o mesmo valor ou, nesse caso, o mesmo peso. Podem diferir muito entre si, como chumbo e farinha, mas "se encaixam", como um par de sapatos

---

[1] Eugene H. Peterson, introdução a Efésios em *A Mensagem* (São Paulo: Vida, 2011).

se encaixa nos pés de um homem, como um vestido se encaixa no corpo de uma mulher, como uma chave inglesa se encaixa na porca de um parafuso, como um anel de noivado se encaixa no dedo da pessoa amada.

Os itens equilibrados na balança de Efésios são o chamado de Deus e a vida humana: "Rogo-vos, pois, eu", escreve Paulo, "que *andeis* (*peripateo*) de modo digno da *vocação* a que fostes *chamados* (*kaleo*)". Quando nossa caminhada e a vocação de Deus estão equilibrados, nós somos íntegros; vivemos de maneira madura, vivemos de maneira responsável em relação ao chamado de Deus, levamos uma vida congruente com o modo que Deus nos chama a viver. *Axios*, dignos — maduros, sadios, robustos.

A balança, o *axios*, está no centro da carta aos efésios. Tudo nessa carta de Paulo visa manter o chamado de Deus (capítulos 1—3) e a nossa caminhada (capítulos 4—6) em equilíbrio. Não podemos medir a nós mesmos examinando-nos em termos pessoais, comparando-nos com uma abstração não relacional como, por exemplo, o "potencial humano". Tampouco podemos abstrair a Deus transformando-o numa "verdade" impessoal independente do que ouvimos e de como respondemos às palavras que ele emprega para nos chamar à vida, à santidade, ao relacionamento. Não podemos compreender a Deus ou a nós mesmos sem um estilo de vida pessoal e relacional que seja adequado e maduro. Quando o chamado de Deus e o nosso andar se encaixam, estamos crescendo em Cristo.

Deus chama, nós caminhamos.

* * *

Chamado. Deus nos chama. Ele não nos passa informações. Não explica. Tampouco nos condena ou desculpa. Ele chama.

Adão no jardim do Éden desobedeceu às ordens de Deus e violou a intimidade que havia sido criada pela palavra de Deus. O equilíbrio entre a palavra de Deus e a caminhada de Adão foi destruído. Deus o chamou novamente e o colocou na balança; começou o processo de trazer Adão de volta para um relacionamento com a palavra que, em primeiro lugar, o criou, recolocando-o numa posição de receptibilidade ao chamado de Deus.

Abraão foi chamado por Deus a deixar Ur, sua terra, e a dirigir-se para Canaã. Lá ele daria início à formação de um povo de salvação. Abraão partiu, caminhou para o oeste através do deserto. O chamado e a caminhada tornaram-se juntos a receptibilidade dinâmica que resultou na transformação de Abraão em nosso pai na fé.

Moisés apascentava ovelhas em Midiã quando do meio da sarça ardente foi chamado pelo nome: "Moisés! Moisés!". Ele ouviu seu nome chamado e aprendeu o nome daquele que o chamava: "Yahweh". A resposta pessoal de Moisés, sua "caminhada", àquele chamado pessoal junto à sarça ardente transformou-se numa congregação de gente caminhando para fora do Egito através do mar rumo à liberdade.

Jesus à beira do lago da Galileia chamou quatro discípulos pelo nome. Jesus continuou chamando: os quatro logo se tornaram doze. Eles o seguiram para cima e para baixo pelas estradas da Galileia, ouvindo, obedecendo, questionando, observando, orando. Mais tarde, depois que eles se haviam habituado ao som de sua voz, Jesus os chamou novamente. Dessa vez, o chamado era para cada um pegar a própria cruz e segui-lo até a cruz dele, sua morte em Jerusalém. Eles ouviram o chamado e caminharam com ele. Na fusão entre o chamado de Jesus e a caminhada deles, eles se tornaram a comitiva que o Espírito Santo transformou na igreja.

Um homem chamado Saulo caminhava pela estrada para Damasco a fim de perseguir os cristãos quando foi parado no meio da jornada por uma voz que se dirigia a ele pelo nome: "Saulo! Saulo!". Como acontecera com Moisés 1.200 anos antes, ele aprendeu o nome daquele que o chamava nominalmente; dessa vez o nome daquele que chamava era "Jesus". E nesse chamado o próprio nome de Saulo foi mudado. Saulo se converteu no ato: de perseguidor de Jesus para um de seus seguidores — o chamado de Jesus e a resposta de Saulo tornaram-se a caminhada de Paulo, agora num ritmo tranquilo.

Deus profere a palavra decisiva que nos põe no caminho, na estrada, na rota da vida. A palavra hebraica para Bíblia é *Miqra*, nome formado do verbo "chamar", *qara*. A Bíblia não é um livro que devemos carregar por aí e ler em busca de informações sobre Deus; é antes uma voz que devemos ouvir. Gosto disso. Essa palavra de Deus que chamamos de Bíblia, "livro", não é em sua raiz uma palavra a ser lida ou analisada e discutida. É uma palavra a ser ouvida e obedecida, uma palavra que nos leva a agir. Basicamente, é um chamado: Deus nos chama.

* * *

A resposta ao chamado é a caminhada. Caminhar é o que fazemos. Seguimos o chamado de Deus. Respondemos com nossa vida. Não começamos meditando em Deus. Deus não é uma ideia. Ouvimos e respondemos. Obedecemos. Mas a obediência não é uma reação pavloviana a um estímulo convencional: "senta", "pega", "rola no chão". Ela acontece num contexto complexo e num relacionamento pessoal. É o ato de aceitar um convite pessoal ou seguir uma ordem dirigida pessoalmente. Ouvimos nosso nome e respondemos àquele que tem nome e nos chama.

Um chamado não é uma causa impessoal que faz alguma coisa acontecer num ato mecânico de obediência às leis da física, como uma bola de beisebol que é atirada pelo golpe de um taco para fora do estádio. O chamado entra por nossos ouvidos, convida-nos para o futuro, leva-nos a um estilo de vida que jamais foi experimentado dessa forma antes: uma promessa, uma coisa nova, uma bênção, nosso lugar na nova criação, uma vida ressuscitada.

Quando o chamado e a caminhada estão em equilíbrio, somos dignos. Estamos nos pratos equilibrados de uma balança, num contato sensível e simultâneo com o Deus cujo nome nós sabemos e o Deus que sabe nosso nome. Deus chama, nós caminhamos.

A balança não oferece a imagem de algo rigidamente estático, uma conquista que, depois de realizada, é fixada e soldada. A utilidade da metáfora consiste em nos mantermos atentos à conexão sensível e delicada entre o chamar e o caminhar, uma relação que nunca é unilateral, mas sempre recíproca. Isso é o que significa crescer em Cristo, viver na maturidade, ser *axios*, digno, sadio.

À medida que nossa linguagem amadurece nessas conversas iniciadas por Deus ao longo da caminhada cristã, essas conversas se tornam cada vez mais pessoais. De modo geral, começamos procurando informações *sobre* Deus, mas logo nos percebemos desenvolvendo a linguagem de intimidade *com* Deus, a linguagem pessoal do Deus da revelação em colóquio com a nossa linguagem pessoal de atenta obediência. A voz de Deus e nossos ouvidos têm uma intimidade orgânica. Adquirimos uma percepção das complexidades que estão presentes quando a palavra de Deus e a nossa caminhada se enredam. A metáfora de *axios* impede o enfraquecimento de nossa linguagem e nossa vida nessa constante, atenta, correspondente qualidade.

Se a linguagem for reduzida a informações ou a explicações, isto é, se ela perder sua conexão com uma voz viva que chama, ordena e abençoa, e se não houver ouvidos abertos que ouçam, respondam e creiam, a linguagem vira coisa morta. Palavras, verbos intensos e substantivos luminosos, separados da voz viva, logo se tornam folhas mortas carregadas pelo vento.

* * *

À medida, porém, que nossa linguagem se torna mais pessoal ela também se torna mais *inter*pessoal. Essa é uma conversa de múltiplas vozes. Não pode ser simplificada, reduzida a uma troca particular de palavras entre mim e Jesus a sós no jardim. Há, com certeza, muitas ocasiões em que estamos sozinhos na estrada, ouvindo e falando, atentos a "um cicio tranquilo e suave", e sussurrando de maneira receptiva a nosso Senhor. Esses são momentos autenticamente preciosos, mas logo aprendemos que não podemos ter Jesus só para nós mesmos. Se quisermos entender tudo o que está acontecendo nesta aventura chamada vida vivida de forma receptiva, devemos estender nossa conversa para envolver os outros que Deus está chamando, os outros que estão caminhando em resposta ao chamado recebido. A vida na qual crescemos para atingir a maturidade em Cristo é uma vida formada em comunidade.

A carta aos efésios molda nossa imaginação despertando uma consciência não apenas de nós mesmos, mas também de todos os peregrinos na estrada em sua simultânea diversidade e unidade. Essa companhia de colegas de viagem, todos diferentes e todos um só, é a igreja. A metáfora de Paulo para isso é um corpo humano que tem Cristo como sua cabeça, "o corpo de Cristo" (Ef 4.12). Todos diferentes, todos organicamente ligados. Cambiante diversidade e harmônica unidade — "bem ajustado e consolidado pelo auxílio de toda junta" é a vívida metáfora de Paulo (4.16). "Cristo e a igreja" (5.32) é a forma paradigmática para essa numerosa e improvável mas ainda assim unificada companhia.

A adoração comunitária, isto é, a adoração associada (a adoração "em comum"), oferece-nos a forma fundamental e o conteúdo essencial para esse aspecto do crescimento até atingirmos "a estatura da plenitude de Cristo". O culto privado, quando se está a sós em parcial paralisia diante da tela de uma televisão, não é um culto maduro. Certamente podemos adorar na solidão. Alguns de nossos momentos de adoração mais ricos acontecem enquanto caminhamos numa praia ou num jardim ou ficamos parados no topo de uma montanha. O que não devemos fazer é literalmente excluir os outros de nosso culto ou praticá-lo de modo seletivo com amigos que pensam como nós. Essas não são opções presentes em Efésios. A maturidade se desenvolve no culto à medida que evoluímos na amizade com os amigos de *Deus*, não apenas com *nossos* amigos preferidos. O culto nos molda não apenas individualmente, mas também como comunidade, como igreja. Se quisermos crescer em Cristo devemos fazê-lo na companhia de todos os que estão respondendo ao chamado de Deus. O fato de gostarmos deles ou não nada tem a ver com o caso.

* * *

Eis outra metáfora que nos proporciona uma imagem da adoração comunitária que se desenvolve a partir do equilíbrio da *axios* de Paulo. Esta provém do poema de Wallace Stevens, "Anedota do jarro".

> Um jarro expus no Tennessee,
> Redondo, sobre um monte.
> E logo a esdrúxula vastidão
> Cercou esse monte.
>
> A vastidão curvou-se a ele,
> E esparramou-se, dominada.
> Alto e rotundo sobre o mundo,
> O jarro impunha-se no ar.
>
> Nada restava a dominar.
> O jarro era cinza e alvar.
> De arbusto ou ave não dizia,
> Sem nada igual no Tennessee.[2]

---

[2] *I placed a jar in Tennessee, / And round it was, upon a hill. / It made the slovenly wilderness / Surround that hill.*

The wilderness rose up to it, / And sprawled around, no longer wild. / The jar was round upon the ground / And tall and of a port in air.

It took dominion everywhere. / The jar was gray and bare. / It did not give of bird or bush, / Like nothing else in Tennessee.

Wallace Stevens, "Anecdote of the Jar", in *The Oxford Book of American Verse*, ed. F. O. Matthiessen (Nova York: Oxford University Press, 1950), p. 630.

O jarro é colocado sobre um monte no Tennessee. O simples fato de ele ocupar esse lugar traz ordem ao mundo daquela vastidão. Não há nada elegante no jarro. Ele é artificial, algo fabricado, ao olhar desatento ele é desprovido de elegância ("cinza e alvar"). E no entanto, simplesmente por estar onde está, ele constitui um centro para o capim e a vegetação rasteira, "a esdrúxula vastidão".

O jarro é uma metáfora que combina com a metáfora paulina do corpo de Cristo, para afirmar o que acontece quando a igreja realiza sua adoração; quando uma despretensiosa reunião de homens e mulheres, chamados e seguidores de Deus, se junta para praticar seu culto.

Uma das desculpas comuns para não realizar o culto é que ele é, digamos, tão comum. É tedioso, não acontece nada — "Não lucro nada com isso". E assim, pessoas bem-intencionadas decidem acrescentar um pouco de adrenalina a seu culto.

O que acho útil na metáfora do jarro é que ele, como o culto, não foi concebido para fazer alguma coisa acontecer. A adoração nos leva a uma presença em que Deus faz alguma coisa acontecer.

O despretensioso culto comunitário traz esse tipo de ordem à vida comum, vida em comum com outras pessoas. A existência como a experimentamos é uma espécie de caos. A vida é uma luta constante contra essa desordem, e assim nós tentamos lhe impor alguma espécie de ordem com nossos relógios de parede ou de pulso, nossos horários e regras. As energias naturais da vida tendem para o caos. Os físicos lhe dão o pomposo nome de "A Segunda Lei da Termodinâmica": deixadas à própria sorte, as coisas tendem a se desintegrar. A casa mais bem construída e bem organizada, se ocupada sem limpeza, sem arrumação e sem reparos, num espaço muito curto de tempo se torna desordenada, confusa e, diriam alguns, "inabitável". A maioria de nós tem rotinas que impõem ordem a essas energias desordenadas: tirar o pó, fazer as camas, limpar o jardim, lavar os pratos, botar o lixo para fora.

A adoração comunitária funciona dessa forma em nossa vida quando respondemos ao chamado de Deus. Mas não se trata de uma ordem imposta. A ordem da adoração vai se impondo à desordem de forma quase imperceptível enquanto cantamos e oramos juntos, ouvimos e obedecemos e somos abençoados.

É importante observar o tipo de ordem que se estabelece. Não é a chamada ordem da criação como se narra em Gênesis 1—2, achando-se um lugar para tudo e colocando tudo em seu lugar: o caráter ordenado dos sete dias da criação, o caráter ordenado do homem e da mulher no Éden. O culto não reorganiza a existência de acordo com Gênesis 1—2. Ele não se propõe voltar à época anterior ao pecado e prender a sociedade nas belas divisões em que o cosmos era outrora organizado.

Trata-se, mais propriamente, de uma ordem de redenção, uma ordem de amor recíproco mais do que de uma ordem imposta por alguma lei. O culto não visa em primeiro lugar dizer às pessoas como elas devem viver. Ele nos chama à presença do Cristo que redime e nos proporciona uma comunidade que responde de modo apropriado. A vida de adoração é feita de oração e louvor, atenção e proclamação da palavra (a voz!) de Deus, do batismo e da eucaristia. O culto é aquele jarro, uma presença discreta desprovida de adornos, que sem alarde ou coerção, sem chamar atenção sobre si, cria uma ordem simplesmente acontecendo ali. É a coisa que mais difere do que é uma cerca.

* * *

Então, é isto: a metáfora paulina da balança, preservando unidas as polaridades do chamado e da caminhada, com um pouco de ajuda da metáfora do jarro no Tennessee de Wallace Stevens, como testemunho do poder de ordenação da Presença numa cultura desordenada. Juntas elas são duas metáforas complementares da igreja em ação e adoração.

O culto emprega uma linguagem coloquial e pessoal para nutrir o reconhecimento de nossa capacidade essencial de ouvir e perceber a voz de Deus se dirigindo a nós pessoalmente (chamado). Depois, trata-nos com a dignidade de permitir-nos viver (caminhar) com dignidade, isto é, de modo apropriado, seguindo o chamado. O culto se certifica de que sabemos que nunca estamos isolados em nossa vida de chamado/caminhada. Estamos todos necessariamente numa relação de uns com os outros. O que cada um de nós faz afeta todos os demais. Quando ouvimos e respondemos a Deus, geralmente fazemos isso a sós, mas implicitamente sempre em comunidade, estejamos ou não no mesmo recinto com os outros.

O culto é um silencioso mas insistente testemunho da presença ordenadora de Deus num grupo de pessoas, que pelo simples fato de serem quem são num determinado lugar, "um jarro no Tennesse", centralizam a paisagem.

O culto é o ato mais característico da comunidade cristã na medida em que ela se sente à vontade nas condições que levam ao crescimento e à maturidade em Cristo.

O texto do salmo 68: "Subiste às alturas…"

A metáfora de *axios* usada por Paulo é equiparada em energia imaginativa a sua escolha de certo texto para ancorar sua mensagem da espiritualidade madura. O texto é extraído do salmo 68, um catálogo muito vigoroso celebrando os magníficos atos de salvação reunidos num igualmente magnífico ato de adoração. Paulo escolhe uma estrofe (v. 17-18) da parte central do salmo para seu texto:

> Os carros de Deus são vinte mil,
> sim, milhares de milhares.
> No meio deles, está o Senhor;
> o Sinai tornou-se em santuário.
> Subiste às alturas, levaste cativo o cativeiro;
> recebeste homens por dádivas, até mesmo rebeldes,
> para que o Senhor Deus habite no meio deles.

O salmo começa com uma retumbante invocação: "Levanta-se Deus; dispersam-se os seus inimigos". Deus faz isso: ele se levanta. Estrofe após estrofe proclamam Deus em ação: ele é o majestoso soberano ("o que cavalga sobre as nuvens", v. 1-4) enquanto seus inimigos fogem; ele marcha pela vastidão do mundo resgatando viúvas e órfãos, sem-teto e prisioneiros, numa grandiosa amostra de salvação ("copiosa chuva derramaste", v. 5-10); ele comanda um exército de profetas que proclamam a grande inversão do evangelho ("as boas-novas") enquanto os arrogantes poderosos e os fracos abandonados trocam de lugar ("a dona de casa reparte os despojos", v. 11-14); ásperas montanhas, habituadas a dominar a paisagem, estão atônitas diante da montanha do trono ("o monte que Deus escolheu para sua habitação", v. 15-16) que as deixa na sombra; em sua triunfante ascensão às alturas, carregado de dádivas obtidas de amigos e inimigos, ele reúne os que foram salvos a seu redor ("dia a dia, leva o nosso fardo", v. 17-23) para participar de seu triunfo. Deus está empreendendo uma marcha de salvação pelo país dos mortos e condenados, levando consigo os cativos.

De repente, esse amplo documentário do salmo 68 mostrando Deus numa ação de salvação (v. 1-23) se transforma num abrangente ato de adoração no santuário (v. 24-35). Tudo o que Deus é e faz — cavalgar as nuvens, transformar a vastidão, comandar a proclamação profética das boas-novas, assumir definitivamente o comando subindo "às alturas" — tudo isso é juntado numa procissão de adoração de cantores e músicos ingressando no santuário, trazendo presentes e proclamando bênçãos. Tudo isso recebe agora um enfoque final numa renovada atenção à voz, a "voz poderosa" que transforma o mundo da opressão e condenação num mundo de salvação e que (esta é a frase final do salmo) "dá força e poder ao povo".

O santuário é o ambiente para esse culto: a adoração começa no santuário (v. 24) e nele termina (v. 35). O santuário é um lugar à parte consagrado ao culto, onde se presta reverente atenção ao Deus que se revela e à forma como ele se revela em nossa história. O santuário é também um teatro onde descobrimos nosso lugar e nosso papel para participarmos do grande drama da salvação. Esse culto do salmo 68 não se restringe à mera observação, a uma exibição pública de Deus em ação. Tampouco é um curso intensivo para descobrir como Deus realiza sua obra. O culto do salmo 68 é um ato de atenta escuta da palavra e da ação de Deus, que se transforma numa alegre participação nessa palavra e ação.

O verbo final, ativado por Deus no santuário, é *dar* (v. 35). Deus *dá* a seu povo. Quem Deus é e o que Deus faz, sua "força e poder", são dados a nós, seu povo. O povo recebe isso tudo e vai em frente, cantando ao som de adufes, desde o menor dentre eles, Benjamim, até a liderança dos destacados príncipes de Judá e Zebulom, que vêm em seguida.

* * *

Minha impressão é que Paulo absorveu o salmo 68 inteiro em suas meditações e orações. Ele não apenas usa o texto desse salmo para compor sua carta aos efésios, mas também descobre nele uma estrutura que confere forma literária e teológica ao texto da epístola: primeiro numa completa imersão meditativa na ação e palavra de Deus (capítulos 1—3), que depois é formulada numa vida de fé obediente gerada no culto (capítulos 4—6).

A metáfora de *axios* e o texto do salmo 68 se reforçam mutuamente, fundindo, do modo como se funde um osso partido, o chamado de Deus e a caminhada do povo de Deus num organismo vivo. Não é uma justaposição arbitrária ou programática de duas partes. A maturidade não é uma espécie de colcha de retalhos formada com pedaços e fragmentos de disciplinas e orações, doutrinas e causas. É o conjunto de todas as operações da Trindade na prática da ressurreição.

* * *

Mas há algo que você, leitor, talvez tenha observado. Paulo não traduz o texto de seu salmo 68 literalmente, mas o condensa e adapta para que ele se refira a Jesus. O modo como ele o condensa e adapta é heurístico, isto é, ele descobre no texto significados que, de outro modo, nós talvez não percebêssemos. Paulo faz isso de duas maneiras.

Sua tradução diz:

> Quando ele subiu às alturas,
> levou cativo o cativeiro
> e concedeu dons aos homens.

Sua primeira adaptação torna Jesus o sujeito do verbo "subiu". O texto do salmo refere-se com toda probabilidade ao grande festival da entronização com que os hebreus celebravam o domínio soberano de Deus e suas vitórias sobre todos os inimigos. Mas no processo da tradução Paulo muda os pronomes: ele substitui o "*tu* [Deus] subiste" do salmo pelo "quando *ele* [Jesus] subiu" da epístola. Paulo põe o sálmico hino de adoração de Deus em seu trono a serviço do testemunho da ascensão de Jesus, sua ascensão aos céus — "à direita/destra de Deus" como nos dizem as Escrituras (At 2.25,33 etc.).

Depois da ressurreição de Jesus, seus seguidores tiveram quarenta dias para estar com ele e ouvir sua voz, ouvi-lo "falar das coisas concernentes ao reino de Deus". Eles precisaram de cada um dos dias que passaram com ele para assimilar por completo os detalhes e as implicações da ressurreição no aqui-e-agora, em carne-e-osso, com corpo-e-alma, com os pés-no-chão, não apenas para Jesus, mas também para si mesmos — ressurreição não apenas como promessa de vida além da morte, mas como presença agora.

Não é possível manter alucinações durante quarenta dias. Sonhos não duram quarenta dias. A histeria religiosa não se sustenta durante quarenta dias. Esses quarenta dias fundamentaram a ressurreição de Jesus como uma vida a ser vivida nas ruas, em casa, com a família e os vizinhos — uma vida que *eles,* seus seguidores, irão viver. E não como uma experiência "espiritual" privada, mas historicamente, na companhia de todos os seguidores de Jesus em seus locais de trabalho, na vida política, na chacina da guerra e no silêncio da adoração.

Antes de deixar seus discípulos, Jesus lhes ordenou que ficassem em Jerusalém e aguardassem a "promessa do Pai". Ele foi explícito acerca da promessa: "recebereis poder, ao descer sobre vós o Espírito Santo, e sereis minhas testemunhas" (At 1.8).

E em seguida ele os deixou. Eles o viram partir. Uma carruagem de nuvem o levou para o céu e o encobriu dos olhos deles (1.9-11). Eles nunca mais o viram. Dez dias mais tarde a promessa se cumpriu. Dez dias depois que Jesus ascendeu aos céus em Betânia, o Espírito Santo, conforme a promessa, desceu sobre os discípulos reunidos em Jerusalém. Charles Williams descreveu isso como uma trigonometria teológica, "onde se cruzam duas linhas em direção ao céu, uma traçada de Betânia e acompanhando a Ascensão do Messias, a outra de Jerusalém e encontrando-se com a Descida do Paracleto".[3] Essas linhas, traçadas para o alto perpassando a nuvem brilhante da ascensão e descendo no vento impetuoso de Pentecostes, marcam o início da igreja num ponto do espaço e do tempo. A linha da subida e a da descida ligam o vasto horizonte do céu à igreja na terra, formando um imenso triângulo equilátero da eternidade: uma trigonometria que mede as profundas operações da Trindade. A igreja de Éfeso, assim como as nossas igrejas, resulta de seu efetivo início, e fim, no céu. Tudo o que vemos da igreja, e de fato também do mundo, é sempre um resultado.

A ascensão talvez seja um dos acontecimentos menos festejados na vida da igreja. Parte da razão disso é que o Dia da Ascensão sempre cai numa quinta-feira, nunca num domingo, e assim não se exige nenhum sermão. Lutero disse que a expressão do credo "à destra de Deus" significa

---

[3] Charles Williams, *The Descent of the Dove* (Londres: Longmans, Green, 1939), p. 1. [No Brasil, *A descida da pomba: Uma breve história do Espírito Santo na igreja.* São Paulo: Mundo Cristão, 2019.]

"em toda parte". Aquele trono relativiza e marginaliza todos os tronos terrenos e todas as políticas do mundo. A Ascensão de Jesus nos impede de reduzir o domínio dele a meu coração como seu trono. É isso também, mas é mais, muito mais.

A fim de manter a Ascensão de Jesus bem focada, a igreja tem geralmente utilizado o salmo 47 para moldar nossa reação a tudo o que está envolvido nisso. O salmo mostra uma cena de jubiloso triunfo:

> Subiu Deus por entre aclamações,
> o Senhor, ao som da trombeta.
> Salmodiai a Deus, cantai louvores [...]
> Deus reina sobre as nações;
> Deus se assenta no seu santo trono.
>
> Salmos 47.5,6,8

O mesmo Jesus que apenas quarenta dias antes havia sido coroado "Rei dos judeus" em seu trono do Gólgota reina agora de seu trono do céu. Tudo o que ele disse na Palestina ocupada por Roma é agora proclamado e posto em prática lá "do alto".

Quando o companheiro de Paulo, Lucas, tomou a iniciativa de nos contar a história da igreja, ele começou pela Ascensão de Jesus. A Ascensão é a cena de abertura que estabelece o contexto de tudo o que vem depois: Jesus instalado numa posição de domínio absoluto — Cristo nosso Rei. Todos os homens e mulheres vivem sob o domínio de Jesus. Ele sobrepuja todos os outros tronos e principados e poderes.

Sabendo disso, tendo o conhecimento elaborado e aprofundado na adoração, a igreja tem o espaço necessário para uma vida robusta nas condições da ressurreição. Se não soubermos disso, a igreja, com sua imaginação condicionada pela morte e pelo diabo, viverá na timidez e com cautela.

Paulo expõe o foco da Ascensão, estabelecido por Lucas no limiar da história do nascimento e do desenvolvimento inicial da igreja, repetindo a imagem da Ascensão, "ele *subiu* às alturas", como seu texto de orientação para a vida transformada em vida madura da ressurreição: o Jesus ressuscitado governa a igreja e o mundo e cada um de nós de seu ponto estratégico no céu. *Que* ele reina é uma crença fundamental; *como* ele reina está sujeito a inúmeras discussões entre cristãos que insistem em substituir o Senhor pessoal por uma doutrina impessoal.

A MENSAGEM AOS EFÉSIOS: EFÉSIOS 4.1,7

* * *

A outra adaptação que Paulo faz a seu texto do salmo 68 consiste numa mudança de verbos. Ele transforma o *"recebeste* dádivas" em *"concedeu* dons".

No salmo 68 o Deus que é Rei desfila em triunfante cortejo desde o Sinai até o "santuário", conduzindo cativos e recebendo presentes de amigos e inimigos. Ele é coberto de presentes daqueles que o adoram. Seus inimigos, "os que o aborrecem", também trazem seu tributo, reconhecendo seu indiscutível domínio. Mais adiante no mesmo salmo o tema do presente é retomado na frase "Os reis te oferecerão presentes" (v. 29), quando Deus é entronizado no templo, o lugar de adoração.

Isto é o que se faz quando um rei é entronizado: trazer-lhe presentes. Os presentes são a prova da alegria do súdito por ter um rei tão amado. Ou, se alguém se rebelar e não se sentir alegre com esse rei, o presente é uma simbólica, embora relutante, renúncia à soberania pessoal. Nos dois casos, os presentes reconhecem a festa do dia, uma festa na qual todos se envolvem, querendo ou não.

É provável que a maioria dos leitores (ou ouvintes) da mensagem de Paulo aos efésios estivesse bem familiarizada com o salmo 68, especialmente os judeus que haviam crescido tendo os salmos como livro de oração. Teria havido alguma surpresa alarmante, até chocante, quando se ouviu "concedeu" em vez de "recebeu" dons? Penso que sim. Isso, no mínimo, deve ter chamado a atenção. Paulo havia cochilado? Sua memória estava falhando?

Penso que não. Paulo é decidido e determinado na escolha de suas palavras. Ele sabe exatamente o que está escrevendo. Quer que os efésios, e nós, leiamos a palavra "concedeu" de tal maneira que nunca venhamos a esquecê-la.[4]

Sim, os reis recebem presentes em sua coroação. Sim, a adoração de nosso glorioso Deus e Rei implica trazer-lhe nossos presentes. Sim, uma homenagem reverente é prestada no oferecimento do que temos de

---

[4] Nem todos concordam com isso. Alguns opinam que Paulo estava utilizando outras traduções (os Targuns aramaicos e a Peshitta siríaca) do texto hebraico que também introduzem a mudança. Outros afirmam que "conceder" está implícito em "receber", de modo que é semanticamente equivalente. Ver Markus Barth, *Ephesians*, Anchor Bible, vol. 34A (Garden City, NY: Doubleday, 1974), p. 473-475.

melhor. Dar a Deus e dar uns aos outros é uma parte integrante muito bem estabelecida na vida de todos. E Deus recebe o que lhe apresentamos. Os magos lhe trouxeram presentes que eram uma oferta ao recém-nascido rei Jesus equivalente a um ato de adoração. Jesus recebeu de um menino o presente de cinco pães e dois peixes e depois continuou a doação alimentando cinco mil pessoas, que entenderam aquilo como um banquete de coroação e estavam dispostos a fazê-lo rei (Jo 6.15). Jesus recebeu os presentes do pão e do vinho na ceia do Senhor e devolveu-os aos discípulos como sua carne e seu sangue.

Mas Paulo quer que vejamos Jesus, o rei que subiu aos céus e sentou-se à destra do Pai, não como um rei que recebe presentes (embora ele também faça isso), mas como um rei que dá presentes. Ele substitui o esperado verbo "receber" pelo verbo "conceder" do evangelho.

* * *

Paulo quer que cresçamos até atingirmos a "medida da estatura da plenitude de Cristo" (Ef 4.13). Uma condição básica para o desenvolvimento da maturidade é assumirmos responsabilidades condizentes com nossa força e entendimento à medida que vamos crescendo "para que não mais sejamos como meninos" (4.14). Uma condição prévia para exercer essas responsabilidades em Cristo é receber o Espírito de Cristo. Ele nos deu seu Espírito, seu dom de si mesmo. Ele derramou seu Espírito no dia de Pentecostes, dez dias após sua ascensão.

Paulo estabelece as condições nas quais crescemos, a saber, numa profusão de dons: "Quando ele subiu às alturas [...] concedeu dons aos homens". O Jesus que ascendeu aos céus, o Jesus que está sentado à destra do Pai, o Cristo Rei, inaugurou seu reinado concedendo dons, dons que acabam sendo maneiras pelas quais participamos de seu régio governo do evangelho. Essa vida no reino é uma vida de ingresso cada vez maior num mundo de dons, que depois, quando já estamos capacitados, empregamos num relacionamento de trabalho com nosso Senhor.

Nós entendemos muito bem a linguagem dos dons ou presentes. Começamos a existir por um dom. Não nos criamos a nós mesmos. Não nos parimos. Descobrimos nossa identidade fundamental como um dom. E depois, imediatamente, recebemos outros presentes: presentes de amor e alimento e vestimentas e abrigo; presentes de cura e nutrição e educação e treinamento. "O que você tem que não tenha recebido? E se o recebeu, por que se orgulha, como se assim não fosse?" (1Co 4.7, NVI). "Não são dons de Deus tudo que vocês têm e são?" (*A Mensagem*). Aos poucos esses dons se desenvolvem e se transformam em forças e responsabilidades da maturidade. Os recém-nascidos dependem totalmente de seus pais, mas quando crianças vamos aprendendo a nos vestir e alimentar, a tomar decisões independentes, a tomar iniciativas. A adolescência é uma transição crítica entre a infância e a vida adulta. É um período estranho e muitas vezes turbulento, quando aprendemos a incorporar os dons que recebemos nas responsabilidades da vida adulta. Recebemos muito. Agora começamos a usar os dons recebidos em comunidade. Aprendemos aos poucos a pôr em prática de maneira inteligente e adequada o que recebemos. Crescemos.

Paulo introduz o texto da Ascensão com a frase: "E a graça foi concedida a cada um de nós segundo a proporção do dom de Cristo" (Ef 4.7). Graça (*charis*) é sinônimo de dom. E esse dom não é feito com comedimento, não é um dom simbólico, mas é "segundo a proporção do dom de Cristo". Em minha interpretação a palavra "proporção", que depois é expandida como "para [ele, aquele que subiu] encher todas as medidas" (v. 10), tem um significado de extravagância e exuberância. Se quisermos ficar maduros, devemos aos poucos mas com firmeza nos perceber como dons do começo ao fim. Caso contrário, entenderemos mal nossa criação como uma criação pessoal autossuficiente e acabaremos em algum beco sem saída de desenvolvimento interrompido.

Paulo enumera cinco dons: apóstolos, profetas, evangelistas, pastores e mestres. Cada dom é um convite e oferece um meio para participar na obra de Jesus. Esses não são dons para colocar sobre um aparador como um vaso de flores. Não são dons a serem usados para nossa conveniência como, digamos, um telefone celular. Não são dons destinados a nos divertir ou entreter, como os ingressos para o concerto de uma orquestra sinfônica. Não são dons de apreço como um colar de rubis presenteado num aniversário ou um Rolex celebrando uma aposentadoria. Esses são dons que nos equipam para trabalhar ao lado de Jesus e na companhia dele — "o desempenho do seu serviço, para a edificação do corpo de Cristo" (Ef 4.12). Somos convidados a participar de um relacionamento de trabalho nas operações da Trindade.

É importante entender isso. Com demasiada frequência os dons foram entendidos individualmente, como sendo conferidos a nós para serem usados segundo a nossa vontade, aptidão e inclinação. Isso está errado. A obra é a obra da Trindade: Pai, Filho e Espírito Santo. Podemos ser colegas de trabalho de Jesus. Mas há implícita em cada dom uma tarefa. E nós participamos mutuamente da obra. Não é como se esses dons fossem descrições de cargos para tarefas especializadas. São aspectos da obra que é iniciada na "descida do Paracleto" no dia de Pentecostes e que *depois* se esparrama pelo mundo todo. Qualquer um de nós, em qualquer época, pode ser designado para qualquer uma dessas tarefas. Estamos todos envolvidos nisso juntos. Essa não é uma obra para especialistas — é trabalho para a comunidade.

Paulo gosta de listar dons. Cinco vezes ele especifica dons que o Cristo que subiu aos céus dá ("concedeu [...] aos homens"). Além dos cinco que ele especifica em Efésios (apóstolos, profetas, evangelistas, pastores, mestres), ele lista nove dons em 1Coríntios 12.4-19: a palavra da sabedoria, a palavra do conhecimento, a fé, dons de cura, operações de milagres, profecia, discernimento de espíritos, variedade de línguas, capacidade para interpretá-las. Lista oito em 1Coríntios 12.28-29: apóstolos, profetas, mestres, operadores de milagres, dons de cura, socorros, governos, variedade de línguas. Lista cinco em 1Coríntios 14.26: salmos, doutrina, revelação, variedade de línguas, interpretação de línguas. Em Romanos 12.6-8 ele lista sete: profecia, ministério, mestres, exortadores, contribuintes, líderes, compaixão. Além dessas cinco listas ele se refere a dons em várias outras passagens, mencionando-os pelo nome ou não. John Stott conta "pelo menos vinte dons diferentes", observando que alguns são prosaicos e não causam comoção, como, por exemplo, o de "quem exerce misericórdia" (Rm 12.8).[5] Nenhuma lista é completa. Vários itens aparecem repetidos nas listagens. Alguns se referem a pessoas que exercem um dom, outros ao dom em si. Há uma preocupação contínua entrelaçada nas listagens: embora haja uma variedade de dons concedidos pelo Espírito, há um só Espírito. A diversidade de dons constitui uma unidade de função. Não pode haver rivalidade entre os dons ou entre seus detentores.

[5] John Stott, *The Message to the Ephesians: God's New Society* (Downers Grove, IL: InterVarsity, 1979), p. 159. [No Brasil, *A mensagem de Efésios: A nova sociedade de Deus*. São Paulo: ABU, 2007.]

Muita atenção se deu aos detalhes acerca da natureza de cada dom e à maneira como ele é usado na convivência do povo de Deus.[6] Mas minha preocupação neste momento é estabelecer o contexto geral da carta aos efésios no qual os dons são concedidos. O ponto em que Paulo insiste é que tudo aquilo que fazemos em nome de Jesus e pelo poder do Espírito é um obediente exercício de algum aspecto da obra da Trindade com o qual nos envolvemos conforme nos tornamos maduros o suficiente para fazê-lo. Cada cristão participa a sua maneira específica do contexto e das circunstâncias da vida, mas nenhum de nós faz isso sozinho ou contando apenas com as próprias forças.

Vivemos e trabalhamos e somos quem somos num mundo prodigamente repleto de dons. T. S. Eliot, em seu grande poema sobre a igreja, "A Rocha", capta a essência da percepção de Paulo a respeito da natureza e do lugar dos dons do Espírito:

> Há trabalho em conjunto
> Uma igreja para todos
> Para cada um uma tarefa
> Todos têm sua ocupação.[7]

* * *

Paulo usa seu texto do salmo 68 para ancorar sua metáfora de *axios* no régio governo de Cristo e na generosidade dele. Cristo em sua Ascensão é o Rei Supremo. Ele exerce seu domínio da maneira mais evidente mediante a distribuição de dons. A natureza da soberania de Cristo não consiste em ficar dando ordens ao povo, mas em convidar as pessoas a exercer sua doação pessoal. Ou seja, amadurecer como participantes de sua personalidade e ação.

---

[6] Há excelentes resumos dos escritos de Paulo sobre os dons em *Dictionary of Paul and His Letters*, ed. Gerald F. Hawthorne e Ralph Martin (Downers Grove, IL: InterVarsity, 1993); *The Westminister Dictionary of Christian Spirituality*, ed. Gordon S. Wakefield (Philadelphia: Westminster, 1983); e *Anchor Bible Dictionary*, ed. David Noel Freedman (Nova York: Doubleday, 1992).

[7] *There is work together / A Church for all / And a job for each / Every man to his work*. T. S. Eliot, *The Complete Poems and Plays* (Nova York: Harcourt, Brace and Company, 1958), p. 98.

Viver na maturidade significa ter consciência de que estamos incluídos no corpo de trabalhadores da igreja. Abraçamos o trabalho como um dom. E que dom! — trabalhar ao lado do Senhor nessa grande empreitada da salvação. *Ascender* e *conceder* e *dons* são termos que criam uma ressonância quando meditamos sobre a mensagem de Efésios, quando a oramos e a vivemos. Nós nos tornamos partícipes da maneira de Cristo ser Rei, uma vida concedida. O termo *digno* vai aos poucos sendo incrementado e adquirindo sua textura. Estamos crescendo.

PARTE II
A BÊNÇÃO DE DEUS

A grande teologia é sempre uma espécie de poesia gigante e intrincada, como um poema épico ou uma saga.

Marilynne Robinson, *The Death of Adam*

3

Deus e sua glória: Efésios 1.3-14

Bendito o Deus e Pai de nosso Senhor Jesus Cristo, que nos tem abençoado com toda sorte de bênção espiritual nas regiões celestiais em Cristo, assim como nos escolheu, nele, antes da fundação do mundo, para sermos santos e irrepreensíveis perante ele; e em amor […] [Este] é o penhor da nossa herança, até ao resgate da sua propriedade, em louvor da sua glória.

Efésios 1.3-4,14

O que foi perdido não é nada em relação ao que foi achado, e tudo o que a morte jamais foi, posta lado a lado com a vida, mal daria para encher um copo.

FREDERICH BUECHNER, *Godric*

As 232 palavras que começam com "Bendito" (1.3) e terminam com "glória" (v. 14) constituem uma única frase no grego de Paulo. Um estudioso, E. Nordon, chamou isso de "o mais monstruoso conglomerado frasal […] que já vi na língua grega".[1] Mas o eminente intelectual, apesar de sua erudição, é bastante surdo. Os cristãos que ouvem ou leem essa frase na companhia de uma congregação em adoração provavelmente descartam como simples lamúria sua exagerada ofensa de gramático. Quem pode resistir a esse maravilhoso turbilhão poético que nos apresenta as vastas e intrincadas complexidades deste mundo em que vivemos? Não muita gente. Paulo é lúdico, extravagante e totalmente sedutor quando nos diz

---

[1] Markus Barth, *Ephesians 1—3,* The Anchor Bible, vol. 34 (Garden City, NY: Doubleday, 1974), p. 77.

o que está acontecendo neste mundo criado por Deus, salvo por Cristo e abençoado pelo Espírito no qual nascemos e estamos crescendo. Este não é um mundo pequeno, limitado, em que vivemos na miséria. Os horizontes são vastos. Os céus são altos. Os oceanos são profundos. Há espaço mais que suficiente.

A total imensidão, a inacreditável amplidão, do mundo para o qual Deus nos chama, sua vastidão multidimensional, não deve ser reduzida às dimensões que nós em nosso confortável aconchego ocupamos. Paulo faz o possível para impedir que o reduzamos. O pecado encolhe nossa imaginação. Paulo a amplia. Ele contra-ataca com poesia santa. Se calcularmos a natureza do mundo pelo que conseguimos controlar ou explicar, vamos acabar vivendo num mundo muito pequeno. Se quisermos amadurecer até atingir a estatura da plenitude de Cristo, vamos precisar de condições favoráveis para isso. Precisamos de espaço. A carta aos efésios nos concede espaço, dimensões profundas e amplas. Efésios nos faz mergulhar em oceanos profundos e voltar à tona arquejando em busca de ar. Isso exige certo condicionamento.

Perdidos no cosmos

Walker Percy escreveu seis romances[2] nos quais nos familiarizou com a doença espiritual da alienação que, a seu ver, está disseminada na cultura deste país. A designação empregada por ele para essa condição é "perdidos no cosmos". Não sabemos quem somos, nem onde estamos. Não sabemos de onde viemos, nem para onde estamos indo.

Percy iniciou sua vida profissional como médico, com o sonho de usar remédios e cirurgias para curar corpos doentes e danificados. Mal havia começado quando mudou de profissão. Às vezes mudamos de profissão para preservar a vocação. Foi o que fez Percy. Tornou-se escritor a fim de poder cuidar da cura de almas, usando substantivos e verbos para curar o que nos aflige. Não é insignificante o fato de que ele também era cristão. Seu diagnóstico do "extravio" espiritual de seus irmãos e irmãs americanos visava nos despertar de nossa desesperadora condição e afixar placas indicadoras do caminho para casa.

[2] *The Moviegoer* (1961), *The Last Gentleman* (1966), *Love in the Ruins* (1971), *Lancelot* (1977), *The Second Coming* (1980), *The Thanatos Syndrome* (1987).

Dois mil anos antes de Percy, Paulo também sabia muito sobre extravio. Ele apresenta um incisivo diagnóstico dessa condição nas treze cartas que endereçou a congregações cristãs e a amigos nas décadas de 50 e 60 do primeiro século. Seu diagnóstico era essencialmente idêntico ao de "perdidos no cosmos" de Percy. Paulo, porém, faz algo mais. Contrastando com os poucos sinais de orientação afixados por Percy, ele oferece um amplo exemplo das maneiras pelas quais Deus em Cristo, por meio do Espírito Santo, atua no cosmos.

Dentre os fatores que contribuem para estarmos "perdidos no cosmos" encontra-se a violenta depreciação secularizadora da linguagem reduzida a fatos impessoais, aliada a um simultâneo esvaziamento da imaginação reduzida a recortes de cartolina de cargos e funções. Vivemos num mundo da linguagem no qual cada "você" é neutralizado num "isso" e a imaginação é empurrada para escanteio pelas estatísticas. Paulo nos devolve nossa língua, um vocabulário e uma sintaxe por meio dos quais podemos nomear e, portanto, reconhecer o que está acontecendo a nosso redor e descobrir o caminho de casa, já não estando perdidos.

A abertura da carta de Paulo aos efésios (1.3-14) é um esforço extraordinário de recuperar uma linguagem que nos reoriente no cosmos. Um de nossos melhores eruditos atesta que essa carta é "uma das mais esplêndidas passagens de louvor e oração do Novo Testamento [...] uma oração de bênção dirigida ao único Deus por seus poderosos atos na criação e redenção".[3] Essa única frase — 232 substantivos e verbos, adjetivos e advérbios, artigos e preposições e conjunções jorrando da pena de Paulo! — compõe um extravagante cortejo: a ação central do cosmos, Deus agindo em abrangentes formas de salvação. Já não estamos perdidos. Podemos encontrar nosso caminho de casa.

Verbos de Deus

Deus. Começamos com Deus. O que parece bastante óbvio. "No princípio, criou Deus..." "Disse Deus..." "Deus amou ao mundo de tal maneira..." Deus. Deus. Deus. Deus que pôs o cosmos em movimento. Deus que enviou Jesus. Deus em cujo nome recebemos nossa identidade batismal. Por

---

[3] N. T. Wright, *Paul: Fresh Perspectives* (Londres, SPCK, 2005), p. 101. [No Brasil, *Paulo: Novas perspectivas*. São Paulo: Loyola, 2009.]

mais óbvio que isso seja, porém, é extremamente difícil manter um sentido visceral desse início, Deus *gerando*, quando não temos a Bíblia aberta diante de nós, ou não estamos na igreja.

Temos intervalos breves de atenção. Depois de sermos apresentados a Deus, perdemos o interesse nele e nos preocupamos apenas com nós mesmos. O eu se expande, e a alma se atrofia. A psicologia suplanta a teologia. Nossos sentimentos e nossas emoções, nossa saúde e nosso emprego, nossos amigos e nossas famílias forçam seu caminho até o centro do palco. É óbvio que Deus não é exatamente expulso ou encerrado num armário ou fechado na Bíblia. Mas ele é colocado no banco de reservas, a uma distância convenientemente curta para que possamos pedir-lhe ajuda em casos de emergência e consultá-lo nas ocasiões em que ficamos sem respostas.

Nossos dias estão ocupados e temos pouco tempo para firulas de lazer. Temos trabalho a fazer, interesses a perseguir, livros para ler, cartas para escrever, telefonemas para atender, tarefas a executar, filhos para criar, investimentos para administrar, grama para cortar, comida para preparar e servir, lixo para levar à rua. Não precisamos da ajuda ou do aconselhamento de Deus para nenhuma dessas coisas. Deus é necessário para casos graves, sobretudo para a criação e a salvação. Mas do resto, em geral, nós mesmos podemos cuidar.

Isso geralmente configura uma vida viável, pelo menos quando vem acompanhada de uma profissão decente e uma boa digestão. Mas — não é a prática da ressurreição, não é o crescimento em Cristo, não é uma vida na companhia da Trindade, não é pôr em prática nossos princípios, o modo como fomos gerados. Se vivermos excessivamente longe de nossas origens, ou pior, desvinculados delas, nunca atingiremos "a estatura da plenitude de Cristo".

* * *

Paulo nos faz prestar atenção a nossa ressurreição disparando sete foguetes verbais: verbos que fazem acontecer, verbos que dirigem o cosmos de modo intencional e pessoal. Teremos mais adiante muitas oportunidades de descobrir nosso lugar em tudo isso, mas devemos primeiro descobrir o que mantém "tudo isso" em funcionamento: sete verbos, cada um deles acionado por Deus, verbos que enchem o céu e iluminam a terra com os modos de atuação de Deus entre nós.

Sete verbos: *abençoou, escolheu, predestinou, concedeu, derramou, desvendou, convergiu.*

* * *

Verbo um: Deus *abençoou*. "Bendito o Deus e Pai de nosso Senhor Jesus Cristo, que nos tem abençoado com toda sorte de bênção espiritual nas regiões celestiais em Cristo" (Ef 1.3).

Duas variações do verbo "abençoar" conferem beleza primeiro a Deus e depois a nós: o adjetivo "Bendito" caracteriza Deus, que abençoa enquanto ele mesmo é abençoado; o substantivo "bênção" designa de modo geral nossa experiência de abençoados por Deus. O que Deus *faz* resulta do que Deus *é*. E o que recebemos de Deus é quem Deus é. O ser de Deus se expressa na ação divina. Nossa experiência de Deus é a de quem Deus é.

O que equivale a dizer que não é possível dividir Deus em partes ou atributos. Deus é quem é. Não formamos uma imagem de Deus. Não explicamos Deus. Não definimos Deus. Nós adoramos Deus que *é* como é.

E Deus é o que ele dá. Não imaginamos Deus. Não temos como criticar a atuação de Deus no dia seguinte. Não avaliamos Deus numa escala de 1 a 10. Diferentemente do que fez o personagem Ivan Karamázov de Dostoiévski, nós não "devolvemos o ingresso". Não nos atrevemos a dizer a Deus como ser Deus. Quando o adoramos, deixamos que Deus seja Deus.

Há, naturalmente, muito mais a dizer, a orar, a cantar, a duvidar e a questionar. E esse "muito mais" tem sido e continuará sendo dito e orado e cantado e duvidado e questionado. Mas o primeiro verbo, *abençoar*, é o mapa e a bússola para descobrirmos nosso caminho pelo mundo.

Bendito seja, abençoa-nos, bênção espiritual. O verbo "abençoar" acumula ressonâncias e nuances conforme a história da criação e salvação é narrada através dos séculos: Deus abençoando Abraão; Davi e Zacarias bendizendo Deus; Maria identificada como bendita; Jesus abençoando as crianças; as crianças pedindo em oração que sua comida seja abençoada; o distraído reflexo *gesundheit*, "Deus te abençoe", ante um espirro; pai e mãe abençoando seus filhos; pastores e sacerdotes despedindo-se de sua congregação com uma bênção. Todo mundo diz isso, e muitos fazem isso. O termo permeia nossa linguagem e experiência. Impossível nos livrarmos disso.

* * *

Verbo dois: Deus *escolheu*. "[...] assim como nos escolheu, nele [em Cristo], antes da fundação do mundo, para sermos santos e irrepreensíveis perante ele" (Ef 1.4).

Todo mundo que conheço tem uma história, geralmente da infância, sobre não ser escolhido: não ser escolhido para o coral, não ser escolhido para o time de basquete, ser o último escolhido para o time de beisebol da vizinhança (o que é pior do que simplesmente não ser escolhido), não ser escolhido para um emprego, não ser escolhido como cônjuge. Não ser escolhido passa o duro recado de que não tenho valor, não sou útil, não sirvo para nada.

Poucos dentre nós aceitam isso com indiferença, pelo menos no início. Insistimos em ser notados. Às vezes o fazemos tomando emprestada de outros uma identidade reconhecível, seguindo lealmente e aplaudindo um time esportivo ou abraçando uma causa política. Outros desenvolvem a máscara de um valentão que ignora normas e decoro, fazendo-se notar mesmo que isso leve à expulsão da sala de aula, ou de um clube, ou de um bar, e talvez até leve à cadeia. E sempre existe o tingimento dos cabelos. Tinja-os de roxo brilhante que com certeza você será notado em meio a uma multidão. E ninguém é invisível se tiver uma tatuagem bem localizada.

Essas e inúmeras outras estratégias compensatórias muitas vezes funcionam bem, às vezes espetacularmente bem, mas elas não conseguem durar muito.

Contra esse pano de fundo, conhecido de todos nós, de não ser notado, ser ignorado, ser dispensado como sem valor, ser confundido com o pano de fundo, o verbo "escolheu" é um sopro de ar fresco: Deus nos *escolheu*.

Sim, *Deus* nos escolheu. Não foi coisa do último minuto, por ele sentir pena de nós e porque ninguém mais nos quereria, como acontece com um vira-lata perdido num canil da prefeitura ou um órfão que ninguém adotou. Ele nos escolheu "antes da fundação do mundo". Nós participamos da ação, muito antes de fazermos ideia de que estamos envolvidos. Somos cósmicos.

* * *

Verbo três: Deus *predestinou*. "[...] nos predestinou para ele, para a adoção de filhos, por meio de Jesus Cristo, segundo o beneplácito de sua vontade, para louvor da glória de sua graça" (Ef 1.5-6).

"Predestinou" tem afinidades com "escolheu". As duas palavras têm o sentido de intenção. A vida não é aleatória. Os seres humanos não podem ser agrupados em categorias abstratas e impessoais. Embora isso seja difícil de perceber, talvez até impossível de imaginar devido aos bilhões de homens e mulheres envolvidos, nós não somos um enxame de abelhas que entram e saem zumbindo de uma colmeia; não somos uma colônia de formigas que entram e saem marchando de um formigueiro. Nas profundezas do ser de Deus e do nosso ser há um elemento relacional de intencionalidade: Deus nos escolhe, Deus nos predestina — os verbos podem ser sinônimos. Mas não totalmente.

"Predestinar" apresenta uma leve inclinação para a intencionalidade em Deus transmitida por "escolher", indicando que alguma coisa acontece em nós: o "predestinar" se esclarece no "destino". Deus nos nota, identifica e escolhe. Mas essa escolha generalizada agora se transforma numa designação que é congruente com a escolha de Deus.

O verbo "predestinar" (*prooridzo*) deriva do substantivo "limite" (*oros*).[4] Literalmente, significa estabelecer um limite. Uma cerca numa pradaria estabelece um limite, determina onde começa e onde termina a terra que um camponês recebeu para cultivar. Sem a linha da cerca, o camponês ficaria paralisado diante da vastidão da pradaria, as infinitas possibilidades estendidas diante dele — "Onde vou começar? Isso tem fim?". Quando Deus predestina, ele demarca os limites dentro dos quais devemos viver a vida visando os objetivos por ele estabelecidos. Não fomos soltos no cosmos para sair procurando nele nosso lugar e nosso caminho da melhor maneira que nos seja possível. Há linhas estabelecendo as indicações de Deus que cruzam nossa natureza de escolhidos. Ser escolhido não é uma categoria abstrata; ela se desenvolve e se transforma num relacionamento mútuo e recíproco.

Alguns anos atrás minha mulher e eu estávamos no aeroporto de Atenas, voltando de Israel via Roma, onde passaríamos alguns dias. Providenciamos nossos cartões de embarque e fomos procurar nosso portão. Fiquei surpreso ao reconhecer uma palavra em grego no alto da entrada do portão, *Proorismos Roma* — "Destino Roma". Aquela palavra me era familiar devido à leitura da Bíblia. Mas eu havia presumido que *proorismos*,

---

[4] *Theological Dictionary of the New Testament*, ed. Gerhard Friedrich, trad. Geoffrey W. Bromiley (Grand Rapids: Eerdmans, 1967), vol. 5. p. 452-456.

"destino" (ou "predestinação"), fosse um termo somente bíblico, uma das palavras especiais de Paulo, uma palavra reservada exclusivamente para o que Deus fez.

É uma coisa maravilhosa quando uma palavra que considerávamos reservada exclusivamente para a revelação de Deus e presente apenas na Bíblia aparece numa rua de nossa cidade, ou, nesse caso, num aeroporto enquanto procuramos o caminho de casa. Durante todo o tempo daquele voo até Roma, encantei-me com a atualidade concreta e prática daquilo que eu presumira referir-se a um dos dogmas teológicos mais arcanos.

Naturalmente, "destino" implica muito mais coisas do que chegar a Roma, mas eu me diverti durante aquelas poucas horas percebendo que eu, entre outros, estava predestinado "para [Deus], para a adoção de filhos" praticamente da mesma forma que, depois de entrar pelo portão identificado como *Proorismos Roma*, eu estava me dirigindo para Roma. Relaxe e desfrute o voo.

* * *

O fato de que Deus destina, ou, se alguém preferir, predestina, encerra enormes mistérios. No momento em que reconhecemos que virtualmente *tudo* o que está relacionado com Deus acontece antes de sabermos o que quer que seja sobre o caso, torna-se óbvio que, não sendo nós mesmos Deus, seremos para sempre incapazes de compreender totalmente esse "tudo". Isso exerce dois efeitos salutares sobre nós: a humildade é absolutamente necessária — não sabemos o suficiente para protestar ou aprovar — e a adoração é espontânea. Tomamos consciência de que estamos na presença de uma realidade que não pode ser usada, não pode ser empacotada, não pode ser captada em quaisquer outros termos que não nos sejam os dados por Deus. Abrimos as mãos e *recebemos*.

Esse fato não impediu que muitos homens e mulheres bastante inteligentes e eruditos descontextualizassem e despersonalizassem a palavra de modo a simplificá-la e esvaziá-la de seu mistério, transformando-a num esquema que determina em cada detalhe o nosso modo de conduzir a vida. Alguns chegam até a dizer que o esquema realmente determina o destino eterno, salvação ou condenação, de cada pessoa dentre todas as que já existiram. O comentário de George Eliot é ao mesmo tempo áspero e apropriado: "O ignorante não sabe fazer uma conta de somar e quer resolver os problemas do universo".[5]

Uma vez que nenhum de nós tem acesso ao esquema, muito tempo se perde em especulações e tentativas de adivinhar, em igrejas estudando a Bíblia ou em bares tomando canecas de chope, quais seriam exatamente as dimensões e especificações da predestinação. De modo quase inevitável isso alimenta um volume enorme de neurótica investigação interior sobre como conseguir informações privilegiadas acerca desse esquema, de modo que "eu não deixe de entender a vontade de Deus para minha vida". Essa versão do esquema da predestinação causa estrago na vida de muita gente. Não é uma fórmula satisfatória para o crescimento em Cristo.

Markus Barth, cujo pai Karl Barth escreveu coisas magníficas sobre esses assuntos, separa essa passagem de Efésios de qualquer mancha de determinismo mediante a observação de que o tom em toda a epístola é de adoração e não de cálculo. Trata-se de um resgate que nos livra do destino impessoal, dos mapas astrais, do carma e da sorte, da ideia de que "biologia é destino".

O Deus que destina/predestina não pode ser despersonalizado e transformado num esquema cósmico — mesmo que o esquema tenha a "vontade de Deus" impressa nele e um exército de anjos esteja decididamente garantindo que suas especificações estão sendo postas em prática em cada ser vivo sobre o planeta Terra.

* * *

Verbo quatro: Deus *concedeu*. "[...] sua graça, que ele nos concedeu gratuitamente no Amado" (Ef 1.6).

Os tradutores têm dificuldades para captar a qualidade única do verbo usado aqui. Ele ocorre apenas duas vezes no Novo Testamento e nenhuma vez em escritos em grego clássico. Lucas transmite a saudação de Gabriel a Maria na Anunciação empregando esse verbo para dirigir-se a ela como "muito favorecida" (Lc 1.28). Paulo usa o verbo para expressar a ação de Deus de conceder-nos a graça. A dificuldade para o tradutor consiste em descobrir uma forma de transferir para outra língua a enfática energia do grego de Paulo, tão indicativa de completa extravagância. Deus concede a

---

[5] George Eliot, *Felix Holt* (Nova York: The Century Co., 1911), p. 69.

graça, seu favor, seu prazer, seu deleite em nos dar o que jamais poderíamos imaginar ou adivinhar.

"Conceder" é o substantivo "graça" verbalizado. Em sua forma verbal expressa o significado do substantivo, "graça", mas também o intensifica. Markus Barth o traduz como "derramou".[6] Eu preferiria algo mais parecido com "encharcou". Seguindo analogias em nossa língua — sonhar um sonho, morrer de uma morte — nós tentaríamos "agraciar com graça". Mas isso não tem o vigor do texto. Não temos um verbo capaz de assimilar a palavra "graça", preservando-lhe o significado acumulado ao longo de séculos e ativando-a depois com uma energia capaz de tirar o fôlego. "Concedeu" parece demasiado dócil. O verbo de Paulo sinaliza a erupção de um poço artesiano de graça, algo parecido com a clássica referência a Jesus feita por João: "Porque todos nós temos recebido da sua plenitude e graça sobre graça" (Jo 1.16).

"Graça" é uma das palavras mais fortes, mais carregadas, mais abrangentes de Paulo. Variações dela ocorrem vinte vezes na carta aos efésios. Não é uma palavra que podemos fixar com uma definição nítida. O que se exige é que ingressemos nas maneiras como ela é empregada, as maneiras como ela ganha significados a partir dos vários contextos em que Deus atua e nos quais experimentamos suas ações.

Precisamos nos familiarizar com a amplidão, a total imensidão do mundo no qual estamos crescendo em Cristo. Cada parte da paisagem, cada mudança do tempo, cada conversa, cada pessoa que conhecemos, cada livro que lemos nos proporciona um viés diferente e único do que está em questão: a graça ativada de Deus, a graça de Deus em movimento — em nós. Não nos cabe imaginar isso, ou catalogá-lo ou dominá-lo. Acostumemo-nos à plenitude. Deus não é um substantivo que se possa definir objetivamente. Deus é a forma verbal de um substantivo.

* * *

Verbo cinco: Deus *derramou*. "[...] no qual temos a redenção, pelo seu sangue, a remissão dos pecados, segundo a riqueza da sua graça, que Deus derramou abundantemente sobre nós" (Ef 1.7-8).

Paulo usa a palavra "concedeu" apenas uma vez em Efésios, mas com notável propriedade, transmudando o substantivo "graça" numa

---

[6] Barth, *Ephesians*, p. 76, 81.

surpreendente nova forma verbal. Será que ele foi responsável por essa cunhagem, ou teria sido seu amigo Lucas? Seja como for, eles são os únicos autores da igreja primitiva que a empregaram — e cada um num contexto estratégico. Mas a palavra "derramar", um sinônimo aproximado de "conceder", chama nossa atenção aqui por ser muito recorrente. "Conceder" é um termo raro; "derramar" está em toda parte. É uma das palavras preferidas de Paulo. Poderíamos dizer que ele a derrama em seus escritos.

A palavra em suas várias formas (como substantivo, verbo, adjetivo, advérbio) é empregada 78 vezes no Novo Testamento em sua totalidade. Paulo é responsável por mais da metade das ocorrências, 45 delas. Ele não se cansa dessa palavra. Serve-se dela em todas as oportunidades que aparecem.

Será que Paulo a usa demais? Penso que não. No que se refere à graça de Deus, hipérboles são atenuações.

Gerard Manley Hopkins escreveu poemas de louvor a Deus que são igualmente extravagantes ao máximo. Como o apóstolo Paulo, esse jesuíta irlandês não era tímido em sua expressão da plenitude da graça que ele descobria em tudo a seu redor. Seu poema "A grandeza de Deus" não faz feio ao lado da exuberância da carta de Paulo aos efésios.

> O mundo está carregado da grandeza de Deus.
> Vai chamejar — chispas em sacudidas folhas de metal;
> Vai expandir-se — óleo que imprensado escorre, tal e qual,
> E alaga. Por que o homem não teme o açoite dos céus?
> Gerações têm caminhado, quanto elas têm caminhado!
> Tudo tem manchas de homem, partilha cheiro de homem,
> O solo está desnudo, mas pés calçados não o sentem;
> Pelas lides, pelo tráfego, um mundo sujo e crestado;
>
> E, apesar disso tudo, a natureza nunca se esgota;
> Todas as coisas nela vivem num frescor renovado;
> Inda que no turvo ocaso sumam as últimas luzes,
> A manhã, na fímbria castanha do oriente, brota —
> Porque o Espírito Santo, sobre este mundo vergado,
> Vigia com peito cálido e oh! luzentes asas.[7]

---

[7] *The world is charged with the grandeur of God. / It will flame out, like shining from shook foil; / It gathers to a greatness, like the ooze of oil / Crushed. Why do men then now not reck his rod? / Generations have trod, have trod, have trod; / And all is seared*

***

Verbo seis: Deus *desvendou*. "[...] em toda a sabedoria e prudência, desvendando-nos o mistério da sua vontade" (Ef 1.8-9).

Não estamos no escuro. Estamos por dentro do que Deus faz. Não fomos concebidos para permanecermos num estado de ignorância, sem perguntar nada. Não somos crianças "a serem olhadas e não ouvidas".

Mas — e isso chama nossa atenção — o que Deus nos desvenda é "o mistério da sua vontade". Se, contudo, um mistério for conhecido, ainda é um mistério? Não é quando se trata do mistério de um assassinato em que o "mistério" é simplesmente um recurso literário para nos manter virando as páginas em suspense até que alguém mais inteligente do que nós resolva o mistério, e a essa altura já não há mistério. Mas no uso da palavra por Paulo, o "mistério" é elaborado como um plano "de fazer convergir nele [em Cristo], na dispensação da plenitude dos tempos, todas as coisas, tanto as do céu como as da terra" (Ef 1.10). Parece que o "mistério" aqui não se refere a coisas mantidas em segredo, informações confidenciais que não são acessíveis a ninguém sem a devida autorização. "Mistério", nesse caso, se refere a algo mais parecido com a história secreta de como Deus faz coisas que nos incluem na história. É um tipo de conhecimento que não se pode obter juntando informações ou reunindo pistas. Não tem nada a ver com satisfazer a curiosidade. Está muito longe de ser um questionamento inquisitivo, vociferante, que exige "respostas".

O modo como Deus desvenda o mistério se dá "em toda a sabedoria e prudência". Isto é, o conhecimento que Deus nos dá vem na forma de sabedoria e prudência. Deus não despeja informações sobre nós. Ele não nos dá "aulas particulares" de matemática e biologia. "Sabedoria e prudência" são conhecimentos plenamente vividos.

with trade, bleared, smeared with toil; / And wears man's smudge and share's man's smell: the soil / Is bare now, nor can foot feel, being shod.

And for all this, nature is never spent; / There lives the dearest freshness deep down things; / And though the last lights off the black West went / Oh, morning, at the brown brink eastward, springs — / Because the Holy Ghost over the bent / World broods with warm breast and with ah! bright wings.

Gerard Manley Hopkins, *Poemas*, trad. Aíla de Oliveira Gomes (São Paulo: Companhia das Letras, 1989), p. 81.

Nossa experiência disso é demasiado reduzida em nossas escolas. A educação escolar se concentra em datas e números, explicações e definições, em como as coisas funcionam, em como utilizar a biblioteca e realizar experiências de laboratório. Tudo isso é útil. Mas tem pouco a ver com tornar-se uma pessoa madura, com crescer. Nós conhecemos um objeto, uma verdade, uma pessoa, somente *num relacionamento*. Há muito conhecimento impessoal disponível. Mas nenhuma sabedoria pessoal.

Apenas ficamos conhecendo realmente alguma coisa ingressando nela, conhecendo-a de dentro, abraçando-a com amor. Isso é o que é a sabedoria: verdade assimilada, digerida.

* * *

Verbo sete: Deus faz *convergir*. "[...] fazer convergir nele [em Cristo] [...] todas as coisas, tanto as do céu como as da terra" (Ef 1.10).

"Convergir" é o verbo que tudo resume nessa sequência de "verbos-foguetes" que nos familiarizam com as condições abrangentes e repletas de ação neste cosmos onde estamos crescendo, tornando-nos os indivíduos criados e salvos que praticam a ressurreição.

Quando repassamos os verbos, o que surpreende é que é Jesus Cristo quem revela e executa cada uma dessas ações. Dez vezes, ou como nome próprio ou como pronome, Cristo é mencionado: "Senhor Jesus Cristo" (Ef 1.3); "nos tem abençoado [...] em Cristo" (v. 3); "nos escolheu nele [em Cristo]" (v. 4); "nos predestinou [...] por meio de Jesus Cristo" (v. 5); "nos concedeu gratuitamente no Amado [Cristo]" (v. 6); "no qual [Cristo] temos a redenção, pelo seu sangue [de Cristo]" (v. 7); "segundo a riqueza da sua [de Cristo] graça" (v. 7); "que propusera em Cristo" (v. 9); "fazer convergir nele [em Cristo]" (v. 10).

Há também nove pronomes correspondentes ("nosso[s]" duas vezes; a forma pronominal "nos" seis vezes; "nós" uma vez) que nos atraem pessoalmente para a ação. Repito, nada disso se refere a alguma coisa em geral ou a uma categoria.

O restante dessa longa frase (Ef 1.11-14) — ainda sobram umas oitenta palavras antes de chegarmos ao ponto final que nos permite recuperar o fôlego — apresenta mais oito referências a Cristo e mais cinco a nós mesmos que elaboram e conferem textura a essa vasta bênção que nos orienta neste mundo da ressurreição. Esses são os resultados práticos dos explosivos verbos cósmicos. Esses resultados serão elaborados no restante da carta.

Não há um único item na prática da ressurreição, essa vida de crescimento para a maturidade, que aconteça de modo impessoal, geral ou abstrato.

Há entre nós um velho hábito, promovido pelo diabo, de despersonalizar, de abstrair, de generalizar não apenas nossa linguagem com Deus e sobre ele, mas também nossa linguagem com o próximo e sobre ele. É um péssimo hábito. Evitamos o aspecto pessoal para evitar a responsabilidade. Descobrimos algum jeito de assumir e manter inconsequentemente o controle de Deus, de nosso próximo e de nós mesmos. Somos implacáveis. Despersonalizamos Deus transformando-o numa ideia a discutir. Reduzimos as pessoas que nos cercam a recursos a utilizar. Definimo-nos como consumidores a satisfazer. Quanto mais fizermos isso, tanto mais impediremos nosso crescimento para uma maturidade capaz de levar uma vida adulta de amor e adoração, de confiança e sacrifício.

Paulo não nos permitirá ficar impunes nem sequer por uma vírgula ou ponto e vírgula. Ele mantém os sete verbos — Deus em pessoa, em ação — diante de nossos olhos para que mantenhamos a vida focada na ressurreição.

O verbo de Paulo que resume tudo, "convergir", é gráfico e vívido, facilmente ilustrado e satisfatoriamente completo. O âmago do verbo é uma metáfora, "cabeça" (*kephale*): colocar tudo sob a única cabeça, isto é, sob a cabeça de Cristo, da qual somos o corpo. Em vez de um cosmos de desordem no qual estamos atolados no lixo, temos coerência. Em vez de uma única coisa após a outra, temos unidade orgânica. Em vez de fragmentação e desmembramento, percebemo-nos como parte de um corpo tendo Cristo como sua cabeça. A "Cabeça" preserva nossa orientação pessoal e relacional — não hierárquica, não institucional.

Esse é um bom quadro a ter em mente. Essa mensagem de Efésios visa juntar-nos numa multifacetada obra de Cristo que tudo abrange, na qual nos tornamos homens e mulheres íntegros, saudáveis e completos. Nenhum de nós é o corpo em si e por si mesmo. Somos uma parte integrante do corpo, e a cabeça dele é Cristo.

A glória de Deus

Mais uma coisa. Nessa longa abertura, nessa frase que é um emaranhado de barbantes, com todas as linhas sobrepondo-se entre si, Paulo introduz uma frase que resumidamente afirma o que está acontecendo neste cosmos de ressurreição no qual crescemos, e em seguida, para enfatizar, ele repete a frase três vezes:

"[Ele] nos predestinou [...] para louvor da glória de sua graça" (Ef. 1.5-6).

"a fim de sermos para louvor da sua glória, nós, os que de antemão esperamos em Cristo" (1.12).

"selados com o Santo Espírito da promessa [...] em louvor da sua glória" (1.13-14).

Tudo acontece "para louvor da sua glória". "Louvor" é celebração agradecida. "Glória" é a radiante presença de Deus. Este é o nosso destino, para isto é que fomos criados: uma grandiosa celebração na presença plena de Deus. Louvor e glória.

* * *

Nosso tema, o tema de Efésios, é "o crescimento". Tratando-se de algo tão crítico e pessoal, tão repleto de consequências para todos nós, eis aqui uma surpresa. Essa longa frase introdutória de orientação nos coloca num cosmos no qual Deus começa tudo. Tudo. Não há um único verbo que nos mande fazer alguma coisa, nem sequer um sinal ou sugestão de que devemos fazer o que quer que seja. Nenhuma exigência, nenhuma lei, nenhuma tarefa, nenhuma atribuição, nenhuma lição. Nascemos num cosmos no qual todas as exigências e condições para o crescimento não apenas estão organizadas, mas também estão ativadas.

Assim que pusermos isso na cabeça e o assimilarmos em nossa imaginação, perderemos definitivamente o comando da situação. A prática da ressurreição não é um projeto de autoajuda que se pode implementar sozinho. É o projeto de Deus, e ele está comprometido em tempo integral na sua execução.

Isso nos livra da mesquinhez, de uma concepção demasiado pequena para nossa vida. Esse mundo de salvação-ressurreição é amplo. Qualquer coisa que possamos inventar para nós mesmos em termos de objetivo ou propósito é minúscula ao lado do que já está em movimento no cosmos "para o louvor da sua glória".

Simultaneamente, diante dessa assustadora revelação de que Deus está efetivamente envolvido dentro e acima de tudo — nós esfregamos os olhos: "será isso verdade?" — somos informados em termos que não deixam dúvidas de que cada um de nós está generosamente incluído em todos os aspectos (todos os sete verbos!) da atividade de Deus. Não somos espectadores de um grande espetáculo cósmico. Somos *parte* do espetáculo. Mas não o dirigimos. Todas as condições que possibilitam o nosso crescimento para a maturidade, para atingirmos a estatura de Jesus Cristo, estão organizadas, desde "antes da fundação do mundo".

Mas esse envolvimento abrangente nessa onipresente atividade de Deus em Cristo pelo Espírito Santo de fato exige de nossa parte o desenvolvimento de habilidades e aptidões nas quais nenhum de nós, excetuadas as criancinhas, é muito competente. Refiro-me à receptividade.

Tudo é dádiva. "A graça está em toda parte." Deus em Cristo está ativamente fazendo por nós e em nós tudo o que se refere à prática da ressurreição. Sendo assim, o que nos resta fazer? Receber. Essa é nossa resposta fundamental para já não nos sentirmos perdidos, mas sim em casa, no cosmos. Na maioria das vezes, a receptividade é uma reação aprendida. Receba a dádiva. A pergunta de Paulo dirigida aos presbíteros de Éfeso quando se encontrou com eles pela primeira vez continua implícita nessa carta que ele escreveu mais tarde. Ela ainda ecoa: "Recebestes, porventura, o Espírito Santo quando crestes?" (At 19.2).

4

Paulo e os santos: Efésios 1.15-23

> Por isso, também eu, tendo ouvido a fé que há entre vós no Senhor Jesus e o amor para com todos os santos, não cesso de dar graças por vós, fazendo menção de vós nas minhas orações.
>
> EFÉSIOS 1.15-16

> Meu Senhor Jesus pode esculpir o céu servindo-se de madeira pior do que eu sou.
>
> SAMUEL RUTHERFORD

Paulo inicia sua carta com uma bênção (Ef 1.3-14): ele bendiz a Deus por nos abençoar. Especifica a bênção com sete verbos ativados por Deus que apresentam um panorama ampliado das formas abrangentes que ele emprega neste esplêndido cosmos no qual muitos se encontram perdidos. Deus está do nosso lado; não está contra nós. Deus está positivamente em ação entre nós para nosso bem e nossa salvação; não está passivo. Deus está presente em pessoa; não está distante. Deus está totalmente envolvido no cosmos; não está indiferente.

Nós nos submetemos à bênção. Isso não é fácil. Leva tempo; precisamos lutar muito para nos habituarmos. Quando nos submetemos, nossa imaginação é batizada. Somos mergulhados na gelada e veloz corrente do rio da ressurreição e saímos dela com os sentidos aguçados, a imaginação purificada. Vemos o que nunca tínhamos visto. Pensávamos que estávamos buscando Deus. Não, Deus está nos buscando. Pensávamos que estávamos à procura de Deus. Não, Deus está à nossa procura.

Essa é a primeira coisa: a bênção. Começamos com Deus. Se começarmos por nós mesmos, ingressaremos cada vez mais na floresta escura.

Cegados pela neve, andaremos em círculos sobre o gelo polar. Atravessaremos as areias do Saara depositando nossas esperanças em sucessivas miragens. Escolha a sua metáfora.

* * *

A principal linguagem que usamos conforme crescemos em Cristo, isto é, à medida que praticamos a ressurreição, é a oração. Mas, para praticar a oração da ressurreição, uma renovação mais profunda da imaginação se faz necessária: precisamos ter um entendimento existencial da oração como um estilo de vida que envolva tudo. Não se trata de um modo diferente de usar a linguagem para coisas santas ou preocupações sagradas. É um estilo de linguagem usado como resposta a Deus e em sua presença e como resposta aos santos e na companhia deles. Paulo usa a linguagem de maneiras tais que encerrem tudo — o que fazemos e o que vemos, o que sabemos e aquilo em que acreditamos — numa sintaxe em que Deus é às vezes sujeito, às vezes predicado, às vezes preposição, às vezes conjunção, às vezes vírgula e às vezes ponto final. Mas sempre, sempre ocupando algum lugar na frase.

O batismo redefine nossa vida como uma dádiva de Deus a ser vivida na presença dele e no âmbito de suas operações. Nossa certidão de nascimento é um registro do nascimento biológico. O batismo é um registro do direito eterno de Deus sobre nós. Quando levamos esse direito totalmente a sério, pomos em prática uma definição muito mais abrangente — filho ou filha de Deus. A prática da ressurreição consiste em exercer essa definição no "dia a dia de trabalho". Para isso, precisamos de uma linguagem adequada às condições dadas pela primazia da presença e ação de Deus como Pai, Filho e Espírito Santo em nossa vida, nas circunstâncias particulares do lugar que ocupamos e das responsabilidades que temos. Essa linguagem é a oração.

Há muitas coisas que precisamos entender e decidir e expressar enquanto exercitamos nossa identidade batismal na prática da ressurreição. A maior parte de nossa experiência com a linguagem acontece na companhia de pessoas que não atribuem a menor importância a nossa verdadeira identidade conferida por Deus e que estão pouco interessadas na ressurreição. Assim, leva-se algum tempo e exige-se uma atenção deliberada para adquirir fluência na oração, essa linguagem tão consistente com quem de fato somos, adequada para falar e ouvir conforme praticamos a ressurreição.

Paulo ora. Desde o instante em que começamos a leitura de Efésios ficamos imersos na linguagem da oração: "Bendito o Deus e Pai de nosso Senhor Jesus Cristo...". É uma elaborada bênção muito bem estruturada que segue o estilo de orações de bênção frequentemente repetidas, tão importantes na vida de nossos ancestrais hebraicos do povo de Deus. Nós bendizemos o Deus que nos abençoa. A linguagem da oração de bênção é parte essencial da revelação de Deus.

As bênçãos começam em Gênesis quando Deus abençoa Adão e Eva, Noé e Abraão. Antes de nos darmos conta disso, as pessoas abençoadas por Deus estão passando adiante a bênção: Isaque abençoa Jacó, Jacó abençoa seus filhos, Moisés abençoa as doze tribos. As bênçãos se acumulam, e na fecunda expressão de G. M. Hopkins elas "vão expandir-se"[1] nos salmos e vão marcar a linguagem de Jesus. A linguagem da bênção atinge uma apoteose vigorosa no Apocalipse: sete bênçãos espalhadas pelo texto dão pungência àquele magnífico poema apocalíptico e, em retrospectiva, condimentam com bênçãos todo o conjunto das Escrituras.

A linguagem da bênção permeia a linguagem das Escrituras. Nós recebemos a bênção e a absorvemos e incorporamos em nossa obediência. Não muito tempo depois, nosso linguajar transpira o que estamos vivendo.

"Fazendo menção de vós nas minhas orações"

Paulo iniciou a oração (que é a bênção). Ele a continua redirecionando suas orações da bênção dirigida a Deus para a oração por seus amigos, a congregação cristã de Éfeso. Ele os chama (e nos chama) "os santos" (Ef 1.15-23).

Isso não significa que alguém tenha sido excluído da bênção — todas as formas pelas quais Deus abençoa inevitavelmente nos envolvem — mas há uma ligeira alteração no versículo 15 que enfoca os santos de um modo particular. Os santos são reunidos num ato de agradecimento: "Não cesso de dar graças por vós, fazendo menção de vós nas minhas orações"

---

[1] Gerard Manley Hopkins, *Poemas*, trad. Aíla de Oliveira Gomes (São Paulo: Companhia das Letras, 1989), p. 81.

(Ef 1.16). Ele rende graças, e antes que nos demos conta disto, ele está orando *por* eles: "para que o Deus de nosso Senhor Jesus Cristo, o Pai da glória, vos conceda..." (v. 17).

Conceda o quê? Paulo enumera cinco dons que ele está orando para que o Deus da bênção conceda a eles:

sabedoria e revelação,
um coração iluminado,
esperança,
a riqueza de sua gloriosa herança,
a imensa grandeza de seu poder.

Esses dons não flutuam aleatoriamente, caindo do céu como uma chuva de confetes. Há energia por trás deles. Eles são "a suprema grandeza" do poder de Deus em Cristo (v. 19-20). O poder que nos traz esses dons é atribuído a quatro ações sucessivas e correlacionadas de Deus em Cristo. Depois de especificar os dons, Paulo apresenta quatro detalhes que esclarecem como Deus ativa seu poder em Cristo:

Ele o ressuscitou dentre os mortos.
Ele o sentou à sua direita.
Ele pôs todas as coisas sob seus pés.
Ele o tornou cabeça de todas as coisas em benefício da igreja.

Os cinco dons antecipados nos dizem o que podemos esperar de Deus conforme praticamos a ressurreição. A maneira de Deus de ativar "esse poder", essa distribuição de dons, é pessoal ("em Cristo") e cósmica (Jesus ressuscitado, elevado aos céus, dominador e cabeça da igreja). A prática da ressurreição não é um incidente clandestino e insignificante. Não é algo que se deva cultivar em segredo. Nós participamos de tudo o que Cristo faz. Os cinco dons que pedimos em oração e as quatro dimensões do alcance do poder de Cristo assumem seu lugar no contexto dos sete onipresentes verbos-foguetes de bênção e o triplamente enfático "louvor da sua glória" que nos diz como tudo o que está acontecendo irá acabar.

É muita coisa que precisamos assimilar. Extravagância complexa. Oração extrapolando todas as dimensões. Impossível não nos impressionarmos. Esse país da ressurreição, "a terra dos vivos" que o salmista tão sutilmente antecipou, não pode ser reduzido a um domesticado moralismo ou a civilizadas boas maneiras — ou projetado num futuro que nós ocuparemos após a morte. Esse é o país em que vivemos. Aqui. Agora.

* * *

Paulo empregou três verbos para especificar o que ele está fazendo: abençoar, dar graças, orar. E um substantivo: oração. Mas a oração — e Paulo em oração é um exemplo evidente disso — não pode ser explicada por meio da gramática. É muito comum entre nós discutir a linguagem da oração desenvolvendo um vocabulário de nomenclatura: adoração, petição, intercessão, louvor, agradecimento, bênção, confissão e até imprecação. Essa elaboração de listas tem sua utilidade, mas eu nunca gostei muito dessa prática. Ela é muito excludente.

O que procuramos na prática da ressurreição é um estilo de linguagem no qual a palavra de Deus para nós está continuamente implícita em nosso uso das palavras, tanto em resposta a Deus quanto nas relações entre nós. É uma fluência e um hábito no uso da linguagem que abrangem tudo o que Deus diz e faz e são totalmente dialógicos, coloquiais.

Martin Thornton, um dos melhores professores sobre a natureza e a prática do que está envolvido na oração, muitas vezes emprega a letra maiúscula para essa palavra — Oração — e a trata como o ato e os atos que juntam tudo numa atenção e oferta para Deus. Quando oramos não somos espíritos santos levitando, mas corpos firmados no chão pela gravidade.

Estas são palavras dele: "Escrito com inicial maiúscula — Oração — nós temos um termo genérico para indicar qualquer processo ou atividade qualificada por um relacionamento vivo entre almas humanas e Deus. Ele não envolve apenas todas as divisões normais da oração [...] mas também todas as atividades, artes e atos morais que realmente brotam de nossa comunhão com Deus. Falando de maneira bem simples, a Oração é a experiência total do homem e da mulher cristãos".[2]

Oramos quando estamos refletindo em silêncio diante de Deus com o salmo 118 aberto diante de nós; oramos enquanto estamos levando o lixo para fora; oramos quando estamos perdendo o controle e então pedimos que Deus nos ajude; oramos quando estamos limpando o jardim; oramos quando estamos pedindo que Deus ajude um amigo que está à beira do

---

[2] Martin Thornton, *Pastoral Theology: A Reorientation* (Londres: SPCK, 1964), p. 4.

colapso; oramos quando estamos escrevendo uma carta; oramos quando estamos conversando com o nosso cínico e prepotente chefe; oramos com nossos amigos na igreja; oramos caminhando pela rua na companhia de estranhos.

Não estou dizendo (e Thornton também não está) que tudo o que fazemos é oração, mas que tudo o que fazemos e dizemos e pensamos *pode* ser oração. Parece que foi assim com Paulo. Também estou dizendo que muitos dentre nós oram muito sem ter consciência disso. Oramos quando não estamos num lugar convencional de oração. Oramos quando não estamos usando a linguagem convencional da oração. Estou dizendo que a prática de "orar sempre e nunca esmorecer" (Lc 18.1) acontece muitas vezes, sem ser percebida ou notada.

Há formas e modelos de oração. É importante conhecê-los e estar familiarizado com eles. Mas procurar modelos, métodos e estratégias que possamos reproduzir não é a maneira de amadurecer na oração, assim como aprender frases feitas quando criança ("Muito obrigado", "De nada", "Por favor, passe as batatas") não é o modo de adquirir fluência na língua materna. Deus atua de maneira diferente em cada contexto específico. Saturamos nossa mente e memória em Cristo e nas Escrituras e depois saímos para nosso dia de trabalho sem uma programação preparada, confiando de modo inconsciente na linguagem do Espírito Santo — sua sintaxe e suas metáforas, seu tom e seus ritmos — sempre agindo profundamente em nossa alma sem que a percebamos, às vezes articulada em nossos ouvidos e em nossa fala.

* * *

John Wright Follette era um professor itinerante da igreja na qual cresci. Nessa época de que estou falando, ele era idoso, talvez na casa dos 70 anos. Nunca se casou. Era muito reverenciado como um "santo" em todo o país. Baixo de estatura e de porte delgado, era uma espécie de figura araneiforme com dedos longos e um ar ascético. Sempre falava com voz mansa e nunca sorria. Meus pais gostavam muito dele e o hospedavam sempre que estivesse em nossa região de Montana. Ele gostava de passar dias de retiro em nosso chalé junto a um lago nas montanhas.

Num dia de verão eu acompanhei minha mãe, que foi passar o dia no chalé para preparar-lhe as refeições e "sentar-se a seus pés" (palavras dela). Eu tinha por volta de 16 anos e nutria uma profunda reverência por sua reputação de homem santo. Depois do almoço ele procurou uma rede junto ao lago para descansar. Observei-o lá do alpendre do chalé e queria muito conversar com ele, com o famoso Dr. Follette. Queria conversar com ele sobre oração. Era uma oportunidade única na vida. Depois de mais ou menos uma hora, fiquei impaciente — teríamos de ir embora dali a pouco, e eu não queria perder aquela oportunidade. Perguntei a minha mãe quanto tempo, a seu ver, ele ficaria dormindo. Ela disse que não achava que ele estivesse dormindo. "Ele gosta de ficar em silêncio e ouvir o Espírito." Aconselhou-me a chegar até ele e dirigir-lhe a palavra. "Ele não vai se importar." Eu me sentia hesitante, tímido — o "homem santo"! Como tentativa, com cautela, aproximei-me de sua rede.

— Dr. Follette, posso conversar com o senhor sobre oração?

Ele não abriu os olhos, mas falou. Falou numa espécie de latido, mais alto do que eu costumava ouvir dele.

— Faz quarenta anos que não oro!

Eu fiquei lá. Atônito. Foi isso. Fui embora.

Saí caminhando bosque adentro, intrigado e depois escandalizado. O venerável Dr. Follette — não havia orado durante quarenta anos! Nunca contei a minha mãe para que ela não se escandalizasse com essa fraude. Mantive meu segredo.

Cinco ou seis anos se passaram antes que eu entendesse o acontecido. Ele *era* de fato um sábio e santo. Ele sabia intuitivamente que o imaturo adolescente que eu era naquele dia teria engolido e servilmente seguido qualquer coisa que ele dissesse. Não importava o que ele dissesse; por mais sábio e santo que ele fosse, seu recado me teria feito passar anos tentando ser o Dr. Follette em minhas orações — desperdiçando anos imitando um ícone — quando eu precisava experimentar, praticar, internalizar o estilo de linguagem que me envolveria na conversa iniciada por Deus que é a oração. Ele estava disposto a arriscar minha decepção intrigada, mas — confiava ele — temporária, para me salvar do desperdício de meu espírito em românticas "atividades" espirituais. E foi temporária. E de fato me salvou.

Nesse ínterim, tendo sido dispensado de modo decepcionante pelo famoso "homem de oração", ao longo de alguns anos subsequentes descobri aos poucos Davi nos salmos, Paulo em Efésios e Jesus em suas orações. Eu tomei o meu caminho.

"Todos os santos"

Agora: "todos os santos". Saímos do rio de nosso batismo da ressurreição, afastamos nossos cabelos molhados dos olhos e olhamos ao redor. Um monte de gente a nosso lado em vários estados de nudez e umidade. Quem é essa gente? A maioria nós nunca vimos antes.

O entendimento de quem são esses homens e mulheres, essa companhia da ressurreição na qual agora nos incluímos, requer uma renovação da imaginação tão completa como a de quando nos submetemos à bênção. Antes da bênção, na maioria, se não todas, as nossas concepções de Deus estavam erradas. Ou se não estavam totalmente erradas, eram distorcidas devido a informações errôneas, à ignorância e ao pecado. A bênção nos mergulhou numa revelação que nos deu uma visão nítida de Deus, nos deu ouvidos abertos para captar seus "verbos".

Ora, acontece que a maioria das concepções que sempre acalentamos acerca de nosso próximo também estavam erradas. Ou se elas não estavam totalmente erradas, eram distorcidas devido a informações errôneas, à ignorância e ao pecado. Assim, Paulo estende sua revelação do "Bendito o Deus" com que iniciou a carta para o que poderíamos designar como uma revelação do "bendito o povo" (Ef 1.15-23), essas pessoas que agora são nossos companheiros neste cosmos de salvação, esses companheiros com quem vamos passar o resto de nossa vida praticando a ressurreição, esses amigos (alguns deles amigos extremamente improváveis) com quem vamos crescer até a estatura de Jesus Cristo. Pensávamos que faríamos isso na privacidade de nosso coração? Pensávamos que cresceríamos em Cristo durante passeios ao luar pela praia? Pensávamos que escolheríamos amigos empolgantes para nossa aeróbica espiritual? Reconsideremos o caso.

* * *

Paulo inicia sua carta chamando de "santos" (Ef 1.1) todos os que estão em sua congregação (e todos nós em nossas congregações), sem nenhuma qualificação, independentemente da reputação ou do comportamento individual. "Santo" significa, literalmente, "uma pessoa santa". Ora, quando Paulo passa de sua bênção inicial de Deus para as pessoas que são abençoadas, ele retoma novamente a designação — "todos os santos" (1.15). Ele a repete no meio dessa oração ao descrever o que é viver "nos santos" (1.18).

Paulo emprega o termo outras seis vezes (nove ao todo) nessa carta. "Santo" é, na verdade, o nome preferido de Paulo para o povo de Deus — homens e mulheres que, não mais perdidos, seguem Jesus no cosmos. Em toda carta que ele escreveu, "santo" é a palavra usada para nos designar. Em séculos subsequentes, "cristão" suplantou "santo" como uma designação comum. O termo "cristão" ocorre apenas três vezes no Novo Testamento, e nunca nos escritos de Paulo. Com o passar do tempo, "santo" adquiriu uma aura elitista, referindo-se a um cristão extraordinário. No fim, o termo se restringiu ainda mais, designando pessoas oficialmente instaladas, depois de um rigoroso exame, numa espécie de "*hall* da fama" espiritual. O emprego primitivo, exemplificado em Paulo e depois fossilizado em nosso credo — "Creio na comunhão dos santos" —, foi praticamente perdido em nossa fala comum.

E assim, acostumados como estamos a ouvir "santo" empregado como um termo de honra, quando ouvimos a palavra usada sem qualificações em referência ao grupo heterogêneo de pessoas que somos nós, ela cria uma dissonância. Estamos ouvindo Paulo corretamente? Eu de fato ouvi o que achei que o ouvi dizer? Não é com certeza uma palavra que eu usaria ao olhar para os cristãos com quem estou familiarizado. Paulo é ingênuo? Até que ponto ele conhece essa gente? Até que ponto ele me conhece ou nos conhece? Ou será manipulação por meio de bajulação?

Paulo *realmente* quer dizer o que diz. E ele quer que a palavra nos apanhe de surpresa, crie uma dissonância. Quer que observemos novamente esses homens e mulheres que nunca nos teria ocorrido chamar de santos. Identificando essas pessoas abençoadas por Deus — nós, naturalmente, estamos entre elas — Paulo deliberadamente escolhe uma palavra que nos identifica pelo que Deus faz em nós e por nós, não pelo que nós fazemos por Deus. Ele nos reidentifica como criaturas de Deus, salvas por Jesus, formadas para a santidade pelo Espírito. Ele está treinando novamente nossa imaginação para que nos vejamos a nós mesmos não em termos de como nos sentimos nem em termos de como os outros nos tratam, mas de como Deus se sente a nosso respeito e de como ele nos trata. Não como nossos pais ou nossos professores ou nossos médicos ou nossos empregadores ou nossos filhos nos definem, mas como Deus nos define. Não em termos derivados de nosso emprego ou educação ou aparência física ou conquistas ou fracassos, mas derivados de Deus.

Se alguém for apanhado de surpresa por algo admirável que fazemos e essa pessoa disser: "Você é um santo", nossa reação automática é "Não, não sou". Nós protestamos: "Se você me conhecesse não diria isso". Mas Paulo não se intimida. "Sim, você é. Preste atenção ao que estou dizendo. Eu quero lhe dar uma palavra nova para você designar a si mesmo, uma palavra que vai além de todas as aparências, além de todos os papéis e funções, uma palavra que define você fundamentalmente em termos de quem é Deus para você e do que Deus está fazendo em sua vida, você que é uma pessoa que está crescendo em Cristo, uma pessoa que não pode ser identificada com precisão sem considerar os planos e a persistente atenção de Deus: santo". E assim nós prestamos atenção. Santo. Sagrado.

Isso implica uma mudança radical na percepção tanto de nós mesmos como dos outros. Fomos criados numa sociedade que nos avalia pela aparência e função, pelo comportamento e potencial. Somos constantemente testados, examinados, classificados, elogiados, condenados, admirados, menosprezados, bajulados, escarnecidos, beijados, chutados... como *coisas* totalmente secularizadas. Não por todo mundo, é claro, mas pela maioria. A maneira institucional de nos observar em nossas escolas e atividades profissionais e repartições do governo confere o *imprimatur* de aprovação a essas atitudes sistemáticas e difusas de desalmamento, de despersonalização e, no fim, de desilusão de tudo o que em nós ou sobre nós esteja relacionado com Deus.

Ainda assim, se aquela abertura "Bendito o Deus e Pai de nosso Senhor Jesus Cristo" transmite com precisão a ação definitiva do cosmos — aqueles sete verbos, cada um deles dirigido precisa e pessoalmente para nós — então qualquer termo identificador que não transmita essa realidade básica é deficiente. Como podemos esperar entender o mundo em que vivemos e entender as implicações individuais de vivermos nele se todos se dirigem a nós, nos fazem promessas, nos dão ordens e recompensas em termos que diferem da coisa mais significativa a nosso respeito, ou até mesmo a ignoram, isto é, a ação de Deus e nossa orientação nessa ação? Como podemos ter a mais vaga oportunidade de sermos conhecidos como de fato somos por dirigentes e professores e pais, treinadores e psiquiatras e poetas, vendedores e juízes e legisladores, se todos nos tratam com base na premissa de que estamos todos perdidos no cosmos? Com todas essas vozes chegando a nossos ouvidos de todas as direções e a todas as horas, como adquirimos uma identidade orientada por Deus?

* * *

Um jeito é olhar no espelho e chamar o que vemos de "santo". Depois disso, continuamos redefinindo as pessoas a nosso redor como santas. É um começo. É o ponto de partida de Paulo. Ele nos chama de santos — não porque somos maravilhosos assim, mas porque ele sempre nos vê verdadeiramente e sempre na companhia da Santa Trindade: homens santos, mulheres santas, crianças santas, todos santos, santos, santos.

Em nossa sociedade confusa em relação a sua identidade, muitos de nós foram buscar uma identidade complexa composta de um número de identificação, registros médicos, diplomas acadêmicos, currículo profissional e quaisquer outros fragmentos genealógicos que possamos resgatar dos cemitérios. Os cristãos podem fazer melhor que isso: nós somos *batizados*, batizados em nome do Pai, do Filho e do Espírito Santo. Em virtude *desse* nome, não de nosso nome de família, nós somos santos.

Paulo não identifica pelo nome os leitores (ou ouvintes, conforme o caso) de sua carta aos efésios por causa de seus heroísmos espirituais ou atletismos morais. Ele conviveu com cristãos durante alguns anos e nos conhece muito bem. E conhece a si mesmo. Não alimenta nenhuma ilusão piedosa acerca dos santos e de si mesmo. Já se passaram alguns anos desde a época em que ele foi pastor dos efésios. Provavelmente conhece apenas alguns deles pelo nome. É verdade que ele tem algumas informações: "tendo ouvido a fé que há entre vós no Senhor Jesus e o amor para com todos os santos, não cesso de dar graças por vós, fazendo menção de vós nas minhas orações" (1.15-16). Mas ele sabe disso só por ouvir dizer. Como pode falar sério quando os chama de santos — sagrados?

Eis a resposta: o termo santo não se refere a eles como eles são em si mesmos; refere-se a quem eles são em Deus. Paulo não está particularmente interessado neles de uma perspectiva psicológica. O comportamento moral deles não encabeça a lista do que os torna quem eles são. É o plano de Deus para eles e a ação divina neles e em benefício deles que os define. Não é o que eles pensam de si mesmos, ou como estão se saindo na vida, ou como são bons e eficientes que os define. Deus — aqueles sete verbos! — é o que define quem eles são. Paulo sabe disso. Ele não vai permitir que eles se esqueçam disso.

Uma das formas empregadas por Paulo para enfatizar essa nova maneira de os seguidores de Cristo entenderem a si mesmos é chamando-os de santos. "Santo" designa não quem eles são por si mesmos, mas quem é Deus neles e para eles; não o que eles fazem, mas o que Deus opera neles. Paulo os entende primeira e abrangentemente em relação a como Deus os trata, não em relação a como eles tratam a Deus. É o *chamado* de Deus para que sejamos separados no que se refere aos métodos do mundo para estarmos em posição de executar a tarefa que ele nos atribui. A coisa mais importante a respeito de qualquer um de nós não é o que fazemos, mas o que Deus faz; não é o que fazemos por Deus, mas o que Deus faz por nós. É pelo fato de sabermos o que Deus faz em nós e por nós que já não estamos perdidos no cosmos.

* * *

Mas há também isto: Qualquer pessoa que tenha passado algum tempo, por mínimo que seja, convivendo com cristãos sabe que nenhum de nós a quem Paulo chama de santos é um santo em qualquer sentido convencional. Não somos, a maioria de nós, excepcionalmente bons ou bonitos. É pior que isso. Adultério e vícios, fofocas e glutonaria, arrogância e propaganda, abuso sexual e hipocrisia podem igualmente acontecer — e até prosperar — em congregações cristãs como em qualquer escola ou faculdade, qualquer banco ou exército, qualquer governo ou ramo comercial. Mesmo assim, Paulo não hesita em designar esses homens e mulheres de sua congregação como santos.

E não adianta procurar alguma congregação que seja muito melhor. Sempre foi assim. E, pelo que podemos prever, sempre será. Crimes horríveis continuam sendo cometidos por esses santos. Injustiças terríveis continuam sendo perpetradas por santos. Mas Deus, assim parece, não tem escrúpulos de ficar na companhia dos piores ou mais vis. Ele se esforça todos os dias para redimir os piores. Não posso imaginar que ele gaste seu tempo escolhendo cuidadosamente os melhores a fim de recrutar santos e depois se apropria antecipadamente do céu lançando na terra utópicas comunidades de igrejas.

Alguns anos atrás eu me correspondi com um amigo, também pastor, escrevendo sobre as dificuldades e o quase constante embaraço de passar semana após semana trabalhando com esses santos que, a nosso ver, deixam a desejar. Tentado a praguejar, ele se conteve e refletiu: "Jesus não ficava de brincadeira, modulando seu ultraje com frases bonitas [...]

Jesus foi direto à jugular de pessoas reais, especificadas, que Deus havia posto no âmbito de sua influência. Ele 'gastou seu tempo' com questões menores. Comprometeu-se com a companhia de gente real e com a transformação dos motivos e modos dessas poucas almas. Santo paradoxo. Divino mistério. Confiamos no Deus presente e pessoal que ama. A limpeza do templo feita por Jesus e sua confrontação com autoridades não foram praticadas para protestar ou ajustar. Foram praticadas para acusar o povo adorador de Deus de blasfêmia, para fomentar o arrependimento diante de Deus, para honrar o que é santo, para retribuir o amor. E essas ações foram praticadas como parte do caminho de Jesus para o sacrifício pessoal de sua vida. É o caminho da cruz".

Conversamos sobre isso, meu amigo e eu, de vez em quando. Estamos tentando desenvolver a facilidade e espontaneidade que Paulo tinha quando empregava a palavra "santo". Recentemente, meu amigo teve de lidar com um homem que estava chateado e zangado com a igreja e seu histórico negativo em questões de justiça e integridade. Esse homem tinha Jesus em altíssima estima, mas havia deixado a igreja. Estava declarando uma autoexcomunhão formal do nada promissor conjunto de eternos transgressores que via nas igrejas.

A atmosfera não parecia encorajar uma conversa. Por isso, meu amigo escreveu-lhe uma carta. Enviou-me uma cópia, que guardo até hoje numa gaveta de minha escrivaninha, procurando-a em certas ocasiões para uma releitura. Isso preserva minha clareza mental em relação ao modo de entender o termo "santo".

Nessa carta meu amigo confrontou esse homem primeiro concordando com ele: "Concordo. É muito difícil fazer parte de uma igreja por muito tempo e preservar a humanidade pessoal. Você acertadamente deplora o que critica". Depois ele prosseguiu com uma brusca pergunta: "No entanto, você adora com a congregação, esfrega o chão da igreja, cuida de seus bebês, enfrenta suas crises, se rebaixa ao nível de suas confusões relacionais? O Jesus que você admira fazia isso. Ele honrava e observava o culto e a comunidade. Formou uma nova comunhão enquanto honrava a comunhão antiga. Viveu como um participante. Não foi ficando fora mas sim dentro do 'povo de Deus' que ele enfrentou o pecado. E não foi ficando fora mas sim dentro que ele foi censurado e morto. A igreja que ele veio construir foi a que o matou, não uma rede de idealistas autônomos".

Depois ele foi direto ao ponto: "A igreja é lamentavelmente pecadora, distorcida e inadequada. Em suas várias épocas e séculos ela muitas vezes se promiscui com o comércio, os militares e a organização política; ou então, reagindo, ela se aproveita para sugar dessas instituições uma vida superficial, o que é igualmente ruim. Mas mesmo assim é nas vísceras da igreja, os adoradores, que Deus escolheu para trabalhar, viver e às vezes ser crucificado. É a igreja que Jesus diz que nós construiremos, contra a qual o inferno não prevalecerá".[3]

Santos — as "vísceras da igreja". Gosto disso. Não difere muito da descrição que Paulo faz de si mesmo ao escrever aos santos de Corinto: "temos chegado a ser considerados lixo do mundo, escória de todos" (1Co 4.13).

Isso é uma maravilha: de dentro dessas vísceras vêm um testemunho contínuo, sons de louvor, a totalmente inesperada palavra "ressurreição", discursos de cura e perdão, pregação e oração. E tudo isso das vísceras, do meio de homens e mulheres que não sentem nem vergonha nem embaraço em chamar de "santos" os homens e mulheres fracassados e às vezes inescrupulosos, defeituosos e não poucas vezes escandalosos, que são seus "irmãos e irmãs".

* * *

Essa improvável identidade santa é afirmada e ainda mais esclarecida no ato do batismo. O santo batismo define a pessoa de modo abrangente como uma criação, uma nova criação em andamento, de Deus Pai, Deus Filho e Deus Espírito Santo; uma pessoa totalmente imersa em todas as operações da Trindade. É a única prática que toda igreja cristã (excetuados os quacres) do mundo inteiro e através de todos os séculos de sua existência tem ininterruptamente praticado: "Eu te batizo em nome do Pai, do Filho e do Espírito Santo". Algumas igrejas batizam apenas adultos. Algumas batizam crianças. Mas virtualmente para todo mundo o batismo é o ato definidor da identidade que, como cristãos, nos faz santos. O batismo é um testemunho público de que a pessoa só pode ser entendida com precisão em relação a quem é Deus, à maneira como Deus se revela e às maneiras como Deus opera.

[3] Carta de M. C., 25 de julho de 2006.

O batismo caracteriza um modo radicalmente novo de nos entendermos a nós mesmos e uns aos outros: não pela raça, não pela linguagem, não pelos pais e pela família, não pela política, não pela inteligência, não pelo gênero, não pelo comportamento. Todas essas diversas formas de explicar-nos a nós mesmos são significativas, mas não definitivas. O santo batismo nos define como sagrados, como santos. O batismo é definitivo.

* * *

Tendo adquirido essa identidade, como a preservamos? Preservamos nossa identidade na prática da ressurreição, a ressurreição de *Jesus*. Não carregamos conosco nossa identidade batismal como uma carteira de motorista, uma carteira de identidade ou um passaporte para podermos provar que somos quem dizemos ser. Nossa identidade não é algo fora de nós, um rótulo, uma etiqueta com nosso nome. Expressamos nossa identidade na prática da ressurreição.

A ressurreição de Jesus é a proclamação convincente no país da Palestina e nos registros do primeiro século da história romana de que todas as coisas reveladas em nossas Escrituras podem ser vividas por homens e mulheres de carne e osso como nós. Não apenas verdades reconhecidas como verdadeiras, não apenas admitidas como arte, não apenas representadas em espetáculos dramáticos, mas *vividas* nas condições comuns em casa e no local de trabalho em todos os tipos de situação — exatamente como Jesus, batizado por João Batista no rio Jordão, fez. Estamos capacitados para passar a vida inteira fazendo isso porque somos santos, ressuscitados dentre os mortos para uma vida de ressurreição.

Nós continuamos mantendo essa identidade por meio da convivência com pessoas que têm conhecimento direto de quem somos: homens e mulheres abençoados, escolhidos, predestinados, a quem Deus concedeu sua graça, derramada em abundância, a quem Deus desvendou o mistério da sua vontade, convergidos — *por Deus!* Essas mesmas pessoas nos embaraçam com sua natureza imprevisível, nos contaminam com sua alegria, nos ofendem com sua vida incoerente, nos confortam com sua compaixão, nos intimidam e criticam, nos encorajam e extraem de nós o que temos de melhor, nos aborrecem com sua brandura, nos estimulam com seu entusiasmo. Mas nós não as escolhemos. Deus as escolhe. Convivemos com homens e mulheres que Deus escolhe. Esses santos.

"É aqui. Estamos no topo. Ele está sob nossos pés."

Alguns anos atrás me reuni com alguns amigos escritores. Estávamos lendo uns para os outros alguns de nossos textos recentes. O que estou escrevendo aqui (e você está lendo) era na época um embrião em minha mente. Então um de meus amigos, Robert Siegel, leu um poema que ele havia escrito pouco tempo antes. Eu estava procurando um modo de descobrir imagens e clareza para esse emprego do termo "santo" da carta aos efésios que achava difícil de focalizar. Quando Robert terminou a leitura do poema eu sabia que aquele era exatamente o poema para mim. Sabia que queria utilizá-lo neste momento crítico ao lidar com o final do capítulo 1 de Efésios.

Antes de ler o poema, Robert descreveu o episódio que provocara sua criação. Ele e sua esposa, Anne, moravam na Nova Inglaterra. Durante anos haviam passado de carro por um cruzamento onde havia uma placa indicando o caminho para o monte Monadnock, um nome que Robert conhecia devido a um poema de Emerson. Mas eles nunca tinham seguido a placa para o monte. Naquele dia, Robert viu a placa e, como costumava fazer, foi em frente. Mas depois, por impulso, disse a Anne: "Já não está na hora de visitarmos esse famoso monte por nossa própria iniciativa?". Ele voltou para o cruzamento e tomou a direção indicada. Depois escreveu este poema, que me proporcionou a imagem exata que eu estava buscando: "Procurando o monte Monadnock".

> Vemos a placa "Monadnock State Park"
> passando num lampejo; depois de uma ou duas milhas
>
> decidimos voltar. "Não podemos passar pelo Monadnock
> sem visitá-lo", digo eu, fazendo um retorno.
>
> Pegamos a estrada vicinal — "Imobiliária Monadnock",
> "Cerâmica Monadnock", "Projetos Monadnock",
>
> mas cadê o Monadnock? Depois as placas somem —
> nada além de árvores na tarde que escurece.
>
> Não falamos, passamos por uma clareira e você diz:
> "Acho que o vi, parte dele — uma rocha descalvada?"

Muitas milhas depois, finalmente, paro
e consultamos um mapa. "O Monadnock tá bem aqui."

"Ou talvez um pouco pra lá." "Mas deveríamos enxergá-lo —
estamos praticamente em cima dele." E já voltando

procuramos — árvores, a luz de uma clareira, rocha roxa —
mas parece que estamos perto demais para vê-lo:

É aqui. Estamos no topo. Ele está sob nossos pés.[4]

* * *

Essa vida de prática da ressurreição, essa vida de crescimento em Cristo, essa vida cristã de que alguns falam e muitos ouvem falar, é uma espécie de vida do tipo monte Monadnock. Lemos os registros, vemos as placas. Ouvimos falar, lemos os poemas, cantamos os hinos, fazemos as orações. Lemos a famosa carta que o famoso Paulo escreveu. Lemos Efésios.

E assim decidimos levar a coisa a sério e descobrir tudo por nós mesmos, em primeira mão. Vemos por toda parte as palavras *cristão, ressurreição, santos*. Viajamos para lugares sagrados. Observamos igrejas. Mas nunca vemos o que esperávamos ver. Nunca vemos o monte. Lemos todas as palavras extravagantes, os verbos-foguetes, os nomes de dons, as estratégias envolventes, os grandiosos propósitos associados a esse monte. Mas nunca vemos o monte.

Isso não é nenhuma novidade. Vem acontecendo há muito tempo. A maioria das pessoas que viu Jesus durante aqueles trinta anos que ele passou na Palestina não viu nele nada de especialmente formidável.

---

[4] *We see the sign "Monadnock State Park" / as it flashes by, after a mile or two / decide to go back. "We can't pass by Monadnock / without seeing it," I say, turning around. / We head down the side road — "Monadnock Realty,"/ "Monadnock Pottery," "Monadnock Designs,"/ but no Monadnock. Then the signs fall away — / nothing but trees and the darkening afternoon. / We don't speak, pass a clearing, and you say, / "I think I saw it, or part of it — a bald rock?" / Miles and miles more. Finally, I pull over / and we consult a map. "Monadnock's right there." / "Or just back a bit there." "But we should see it — / we're practically on top of it." And driving back / we look — trees, a flash of clearing, purple rock — / but we are, it seems, too close to see it: / It is here. We are on it. It is under us.* Robert Siegel, *The Waters Under the Earth* (Moscow, ID: Canon Press, 2003), p. 70.

Jesus: o mais velho de uma família de irmãos e irmãs criados na pequena cidade de Nazaré, que foi carpinteiro durante a maior parte da vida, teve um final infeliz, morrendo na cruz como um criminoso comum. Algumas das pessoas importantes da época o notaram, mas logo o dispensaram: o rei Herodes Antipas, prevendo um milagre sensacionalista, acabou decepcionado; o governador Pilatos ficou intrigado mas não impressionado; o sumo sacerdote Caifás foi desdenhoso. Após a ressurreição, Jesus ainda não era impressionante: Maria Madalena o confundiu com um jardineiro; Cleopas e seu amigo caminharam dez quilômetros com ele sem o reconhecer, conversando o tempo todo. Uma conversa interessante, com certeza, mas *Deus?* "Não fazíamos ideia" — nenhuma ideia de que estavam conversando com o Salvador do mundo. Dez quilômetros, caminhando com Jesus, discutindo as Sagradas Escrituras, e eles não sabiam que estavam conversando com o Verbo que se fez carne. Por que não perceberam? Talvez porque estivessem preocupados com coisas mais importantes, coisas espirituais, como o estudo da Bíblia. Depois ele pegou um pão, que abençoou, partiu e distribuiu. Agora, com a textura do pão sobre os dedos e o gosto sobre a língua — fundamentados nas coisas comuns — eles o reconheceram. Paulo teve de caminhar cego durante três dias antes de enxergá-lo.

Por que tantos dentre nós que veem Jesus todos os dias da semana nunca o enxergam? Estamos procurando Jesus caminhando sobre as águas, um espetáculo cósmico de luz, um circo carismático, uma transfiguração sobre o monte que possamos fotografar ou usar como metáfora num poema? "Sim, que saístes a ver?" (Mt 11.8).

Por que Jesus não faz propaganda de si mesmo? Se ele quer ser conhecido como Deus presente em nosso meio, para curar e salvar e abençoar, por que não chama nossa atenção e nos permite ver sem rodeios o que está acontecendo? Se todos aqueles verbos e substantivos que Paulo divulgou para que os considerássemos e aceitássemos são autênticos, por que Jesus ao menos não ergueu a voz?

Resposta breve: Deus se revela num relacionamento pessoal e somente num relacionamento pessoal. Deus não é um fenômeno a ser considerado. Deus não é uma força a ser usada. Deus não é uma proposição a ser discutida. Não há nada em Deus e de Deus que seja impessoal, nada abstrato, nada imposto. E Deus nos trata com uma dignidade pessoal equivalente. Ele não quer nos impressionar. Ele está aqui para repartir o pão conosco e nos receber em seu amor exatamente como somos, exatamente onde estamos.

A ressurreição é uma imensa e esplêndida montanha, sem dúvida — não há exagero nos verbos e substantivos de Paulo. Mas a prática da ressurreição em que Paulo nos envolve não é a escalada da montanha. Toda a imensidão e o esplendor estão sob nossos pés. É uma espécie de montanha como o monte Monadnock: "É aqui. Estamos no topo. Ele está sob nossos pés".

5

Graça e boas obras: Efésios 2.1-10

> Porque pela graça sois salvos, mediante a fé; e isto não vem de vós; é dom de Deus; não de obras, para que ninguém se glorie. Pois somos feitura dele, criados em Jesus Cristo para boas obras, as quais Deus de antemão preparou para que andássemos nelas.
>
> Efésios 2.8-10

> Essa era a primeira vez que ele permanecera passivo assim. Antes tinha sido sua ideia, sua agressividade, seus desejos carnais. Agora essa passividade parecia revelar alguma coisa.
>
> Robert Pirsig, *Lila, An Inquiry into Morals*

Viramos a página: um novo capítulo. Percebemos que estamos entrando num novo território. Entramos na terra que estivemos contemplando a distância, a terra da ressurreição. Estivemos observando os contornos da paisagem, os amplos horizontes, os despachos que Paulo enviou do *front* — a ação de Deus "por nós e por nossa salvação". Paulo ancorou essa paisagem na ressurreição de Jesus: Deus exerceu seu poder "em Cristo, ressuscitando-o dentre os mortos" (Ef 1.20). Agora nos encontramos dentro dessa terra, nossos pés pisando sobre esse chão. Sentimos a fragrância silvestre de flores e resinas, tocamos a textura da casca das árvores, sentimos a chuva sobre nossa cabeça e o vento em nossa face. Estamos na terra da salvação, a terra da ressurreição, na companhia de homens e mulheres da ressurreição.

Uma coisa é contemplar os horizontes com seus esplêndidos perfis e emocionar-se com o tempo fechando atrás das cadeias de montanhas, produzindo imensos espetáculos luminosos acompanhados de repentinas explosões de luz solar por entre fissuras nas nuvens, fogos de artifício de relâmpagos acompanhados pelo órgão de um trovão. Outra coisa totalmente diferente é sair do carro ou do ônibus ou do trem e embrenhar-se na floresta e escalar aquelas montanhas.

A transição é abrupta: "estando nós mortos em nossos delitos, nos deu vida juntamente com Cristo" (2.5). Deus ressuscitou Jesus dentre os mortos (1.20); também nos ressuscitou a *nós* dentre os mortos: "juntamente com ele, nos ressuscitou" (2.6). A ressurreição define a vida de Jesus; a ressurreição define a nossa vida. Estávamos mortos pelo pecado; estamos vivos pela ressurreição.

A linguagem de Paulo é em preto e branco: morte e vida. Abandonamos a vista que tínhamos lá do acostamento da estrada onde nos ocupávamos tirando fotografias e enviando cartões postais para casa. Entramos na floresta. A terra de ressurreição já não é uma paisagem extravagante diante da qual paramos tomados de reverente assombro. É a terra na qual vivemos, penetrando nos intrincados detalhes da vida na ressurreição. É a mesma terra de que ouvimos falar e que contemplamos ao longe. Mas agora estamos nela, participando ativamente com todos os nossos sentidos físicos.

A vida na ressurreição, definida pela ressurreição de Jesus, difere totalmente daquilo a que estávamos habituados, como a morte difere da vida. Quando nos limitávamos a exclamar oh! e ah! ao longo do caminho da ressurreição, éramos basicamente espectadores, capazes de fazer escolhas dentre as riquezas visuais expostas diante de nós para depois comentar a respeito delas. Podíamos ir embora quando bem quiséssemos. Se estávamos entediados, podíamos nos retirar seguindo um roteiro e prever a vista que teríamos após a curva seguinte. Paulo descreve isso como seguir "o príncipe da potestade do ar" (Ef 2.2). Mas aqui tudo e todos nasceram de novo, ou têm o potencial de nascer de novo: "toda a criação geme, como em dores de parto" (Rm 8.22, NVT).

Nada nem ninguém é um mero objeto, uma coisa que podemos ignorar ou jogar fora como preferirmos. Essa é a terra da *ressurreição*. A ressurreição não é algo que adicionamos a tudo aquilo a que já estamos habituados; ela *torna vivo* o que estava "morto nos [...] delitos e pecados" (Ef 2.1). É compreensível que carreguemos antigos hábitos e conjecturas de cemitério para a terra da ressurreição. No fim das contas, vivemos muito tempo com eles (se é que se pode chamar isso de viver). Também se faz necessária uma longa e paciente reorientação nas condições da ressurreição que predominam nesse território, vivendo de modo a atingir "a estatura da plenitude de Cristo" (4.13), nosso pioneiro e companheiro na ressurreição. Paulo inicia nossa reorientação com a palavra "graça". É uma palavra que ele emprega com frequência.

Passividade adquirida

Boa parte do crescimento na terra da ressurreição, crescimento em Cristo, implica a prática de uma espécie de passividade adquirida. A palavra "passividade" carrega uma conotação negativa na linguagem contemporânea: sem sal, fraco, ruim, preguiçoso, sem iniciativa, parvo, sedentário, inútil, incapaz. Aprendemos desde a infância a admirar e imitar estratégias de quem pega e faz, quem passa por cima, tem energia, é implacável com os inimigos.

Energia e ambição, objetivo decidido, corrida focada até o fim, concentração no lance — quem tem isso vai longe se o assunto é ganhar dinheiro, conseguir graus acadêmicos, vencer guerras, escalar o monte Everest e marcar gols. Isso é indiscutível. Mas essas metas, todas elas muito decantadas por nossa cultura, em si mesmas têm muito pouco a ver com levar uma vida madura, viver "para o louvor da sua glória".

A ambição competitiva e as disciplinas concomitantes que levam às conquistas podem ser adotadas — e com muita frequência são perseguidas — sem consciência, sem amor, sem compaixão, sem humildade, sem generosidade, sem justiça, sem santidade. Ou seja, sem ter nada a ver com a maturidade. Imaturas celebridades da indústria do entretenimento estão expostas em cada esquina. Imaturos milionários rotineiramente abandonam a família. Imaturos intelectuais e cientistas laureados com o Prêmio Nobel levam uma vida alienada e sem Deus. Imaturos astros do atletismo embaraçam seus treinadores e sua torcida com seu comportamento infantil e adolescente, às vezes criminoso.

Esses são os homens e mulheres que determinam padrões para uma vida alimentada pela ambição, visando chegar ao topo, ficar famoso, vencer competições. Esses são os homens e mulheres que fornecem imagens e exemplos do que significa ser um ser humano que se destaca. Alguém de nós deseja viver, quero dizer realmente *viver*, desse jeito? Isso alguma vez significou, em toda a história da humanidade, viver — na plenitude da vida?

Eu acho que não. E não acho que muitos pensam assim quando param para pensar, se é que param. A infelicidade, o vazio, a superficialidade, o tédio, a desolação que acompanham esse tipo de vida são devastadores, não apenas para os indivíduos envolvidos, mas também para suas famílias e comunidades. E a infiltração desse tipo de vida em nossa cultura — pois ninguém é uma ilha — nos empobrece a todos.

Quando observamos essas pessoas, o que é inevitável — elas estão na nossa cara todos os dias nos jornais, nos livros de história, nas reportagens da mídia —, percebemos como são radicalmente diferentes da vida de Jesus e da vida na ressurreição que Paulo usa como seu texto para uma vida humana madura. Elas não são tão diferentes nas aparências quanto são diferentes na própria raiz, a *radix* do latim.

Isso não é nenhuma novidade. A vida contemporânea não é nada diferente da vida no mundo antigo em relação a isso. O que é diferente é que nós, em geral, nos isentamos de qualquer sentido de parentesco cultural e social, especialmente em termos de maturidade, com os antigos. Presumimos que somos diferentes, melhores, mais avançados. Temos um padrão de vida mais elevado, temos um sistema de saúde infinitamente melhor, temos uma alta taxa de alfabetização, temos testes psicológicos que nos fornecem surpreendentes e profundas percepções sobre quem somos e como funcionamos (testes de QI, perfis Myers-Briggs, sistemas de família, eneagramas) e uma tecnologia que nos permite acesso instantâneo a tudo o que queremos conhecer e que pode levar homens e mulheres para a Lua e sabe-se lá para que outro lugar em anos vindouros. Não é mesmo óbvio que somos muito mais avançados que nossos ancestrais, muito mais adiantados no que diz respeito a nos tornarmos seres humanos plenamente desenvolvidos? Não só isso, mas muitos de nós, quer pensemos muito nisso quer não, também temos essa rica herança judaico-cristã, que forma nossa identidade de "cristãos". Uma nação cristã. Uma cultura cristã. Uma pessoa cristã.

É muito comum entre nós fundir nossas culturas, a nacional e a cristã, tomando o que julgamos ser o melhor de cada uma para produzir a ideia de um híbrido: cristão americano, América cristã. O melhor do mundo moderno, o americano, e o melhor do mundo bíblico, o cristão: cristãos híbridos.

Mas por que suporíamos que o melhor do mundo moderno é de alguma forma diferente do melhor do mundo antigo? A Assíria, a Babilônia e o Egito tinham tecnologia sofisticada e matemática avançada com as quais conseguiram criar surpreendentes obras arquitetônicas, inclusive as pirâmides, e intrincados sistemas de irrigação. A Pérsia, a Grécia e Roma tinham artistas e filósofos que esculpiram estátuas e escreveram livros que continuam no topo da lista daquilo que os seres humanos são capazes de construir e pensar.

Nossos ancestrais hebraicos do povo de Deus conviveram com esses bem-sucedidos de outrora. Todavia, por mais que tenham aceitado suas bibliotecas e tecnologias, beneficiando-se delas, eram profundamente ciumentos da integridade de sua alma e preservaram com zelo sua identidade alicerçada na imagem de Deus. Não admiraram os dirigentes daqueles reinos e culturas. Não adotaram os estilos bem-sucedidos de vida que produziram o poder e a riqueza daquelas civilizações.

As histórias de Abraão e Moisés, Elias e Jeremias, Daniel e Ester são vigorosamente contraculturais. Nossos ancestrais cristãos pioneiros viveram como vizinhos ao lado dos descendentes dos altamente civilizados e bem-sucedidos gregos e romanos e participaram dos benefícios econômicos que lhes eram proporcionados e da erudição que lhes era acessível. Ao mesmo tempo, permaneceram firmes em sua rejeição das pretensões divinas e das extravagâncias sexuais de seus líderes no governo e nas artes, e das superficiais idolatrias presentes nas assim chamadas melhores famílias.

Mateus, Marcos, Lucas e João escreveram os textos definitivos de seu Deus como um crucificado — *crucificado!* —, textos que moldaram sua participação na boa condução de uma vida integralmente *madura*. A cruz era um "escândalo para os judeus, loucura para os gentios" (1Co 1.23) no tempo de Jesus. Ela continua sendo um escândalo e uma loucura inassimiláveis em nossa cultura contemporânea que adora o poder e o comodismo pessoal, uma cultura que diviniza o sucesso humano.

Os cristãos, ontem e hoje, são as únicas pessoas sobre a face da terra que realmente adoram um Salvador *crucificado* — sob todos os aspectos, em todas as culturas e em cada uma delas, um Salvador fracassado, humilhado, rejeitado.

Mas, diversamente de nossa identidade hebraica derivada do povo de Deus e diversamente de nossos ancestrais cristãos pioneiros que adoravam um Salvador crucificado como a revelação de Deus, a prática religiosa popular em nossa cultura consiste em obter uma fertilização pelo cruzamento do que é americano com o que é cristão e produzir um híbrido. Na botânica e na criação de gado a hibridização é praticada pelo enxerto ou cruzamento para produzir o melhor das duas espécies: milho híbrido e ovelhas híbridas, por exemplo. Mas se não soubermos o que estamos fazendo, independentemente das melhores intenções que tenhamos, podemos acabar com algo que é pior do que cada um dos dois elementos: um vira-lata. O termo latino *hybrida*, traduzido literalmente, é exatamente isso, um vira-lata, o fruto de uma porca doméstica e um javali selvagem. Quando o touro selvagem americano cruza com um cristianismo domesticado e sem a cruz, o resultado é uma espiritualidade vira-lata — um "cristão" que, no cruzamento, perdeu a imagem de Deus e do Salvador crucificado. O elemento distintivo do aspecto humano está perdido. O elemento distintivo de Jesus está perdido. Temos um anticristo?

* * *

Essas são observações contextuais para entender por que aquilo que estou chamando de "passividade adquirida" é para nós tão difícil de levar a sério e adotar — e por que é absolutamente necessário abraçar essa passividade se quisermos nos acostumar a viver num mundo caracterizado pela graça de Deus, pois "pela graça sois salvos". Não há outras opções. Ou é a graça ou não é nada. Não há nenhum "Plano B".

O ar que respiramos e a atmosfera em que vivemos como crentes e seguidores de Jesus é a graça. Se não soubermos o que é a graça, o último lugar onde procurar ajuda será o dicionário. A graça está em toda parte para a experimentarmos, mas não está em parte alguma para a explicarmos. Precisamos olhar para Moisés e Isaías, Jesus e Paulo, conforme eles nos contam a história de nossa vida de imersos, condicionados e experimentados na graça de Deus.

A graça é uma realidade imaterial e invisível que permeia tudo o que somos, pensamos, falamos e fazemos. Mas não estamos acostumados com isso. Não estamos acostumados a viver de coisas invisíveis. Temos trabalho a concluir, coisas a aprender, pessoas a ajudar, trânsito a manejar, refeições a preparar. Quando precisamos de um intervalo de descanso, há pássaros a observar, livros a ler, caminhadas a fazer, um chá a tomar, talvez até uma capela onde possamos ficar sentados e meditar por uns dez minutos. Mas esses chamados "intervalos" não são o que denominamos o mundo real, o mundo no qual ganhamos a vida, o mundo no qual tentamos nos tornar alguém. São breves fugas desse mundo para podermos retornar depois ao "mundo real" descansados.

Recebi de um poeta americano, William Stafford, uma reflexão útil e duradoura mostrando em que consiste a graça. Eu estava lendo um livro de sua autoria sobre escrita criativa, especificamente sobre a criação de poemas. No meio de uma das páginas, achei o que de imediato reconheci como algo muito parecido com aquilo que os seguidores de Jesus chamam de graça. Ele estava falando de natação como uma analogia do ato de escrever. Durante a leitura, comecei a introduzir a linguagem da graça (as palavras que aparecem entre colchetes) para transferir a analogia de Stafford de nadadores e água para a experiência cristã da graça.

Stafford observou que

> qualquer pessoa que olhe para a água [graça] e a toque com a mão pode ver que ela não manteria uma pessoa à tona. [...] Mas os nadadores [seguidores de Jesus] sabem que se eles relaxarem sobre a água [graça] ela se mostrará milagrosamente capaz de manter uma pessoa flutuando; e os escritores [seguidores de Jesus] sabem que uma sequência de braçadas no material mais próximo deles — sem nenhum preconceito sobre a gravidade específica do assunto ou a razoabilidade de suas expectativas — resultará num progresso criativo [crescimento em Cristo: maturidade]. Os escritores são pessoas que escrevem; nadadores [crentes] são [...] pessoas que relaxam dentro da água, deixam as mãos imergir e movem os braços com naturalidade e confiança. [...] Exatamente como o nadador [o crente] não tem uma série de saliências ocultas em que possa se segurar, mas em vez disso simplesmente remove aquele meio que não lhe oferece resistência e descobre que ele o vai levando, assim o nadador/escritor [seguidor de Jesus] fixa sua atenção além daquilo que está a seu alcance e é impulsionado por um meio [a graça] que é rarefeito, abrangente demais para a percepção dos descrentes que ficam fora da água e tentam avaliar a proeza dele.[1]

A graça se origina numa ação de Deus que não tem absolutamente nenhum precedente, a generosa doação sacrificial em Jesus que nos permite participar da maturidade da ressurreição. Não é o que nós fazemos; é aquilo de que participamos. Mas não podemos participar sem adotar uma

---

[1] William Stafford, *Writing the Australian Crawl* (Ann Arbor: The University of Michigan Press, 1978), p. 23-25.

passividade voluntária, ingressando naquilo que aconteceu antes de nós, a presença e ação de Deus em Cristo que é diferente de nós, e nos entregando a isso. Essa passividade não é fácil. Precisa ser adquirida.

* * *

E as obras? Por que acontecem discussões e disputas sem fim, às vezes acirradas, acerca da fé e das obras? Acaso o modo como Paulo situa nossa vida de trabalho no profundo e vasto oceano da graça, um oceano no qual só entramos se mergulharmos, não põe um fim a toda essa falação enfadonha? A fé em Cristo é um ato de afastamento do litoral do eu, onde pensamos saber onde estamos e onde, mediante o esforço necessário, podemos ocupar uma posição de comando. A fé em Cristo é um mergulho na graça. Graça: "e isto não vem de vós; é dom de Deus".

* * *

Mas é difícil abandonar essa *terra firma*, esse "eu dos pés no chão". Crescemos sobre este chão, aprendemos como o mundo funciona sobre este chão, tornamo-nos bastante competentes em descobrir nosso jeito de caminhar sobre este chão. Temos mapas e guias, conhecemos todos os melhores restaurantes, sabemos onde fazer boas compras. Todos os nossos hábitos se formaram sobre este chão.

Em cinquenta anos de trabalho como pastor, minha tarefa mais difícil continua sendo a de desenvolver entre as pessoas a quem sirvo uma compreensão das implicações dessa graça que transforma a alma — uma reorientação abrangente, fundamental, que as afaste de um modo ansioso de viver, confiando na própria inteligência e força muscular, e as conduza para o mundo da presença ativa de Deus. A cultura norte-americana predominante (não muito diferente das culturas da Assíria, da Babilônia, da Pérsia e de Roma nas quais viveram nossos ancestrais bíblicos) constitui, para todos os efeitos práticos, um contexto de constante negação da graça.

* * *

Um casal marcou um encontro para conversar comigo. Havíamos morado na mesma vizinhança durante vários anos, mas nunca nos tínhamos encontrado. Um amigo deles, membro de minha congregação, sugeriu-lhes o encontro. Apresentei-me:

— Sou o pastor Peterson.

O homem respondeu:

— Meu nome é Eben. Minha mulher, Sylvia.

— É um prazer conhecê-los, Evan e Sylvia.

— Não, não é Evan. É Eben.

— Ah! Como em Ebenézer — respondi.

— Como o senhor sabia disso?

— Li na Bíblia. E às vezes canto esse nome num hino. Eben, pedra; Ebenézer, pedra de ajuda. E Sylvia, floresta. Gosto disso, um par de nomes apropriado, Eben e Sylvia, pedra e floresta, para o âmbito do casamento.

— É sobre casamento que viemos conversar com o senhor. Estamos enfrentando algumas dificuldades.

Conversamos. Eles tinham cerca de 50 anos de idade, trinta dos quais casados. Eben era um judeu não praticante, Sylvia uma batista do sul não praticante. Não sendo eles praticantes, seus contrastantes passados religiosos aparentemente nunca tinham sido um problema. Ambos foram educados em suas respectivas crenças, mas havia muito tempo tinham deixado de dar atenção ao que lhes fora ensinado. Eben era uma espécie de empresário — imaginativo, batalhador. Abandonara um emprego de gabinete como funcionário público para arriscar um recomeço criando um negócio de aluguel. Havia prosperado. Aluga todo tipo de coisa, de enxadas para limpar sarjetas a máquinas de café expresso para festas de casamento. Eu conhecia a loja: certa vez havia alugado lá um microtrator para um serviço em nossa horta. Sylvia trabalhava com ele no negócio, fazendo a contabilidade e recebendo e atendendo os clientes. Lembrei-me de sua amabilidade na ocasião em que eu estivera na loja deles.

Conversamos. Eles gostavam de seu trabalho e trabalhavam bem juntos. Ganhavam mais que o suficiente e tinham uma vida confortável. Haviam criado três filhos. Um deles morava a vários estados de distância; os outros dois estavam fora de casa, na faculdade. Gostavam da vida que levavam. Mas agora, pela primeira vez, não estavam se entendendo bem. Não sabiam o que havia mudado. Tudo parecia igual, mas nada parecia igual.

Conversamos. Passávamos mais ou menos uma hora juntos por semana. Eu gostava deles. Eben sempre ficava caminhando enquanto falava — a linguagem envolvia o uso das pernas tanto quanto o uso da boca.

Sylvia mantinha as mãos ocupadas sempre fumando. Em nossas conversas emergiu o entendimento entre nós três de que, enquanto estivessem trabalhando juntos, eles se davam bem, mas quando fechavam a loja e iam para casa, as coisas degringolavam. E os domingos eram um inferno. A vida deles e seu relacionamento eram em grande medida definidos por seu trabalho. Quando não havia trabalho, não sabiam o que fazer. Agora que as tarefas da criação dos filhos e de pôr em funcionamento uma nova casa comercial haviam sido realizadas, eles dispunham de tempo de sobra, como nunca havia acontecido. Não havia adrenalina no lazer.

Eben fora criado num mundo judaico de trabalho que implicava lutar, conseguir, distinguir-se. Sua energia e o vasto conhecimento de ferramentas e máquinas garantiam-lhe o retorno de fregueses. Sylvia fora criada num mundo moral batista que implicava fazer tudo direito e causar boa impressão. Sua cordial hospitalidade típica do Alabama, ampliada por um sorriso experiente e um corpo bem cuidado, valia-lhe um alto índice de aprovação durante as horas passadas na loja. Mas fora do ambiente de trabalho não havia mercado para o conhecimento de Eben e ninguém para confirmar o desempenho de Sylvia.

Conversamos. Então, o que vocês fazem quando não estão sendo pagos pelo que fazem? O que vocês fazem quando o que dizem ou como o dizem não afeta o fluxo de caixa? Nossa conversa enveredou pela análise de como as coisas mudam num relacionamento quando a gente não tem de ganhar o próprio sustento. Começaram a surgir *insights* de profundezas invisíveis, as invisibilidades que mantêm nosso desempenho à tona.

Conversamos. Certo dia, no meio da conversa, Eben parou no meio de uma frase e disse: "Graça! Estamos falando da *graça*? Sempre me perguntei o que significava essa palavra. É *isso* o que ela significa?". Sylvia acendeu mais um cigarro.

Eu não sabia disso naquela época, mas aquele *Eureka!* — exclamativo, surpreso — *graça*, marcou a desaceleração de nossa conversa. Eu nunca havia usado aquela palavra na presença deles: foi Eben que a introduziu. Mas alguma coisa profunda da herança judaica de Eben, latente por mais ou menos quarenta anos, ativou-se. Ele havia intuído alguma coisa. Introduzi Abraão na conversa. Eben introduziu o nome de Jesus. Sylvia ficou cada vez mais entediada. A lacuna entre eles aumentou.

Chegamos tão perto. Quase. Não creio que tenham optado pelo divórcio. Algumas vezes eu os vi em sua loja quando entrei lá para alugar uma ferramenta. Tivemos breves conversas fiadas e fizemos nossos negócios. Mas a conversação havia terminado. Eben e Sylvia tinham, de fato, abandonado o casamento e voltado para seu ambiente de trabalho.

Boas obras

Mas trabalho e ambiente de trabalho não são antitéticos em relação à graça. De fato, a graça se sente perfeita e insistentemente em casa no trabalho e no ambiente de trabalho. Paulo se preocupa que entendamos isso corretamente ao colocar os termos "boas obras" na mesma frase em que discute a graça: não apenas salvos pela graça, mas "criados em Cristo para boas obras, as quais Deus de antemão preparou para que andássemos nelas" (Ef 2.10).

Fundamentalmente, trabalho — obra — não é apenas o que fazemos; nós somos o trabalho que Deus faz: "somos feitura dele".

A graça não substitui o trabalho. O trabalho, tanto antes quanto depois da ressurreição, continua difundido como sempre. Os cristãos da ressurreição não são premiados com uma redução da semana de trabalho. O trabalho não foi rebaixado como algo subespiritual. A vida madura em Cristo não nos isenta de bater cartão, trabalhar por longas horas com pouca ajuda na colheita do trigo, investir muitos anos numa ocupação chata até chegarmos à aposentadoria, mantendo a sanidade por um fio no caos da criação de três filhos em idade pré-escolar. O trabalho muitas vezes nos dá prazer. Mas também muitas vezes nos enfraquece, nos desmoraliza e nos cansa. A única coisa pior que o trabalho é a falta de trabalho, o desemprego.

O que muda, então, quando Paulo apresenta o "trabalho/obra" como uma palavra que acompanha a "graça" se no dia seguinte, tendo sido "ressuscitados com ele", nós retornamos para os mesmos empregos, as mesmas responsabilidades, as mesmas condições no ambiente de trabalho?

Isto: já não estamos trabalhando para uma multinacional, para o governo, para a diretoria da escola, para o hospital. Somos obra de Deus e estamos fazendo o trabalho dele: "somos feitura dele, criados em Cristo Jesus para boas obras, as quais Deus de antemão preparou para que andássemos nelas" (Ef 2.10).

* * *

Trabalho é em primeiro lugar o que Deus faz, não o que nós fazemos. Gênesis 1—2 é nosso ingresso na história de Deus revelando-se a nós. É extremamente significativo que Deus apareça em ação, trabalhando no mesmo ambiente em que nós executamos nosso trabalho. A primeira coisa que aprendemos a respeito de Deus é que Deus trabalha. Deus parte para o trabalho criando o mundo e tudo o que nele existe (Gn 1) e nos convida a participar de seu trabalho, dando-nos tarefas a cumprir que são comensuráveis com sua obra (Gn 2).

A comunidade cristã tem uma longa tradição de ler Gênesis 1—2 meditando e orando a fim de formar nosso entendimento e experiência do trabalho na companhia de Deus em ação. Todas as nossas obras são precedidas por suas obras. Todo nosso trabalho acontece no ambiente de trabalho de Deus. Todo nosso trabalho tem o objetivo de participar na obra de Deus. Conforme imaginamos em espírito de oração a primeira "semana de trabalho" de Deus, temos uma percepção do que ela implica.

Deus cria a luz. Que presente. Obra de Deus. Presente de Deus. Podemos ver o que está acontecendo, podemos ver para onde estamos indo. "A luz difunde-se para o justo" (Sl 97.11). Cada lâmpada, cada vela, cada tocha, cada candelabro é um testemunho do que é continuamente revelado a nosso redor.

Deus cria o céu. Puro presente. Obra de Deus. Presente de Deus. Este Céu imenso. Espaço e vastidão, este imenso Além. Longe, muito mais do que conseguimos imaginar, muito mais do que conseguimos controlar. Tudo o que é visível alastrando-se invisibilidade adentro.

Deus cria a terra e o mar, plantas e árvores. Puro presente. Obra de Deus. Presente de Deus. Florestas de carvalhos e campos de trigo, macieiras e jardins de rosas. Um lugar para ficar. Um lugar para morar. Uma casa equipada com aquilo de que precisamos. Uma linda casa.

Deus cria o sol e a lua e as estrelas, estabelecendo estações e dias e anos. Puro presente. Obra de Deus. Presente de Deus. Tempo para olhar ao redor e contemplar as paisagens, o nascer e o pôr do sol. Tempo para ouvir o vento nos ciprestes e a chuva no telhado. Tempo para dormir e sonhar e "acordar a alva" (Sl 108.2). Tempo para lembrar e contar as bênçãos. Tempo de esperar e orar.

Deus cria peixes e pássaros. Mar e céu resplendem cheios de vida. Puro presente. Obra de Deus. Presente de Deus. As trutas-arco-íris e os martins-pescadores-verdes. O encanto e a elegância de todos os tipos de vida.

Deus cria animais domésticos e selvagens. Puro presente. Obra de Deus. Presente de Deus. O gado doméstico e os caribus, as formigas e os lagartos, os ursos-pardos e as abelhas melíferas. Vida em movimento. Vida numa profusão de formas e cores. É a dança da vida.

Deus cria o homem e a mulher. Puro presente. Obra de Deus. Presente de Deus. Para onde quer que se olhe, para onde quer que se vá, homens e mulheres. Homens e mulheres em todas as ruas e estradas, cada qual singular. Mas no sexto dia acontece algo diferente. Cada homem e cada mulher não é apenas um exemplo da criação/feitura de Deus, mas é também capaz de participar na obra dele, trabalhando no ambiente de trabalho de Deus e continuando a sua obra, continuando a criação de presentes.

E depois tudo está feito, completo, "consumado". O sétimo dia, um dia para Deus olhar para trás e contemplar sua semana de trabalho, o conjunto da "obra que, como Criador, fizera". A frase "a obra que fizera" é repetida três vezes (Gn 2.2-3). Um dia de descanso. Um dia para a reflexão tranquila sobre todas as boas obras. Um dia para santificar e abençoar o bom trabalho.

Sete vezes nessa semana de trabalho Deus parou, examinou o resultado de seu trabalho e o declarou bom. O último "bom" foi intensificado como sendo "muito bom". Bom trabalho, de fato.

* * *

Uma semana de trabalho. Uma semana de presentes. Todo trabalho no fundo e em sua essência configura um presente. Ou, falando de outro modo, é próprio da natureza do trabalho produzir um recipiente para um presente. A razão pela qual o trabalho é considerado bom é que ele é o meio para a entrega de um presente.

Dizer que alguma pessoa ou alguma coisa é um presente não nos revela o que ela é, mas como ela chega até nós. Um "presente", como tal, não tem forma, nem cor, nem textura. O termo "presente" simplesmente diz que a coisa chega até nós de graça. Não chega nem por necessidade, nem por exigência. É grátis. Chega numa ambiência de generosidade, sem restrições.

Uma oração atenta voltada para a semana de trabalho da criação desenvolve dentro de nós uma compreensão de que vivemos num mundo de puros presentes, que nós mesmos somos presentes e tudo o que fizermos reproduz e continua a expressar e configurar essa fundamental dadivosidade — a dadivosidade de *Deus*. E nós recebemos essa dádiva na forma de obras.

O termo mais comum em nossas expressões bíblicas para essa oculta e abrangente dadivosidade de Deus é "graça". E Gênesis, com a ênfase conferida pela repetição ao longo dos sete dias da criação de Deus em seu trabalho — "Haja/houve" (nove vezes), "fez" (onze vezes), "obra" (três vezes) — enfatiza dramaticamente que é próprio da natureza do trabalho oferecer a forma material para as coisas invisíveis da graça.

Obras como configuração da glória

A vida cristã madura envolve uma convergência de graça com trabalho. Nada na vida cristã amadurece sem trabalho e obras. O Verbo invisível que estava presente no início de Gênesis (Jo 1.1) "se fez carne" em Jesus. Em Jesus, que é uma forma humana, "cheio de graça" (1.14), vemos Deus trabalhando ("as obras que o Pai me confiou para que eu as realizasse" [5.36]). Jesus insiste que o Deus que ninguém jamais viu (1.18) é visível nas obras que o próprio Jesus realiza bem diante de nossos olhos. "As obras que eu faço", disse Jesus, "testificam a meu respeito" (10.25).

É uma das grandes ironias da vida de Jesus o fato de que aquilo que as pessoas viam Jesus fazendo — Jesus alimentando os famintos no monte, Jesus morando perto delas, Jesus estendendo a mão aos marginalizados, Jesus curando uma "sogra" e uma criança de doze anos (ambas anônimas) nas casas em que elas viviam, Jesus lendo as conhecidas Escrituras em sinagogas onde as pessoas adoravam aos sábados — era exatamente aquilo que provocava críticas e desconfianças e sua total rejeição como sendo a encarnação de Deus. Seus contemporâneos achavam muito mais fácil acreditar num Deus invisível do que num Deus visível.

A obra de Jesus é a forma na qual o Deus invisível pode ser visto. O quarto Evangelho, João, diz isso de maneira sucinta: nós vimos a glória de Deus em Jesus. A glória é a invisibilidade de Deus que se fez visível em Jesus em ação. E — este é o ponto central de Paulo em Efésios — nós também somos "criados em Cristo Jesus para boas obras, as quais Deus de antemão preparou para que andássemos nelas" (Ef 2.10). Nosso trabalho é uma forma para a glória.

* * *

É essencial que assimilemos a semana de trabalho de Deus de Gênesis, se é para viver as obras que "Deus de antemão preparou para que andássemos nelas". A semana de Gênesis é a história de Deus derramando suas invisíveis qualidades trinitárias em formas que são acessíveis a nossos cinco sentidos. A graça de Deus, a fundamental dadivosidade de tudo o que Deus é e faz, torna-se presente para nós unicamente na forma de trabalho. As obras de Deus — luz e céu, terra e mar, árvores e vegetação, tempo e estações, peixes e pássaros, gado e cangurus, homem e mulher — são formas pela quais vemos, ouvimos, tocamos, saboreamos e cheiramos a graça. As obras da criação, inclusive nós mesmos como parte dessas obras, nos proporcionam as formas pelas quais entramos no mundo da graça e dele participamos.

Essa criação visível é a forma, o contexto no qual experimentamos a graça. A graça invisível permeia as formas da criação, enchendo-as de conteúdo. A obra-dádiva da criação de Gênesis torna-se visível e audível nas formas da criação. A criação é toda ela presente. Recebemos o presente e participamos dele nas formas de trabalho. A salvação é toda presente. Ela ganha forma num mundo de trabalho.

Uma compreensão meditativa de Gênesis nos forma em conformidade com as obras da criação divina que Deus declarou boas e muito boas. Formados na submissão e obediência pelos ritmos e imagens de Gênesis, amadurecemos para uma vida de "boas obras, as quais Deus de antemão preparou para que andássemos nelas". Os ritmos e imagens de Gênesis nos libertam das distorções secularizadas e pietistas que resultam da oposição entre graça e boas obras. O bom trabalho e as boas obras são para a graça o que um balde é para a água: um recipiente para retirá-la do poço e levá-la à mesa. A graça de Deus é o conteúdo. Nosso trabalho (praticado segundo o estilo de Jesus) é o recipiente.

Não somos anjos. Este mundo em que vivemos é obra de Deus. Tudo o que experimentamos nós o experimentamos sob o céu de Deus e sobre a terra e o mar de Deus, no tempo de Deus definido pelo sol, a lua e as estrelas, na companhia da comitiva de Deus formada por cardumes de golfinhos e bandos de águias, de leões e cordeiros, e na companhia de homens e mulheres à imagem de Deus que nos chegam como pais e avós, filhos e netos, irmãos e irmãs, vizinhos e parentes, colegas de futebol e colegas de trabalho, alunos e assistentes — e Jesus. Na prática da ressurreição de nada se pode participar, nada se pode experimentar sem um corpo, uma forma, dedos e pés, olhos e orelhas e língua. E na prática da ressurreição nada acontece sem a matéria com a qual se possa trabalhar — lama e argila para moldar potes e canecas, pedra e madeira para construir casas e igrejas, substantivos e verbos para transmitir sabedoria e conhecimento, algodão e lã para tecer roupas e cobertores, sêmen e óvulos para fazer bebês: boas obras. O trabalho é a forma genérica para corporificar a graça. Toda a espiritualidade cristã está inteiramente ligada à encarnação — em Jesus, sem dúvida, mas também em nós.

* * *

As distorções de "boas obras" são muito frequentes. Eu apenas as identifiquei como "secularizadas" e "pietistas". As distorções ocorrem quando não observamos o contexto de trabalho do Gênesis com seriedade atenta e meditada, por um lado (o lado secularizante), ou quando não observamos e escutamos com cuidado o contexto de trabalho de Jesus, por outro lado (o lado pietista).

O secularista romantiza o trabalho. O pietista o espiritualiza. As duas visões distorcem o trabalho de Deus no Gênesis e o trabalho de Deus em Jesus. As duas ignoram o que Paulo está ensinando sobre crescer até atingir "a estatura da plenitude de Cristo", isto é, ignoram que na prática da ressurreição vivemos não em termos do que fazemos de nós mesmos, mas em termos do que Cristo faz de nós.

O trabalho é romantizado quando é entendido como um modo de ser importante, de tornar-se conhecido, de ganhar dinheiro, de "fazer uma contribuição". O trabalho romantizado tende a ser trabalho charmoso. O trabalho romantizado confia muito nas compensações, seja na forma de salários e compra de ações preferenciais, na forma de reconhecimento e distinção, ou na forma de "satisfação profissional" e "potencial realizado".

Mas nada é charmoso na narrativa da semana de trabalho do Gênesis. O trabalho de cada dia é prosaico, descrito sem embelezamentos. O único comentário feito consiste em uma única sílaba: "bom". É assim que ele é. O trabalhador, Deus, é quase invisível na obra: "Ninguém jamais viu a Deus" (Jo 1.18). O que se vê é a obra em si, um recipiente do invisível.

O trabalho é romantizado quando é concebido e praticado de modo totalmente alheio ao contexto e estilo do Gênesis de Deus. É romantizado quando se torna um modo de expandir nossa significância e influência e importância — quando nós nos tornamos o trabalhador sem nenhuma relação ou pensamento de que somos obra de Deus, antes de sair para realizar qualquer trabalho que seja. O trabalho se torna um modo de nos tornarmos semelhantes a um deus sem lidar com Deus.

A distorção mais evidente entre os romantizadores aparece na omissão do sábado. Raramente se pratica o sábado — não há nenhum sétimo dia, nenhum descanso. Sempre há mais coisas a fazer porque o trabalho em si nunca acaba. O trabalho romantizado tem um elevado componente de adrenalina. A satisfação de fazer um belo trabalho, realizando uma tarefa difícil, e ser reconhecido e apreciado é considerável, e facilmente vicia. O trabalho romantizado é idolatria de si mesmo.

O trabalho pietista se desenvolve quando deixamos de observar como Jesus se comportava em relação a seu trabalho. O pietista "espiritualiza" o trabalho. O trabalho é dessecularizado e transformado em atos religiosos: oração, adoração, testemunho. Ou é profissionalizado e transformado em ocupações: pastor, pregador, missionário, evangelizador. A espiritualização do trabalho desespiritualiza a maior parte do mundo do trabalho, o trabalho que Kathleen Norris chamou de "os mistérios do cotidiano".[2] Esse é o trabalho diário ao qual muitas vezes nos referimos pejorativamente como sendo "trabalho de mulher" — lavar roupa, preparar refeições, criar filhos, digitar, levar crianças para a escola. Em sua totalidade, isso também exclui da semana de trabalho cristão o trabalho que não exige nenhuma habilidade: o trabalho de empregado, o trabalho numa linha de montagem, o trabalho braçal. O único trabalho que nos sobra para honrar e praticar as "boas obras" é o trabalho da igreja, muitas vezes identificado como "o trabalho do Senhor" ou "trabalho cristão".

Mas essa distorção pietista do trabalho só pode ser praticada ignorando-se Jesus e sua forma de trabalhar. Quase todas as metáforas que Jesus empregou para ancorar nosso trabalho no mundo que ele mesmo habitou provêm de coisas comuns, do dia a dia: sementes e flores, pão e sal, agricultores e construtores, pardais e escorpiões, viúvas e crianças. As pessoas com quem ele passou mais tempo eram ou marginalizados ou membros das classes inferiores: coletores de impostos, pescadores, prostitutas, leprosos. Nenhum dos apóstolos chamados para o treinamento do

---

[2] Kathleen Norris, *The Quotidian Mysteries: Laundry, Liturgy, and "Women's Work"* (Nova York: Paulist Press, 1998).

discipulado tinha qualquer credencial conferida por instituições religiosas. Ele evitava abertamente as práticas religiosas padronizadas de jejuar, orar em público e observar convencionalmente o sábado — e foi duramente criticado por isso. Com raríssimas exceções, todas as obras de Jesus aconteceram num contexto secular.

* * *

Gênesis e Jesus desenvolvem em nós uma convergência de graça e boas obras, e Paulo nos assegura que podemos, de fato, viver dessa maneira. Ficar na companhia de Gênesis e Jesus é o melhor jeito que conheço de libertar-se das distorções romantizadas e espiritualizadas do trabalho. Na companhia deles as condições para a integração da graça e das boas obras são favoráveis. Por mais difícil que isso seja, não é algo que nos seja estranho. Fomos criados para isso. A origem de Gênesis e a prática de Jesus, de modo gradativo mas seguro, vão dar um jeito na gente. À medida que crescemos até atingir "a estatura da plenitude de Cristo", descobrimos que qualquer emprego que tenhamos e qualquer tarefa que nos seja atribuída pode servir de recipiente para a graça, pode nos proporcionar uma forma da graça de Deus, conforme praticamos a ressurreição.

PARTE III
A CRIAÇÃO DA IGREJA

Por que as pessoas dentro da igreja parecem alegres turistas desmiolados em uma excursão turística no Absoluto? […] Em regra, não acho os cristãos, fora das catacumbas, suficientemente conscientes de suas condições. Teria algum deles a mais vaga ideia do tipo de poder que nós tão displicentemente invocamos? Ou, como suspeito, será que nenhum deles acredita numa só palavra dessa crença? As igrejas são como crianças brincando no chão com seus *kits* de química, misturando um punhado de TNT para matar a manhã de um domingo. É loucura usar chapéus de palha e chapéus de veludo para ir à igreja; deveríamos todos usar capacetes blindados. Os porteiros deveriam distribuir salva-vidas e sinais luminosos; deveriam, a golpes de chicote, nos fazer ocupar os bancos. Pois o deus adormecido pode algum dia despertar e ofender-se, ou então o deus acordado pode nos mandar para um lugar de onde nunca mais conseguiremos voltar.

Annie Dillard, *Teaching a Stone to Talk*

6

A paz e a parede derrubada: Efésios 2.11-22

> Mas agora, em Cristo Jesus, vós, que antes estáveis longe, fostes aproximados pelo sangue de Cristo. Porque ele é a nossa paz, o qual de ambos fez um; e, tendo derribado a parede da separação que estava no meio, a inimizade [...]
>
> EFÉSIOS 2.13-14

> Só conheço Deus através de Jesus. A única grandeza do cristianismo é sua crença num Deus pobre, como uma ferida no absoluto. Deus, a criança numa manjedoura. Nenhum homem poderia ter inventado isso; requer-se uma revelação.
>
> JEAN SULIVAN, *Morning Light*

A mensagem de Paulo sobre o crescimento em Cristo irrompe sobre nós numa ofuscante exposição do que está acontecendo neste mundo em que vivemos (Ef 1.3-14). Logo em seguida vem uma surpreendente redefinição de como, vivendo neste mundo, entendemo-nos a nós mesmos (1.15-23).

O que está acontecendo é o seguinte: Deus está constantemente em ação de modos abrangentes e esplêndidos.

E o que entendemos é o seguinte: cada parte de nossa vida é afetada por essas ações divinas.

* * *

A maioria de nós tem uma boa educação escolar para entender este mundo em termos de astronomia e geografia e história. Aprendemos que a terra gira em torno do sol, ideia que requer algum tempo para que nos acostumemos com ela, já que certamente não parece ser verdadeira.

Aprendemos que vivemos num globo, não numa superfície plana — algo que nunca teríamos adivinhado sem um professor. Aprendemos que muitas outras coisas vêm acontecendo além do que observamos em nossas casas e vizinhanças: Colombo (ou teria sido Leif "o sortudo" Ericson?) descobrindo a América; o belo rosto de Helena de Troia lançando ao mar mil navios; Napoleão, um homem que, como observou Ezra Pound, era incapaz de construir um galinheiro, tornando-se famoso por começar uma grande guerra e matar muita gente; Rachel Carson alertando o país sobre o prejuízo que estávamos causando uns aos outros e às árvores e à atmosfera, à água e aos pássaros que nos cercam, e nos induzindo a fazer alguma coisa para resolver esse problema.

Mas não há muita coisa sobre Deus em tudo isso. No momento em que deixamos a escola fundamental a maioria de nós sabe mais sobre as fases da lua, o ciclo da vida das rãs e as aventuras dos desbravadores de nosso país do que sabemos sobre Deus. Há uma enorme ironia nisso, pois Deus corresponde à maior parte do que está acontecendo neste mundo. Se queremos crescer, precisamos saber o que está acontecendo na vizinhança. Precisamos saber sobre *Deus* na vizinhança. Precisamos saber que Deus está continuamente atuando neste mundo. Precisamos saber que em tudo o que existe e acontece, antes e depois, Deus está presente e atuante. Paulo nos diz isso. Paulo nos diz que tudo o que está acontecendo neste mundo, inclusive nós mesmos, tem por finalidade "o louvor da sua glória" (Ef 1.14).

* * *

Nós, na maioria, temos certo conhecimento de nós mesmos. Aprendemos a língua materna. Aprendemos os rudimentos do que precisamos para preservar a vida e a saúde. Com alguma boa dose de recomendações do pai e da mãe, aprendemos que os dentes precisam ser escovados e as mãos lavadas. Aprendemos como amarrar os cadarços dos sapatos. Sabemos do que precisamos para evitar problemas com pais e amigos. Aprendemos outras formas de sobrevivência ao longo do caminho: como passar pela escola, como conseguir um emprego, como contrair um matrimônio e criar uma família. Descobrimos do que gostamos e o que sabemos fazer bem. Aprendemos sobre aptidões e emoções. Apaixonamo-nos. Desapaixonamo-nos. Aprendemos a nos adaptar e progredir — ou não.

Mas como Deus entra nisso tudo no dia a dia é vago. Sabemos com muitos detalhes o que significa ser criança e ter (ou não ter) pais. Sabemos o que os professores pensam de nós e que lugar eles ocupam em nossa vida. Sabemos qual é a sensação de ter um bom amigo. Sabemos qual é a sensação de ser excluído. Conhecemos a adrenalina da emoção de correr rápido, pedalar uma bicicleta, andar numa montanha-russa. Mas não fica tão prontamente óbvio que Deus está presente para nós nessas formas imediatas que contribuem para nossa compreensão pessoal.

Se não soubermos o que Deus pensa de nós e o que temos a ver com ele, deixamos de compreender uma grande parte do que significa crescer. Precisamos saber que Deus não é apenas uma "divindade genérica" que saiu por aí a fim de praticar um grande feito no universo, distante de quem somos ou do que pensamos de nós mesmos. Deus não está distante; Deus está presente e atuante em nós. O modo como Deus pensa de nós e como nos trata não é apenas outro item num *continuum* de todos os outros modos pelos quais aprendemos a nos entender a nós mesmos. É, de fato, muito diferente. É uma surpresa — e uma surpresa boa. É uma redefinição radical de quem somos, de uma forma que nos diferencia de qualquer outra pessoa. Precisamos entender que Deus tem a ver com todas as partes de nossa vida, não apenas com a parte religiosa. Paulo nos diz isso. Ele nos diz que somos santos.

O que Paulo nos diz implica uma reorientação abrangente do modo como aprendemos a conhecer o mundo e entender a nós mesmos. Não exclui o que aprendemos com pais, professores e amigos. Mas o que ele nos diz nos coloca numa realidade muito maior — um modo de ver o mundo e um modo de entender a nós mesmos que muda tudo.

Eis a frase que conclui essa total reorientação: "E pôs todas as coisas debaixo dos pés [de Jesus] e, para ser o cabeça sobre todas as coisas, o deu à igreja, a qual é o seu corpo, a plenitude daquele que a tudo enche em todas as coisas" (Ef 1.22-23).

Igreja: a prece final na ladainha das ações de Deus que estabelece as condições em que crescemos em Cristo. Um dos autores mais perspicazes sobre Efésios diz que com essa frase "nós entramos numa das partes mais difíceis da carta".[1]

---

[1] Ernest Best, *A Critical and Exegetical Commentary on Ephesians* (Edimburgo: T. & T. Clark, 1998), p. 181.

Os espinhos do individualismo

Paulo deve perceber que vai ser difícil passar do que nossos pais e professores e amigos nos dizem sobre o mundo e sobre nós mesmos para o que Deus nos revela, e portanto ele nos conduz com muita calma. Não ataca diretamente o tema. Antes de falar da "igreja", esse ponto culminante que engloba tudo o que foi dito antes, Paulo nos abre o caminho ajudando-nos a passar por um terreno difícil. O que ele faz é guiar-nos pelos penosos espinhos do individualismo.

O individualismo é o retardamento do crescimento, um hábito inibidor da maturidade que vê o crescimento como um projeto individual isolado. O individualismo é um egoísmo presunçoso. O individualista é aquela pessoa convencida de que pode servir a Deus sem lidar com Deus. É a pessoa que tem certeza de que pode amar seus vizinhos sem saber o nome deles. É a pessoa que pressupõe que "progredir" implica deixar outras pessoas para trás. É a pessoa que, depois de adquirir competência no conhecimento de Deus ou das pessoas ou do mundo, usa esse conhecimento para tomar conta de Deus ou das pessoas ou do mundo.

Nós, obviamente, somos inerentemente indivíduos responsáveis por nossas intenções e pelo uso de nosso livre-arbítrio. Deus não nos esvazia da individualidade quando entramos na igreja. A igreja, pelo contrário, é o lugar onde cultivamos uma submissão aos cuidados e à autoridade de Deus.

Os Estados Unidos, constituídos por uma forma de doutrina evangélica degradada, são a capital mundial do individualismo. Por isso é compreensível que os cristãos neste país sofram com uma taxa tão alta de feridos, até mesmo de tantas baixas, em sua passagem pelos espinhos e pedras e fendas do individualismo que tão duramente impedem o crescimento em Cristo.

Pois enquanto vivermos num individualismo desenfreado, não seremos capazes de abraçar a igreja. O individualismo causa grave prejuízo a nosso crescimento para atingirmos a estatura da plenitude de Cristo. Descontrolado, o individualismo pode ser fatal, condenando-nos a uma vida inteira de imaturidade.

Paulo entende isso. Ele quer que *nós* entendamos. E assim, antes de tratar do dom de Deus que é a igreja, ele nos ajuda a superar as armadilhas do individualismo mostrando-nos como a graça e as boas obras (o tema do capítulo anterior) se integram. Se a graça e as boas obras forem separadas, cada uma por si só torna-se um criadouro de individualismo: vivemos uma vida "espiritual" (ou uma vida intelectual ou afetiva ou devota) sem que ela tome uma forma corpórea; vivemos uma vida "prática" (trabalhando para Deus, ajudando a humanidade, dirigindo boas causas) sem relacionamento pessoal. Resumindo, especializamo-nos em Deus (graça) sem nos preocuparmos com as pessoas; especializamo-nos em pessoas (boas obras) sem nos preocuparmos com Deus.

Por que é tão difícil superar os efeitos do individualismo que enfraquecem a alma? No fim das contas, em Jesus, que nos mostra o caminho em todas as coisas, não há dissonância perceptível entre graça e boas obras. Nenhuma. Ele era plenamente Deus e plenamente humano. Seu ser (a graça) e suas ações (as boas obras) se fundiram. É em Jesus que estamos crescendo. Se nós nos concentrarmos em Jesus e não em nós mesmos, eu não acho que seja tão difícil entender. O que é difícil é nos acostumarmos a isso. Estamos cheios demais de nós mesmos. É Cristo — não eu, não você, não nós — que "a tudo enche em todas as coisas". Acostumemo-nos a isso.

"Uma casa séria num terreno sério"

Com o terreno desbravado e já livre dos espinhos do individualismo, Paulo está pronto para explorar seu tema final no catálogo das condições em que nos tornamos homens e mulheres de Deus maduros: a igreja — a "igreja, a qual é seu corpo, a plenitude daquele que a tudo enche em todas as coisas" (Ef 1.22-23). A igreja não é simplesmente o tema final. A igreja resume tudo o que Deus faz, tudo o que Cristo faz, tudo o que nós somos em Cristo. A igreja inclui tudo o que está envolvido em viver a vida madura em Cristo.

Isso é importante. Não podemos entender ou experimentar a igreja como uma entidade separada. E não nos tornamos maduros fazendo um curso ou lendo livros sobre maturidade. A maturidade é tudo aquilo a que estamos ficando atentos e responsivos, tudo aquilo que é Cristo. Não podemos entrar na maturidade pondo de lado tudo aquilo que primeiramente nos conduz a ela e depois dela procede. A primeira coisa que conduz à maturidade é que a igreja é muito mais do que aquilo que se vê.

O que se vê é, para a maioria de nós, um prédio numa rua da vizinhança. Geralmente, mas nem sempre, ele parece uma igreja. Não há, porém, como não reconhecê-lo, pois geralmente há alguma indicação que o identifica como "igreja".

Para alguns de nós trata-se de uma igreja à qual nossos pais nos levaram quando éramos jovens. Outros ingressam na igreja numa fase posterior da vida, às vezes por curiosidade, às vezes por convites de amigos. Frequentamos nossa igreja sobretudo aos domingos. Lá ficamos conhecendo o nome das pessoas; algumas se tornam amigas. Somos chamados para o culto pelo pastor ou sacerdote. Cantamos hinos e ouvimos sermões. Recebemos o sacramento da Ceia do Senhor. Às vezes acontece um batismo.

Para outros a igreja é um prédio no qual entramos apenas quando acontece um casamento ou um funeral. Nosso único motivo para estarmos lá é a afeição pela pessoa que está se casando ou o respeito por quem faleceu.

Mas o que acontece dentro do prédio da igreja, para o praticante e para o não praticante, é algo bastante comum envolvendo gente comum — pelo menos é isso que parece. Não se exige nenhum treinamento especial, não há nenhuma habilidade a dominar, apenas pessoas orando e cantando e ouvindo, fazendo votos mútuos, sendo abençoadas, recebendo Jesus no pão e no vinho, celebrando um casamento, homenageando um falecido. Milhões de homens, mulheres e crianças fazem isso todo Dia do Senhor no mundo inteiro, e alguns de seus amigos se unem a eles em ocasiões especiais. Já vimos fazendo isso há dois mil anos.

Qualquer pessoa que entre num desses prédios esperando diversão ou remédio para uma vida chata e tediosa provavelmente não voltará uma segunda vez. Qualquer pessoa que entre numa igreja à espera de ver um milagre ou ter uma visão com quase toda a certeza sairá de lá decepcionada. Não há nada fora do comum para ver nas igrejas. O que se vê é o que se recebe. E o que se vê é lamentavelmente comum.

* * *

Em meados do século 20, a frequência à igreja na Europa, com os Estados Unidos não muito atrás, começou a acusar um lento e depois um violento declínio. O obituário de Deus — Deus morreu! — foi incessantemente relatado em jornais e tratado em livros. A "espiritualidade",[2] uma tendência promissora mas irremediavelmente vaga, parecia estar em alta. Enquanto isso, a igreja, o tradicional ponto de encontro para adorar a Deus, perdia terreno.

Em meio a tudo isso, o poeta inglês Philip Larkin escreveu um poema intitulado "Ida à igreja".[3] Era um poema sobre visitar uma igreja na qual ninguém estava indo à igreja. Pelo menos ninguém ia para adorar a Deus, e esse é o principal motivo de construirmos igrejas.

Li o poema numa época em que eu havia recebido a tarefa de organizar e desenvolver uma igreja. Foi no início dos anos 1960. Eu ia de casa em casa numa parte da região nordeste de Baltimore onde a população estava em fase de crescimento, apresentava-me e explicava o que estava fazendo. Não consistia nisso meu plano inicial, mas acabei descobrindo diretamente da fonte que cada vez menos pessoas iam à igreja. Muitos dos cidadãos diziam que estavam "interessados em espiritualidade". Eu me sentia como se estivesse vendendo ou consertando bicicletas num país onde as bicicletas haviam sido outrora os principais meios de transporte mecanizados, mas que de repente foram substituídas por automóveis. As bicicletas eram já obsoletas. Os carros eram o negócio do momento — muito mais rápidos, mais fáceis. Sem pedais!

Pedalar uma bicicleta era frequentar uma igreja. Dirigir um carro era a espiritualidade.

Havia algum futuro na construção e organização de mais uma igreja quando cada vez mais gente abandonava a igreja e adotava a espiritualidade? Havia ocorrido uma mudança da igreja para a espiritualidade enquanto eu estava distraído, e a igreja logo seria jogada no lixo junto com as escolas de uma sala só, a frenologia e a comunicação por sinais de fumaça?

Esse era o contexto em que li pela primeira vez o poema de Larkin. Fiquei interessado nele, que logo me prendeu a atenção. Depois de repetidas leituras, eu estava pronto para dedicar-me à igreja.

---

[2] O termo tem uma boa linhagem, originando-se daquilo que está relacionado com o Espírito Santo. Mas atualmente, no uso comum, ele é geralmente reduzido ao espírito humano, mantendo apenas uma referência marginal, se é que a mantém, ao Espírito de Deus. Coloco o termo entre aspas para mostrar esse seu uso reduzido, individualista. Apresento um extenso comentário sobre esse termo em *Christ Plays in Ten Thousand Places: A Conversation in Spiritual Theology* (Grand Rapids: Eerdmans, 2005), p. 25-30.
[3] Philip Larkin, *The Less Deceived* (Hessle, Yorkshire: The Marvell Press, 1955), p. 28.

* * *

O narrador do poema é um homem passeando de bicicleta, que para junto a uma igreja do interior num dia de semana e entra no recinto. Ele tira o chapéu e as ligas de proteção "em desajeitada reverência". Uma igreja não é um território familiar para ele, certamente não é um lugar para adorar a Deus. Mas algo o atrai para dentro. Ele observa as coisas que estão a seu redor, entre elas "maços de flores colhidas para o domingo". Avança até o presbitério, passa a mão sobre a pia batismal, para atrás do púlpito, lê alguns versículos das Escrituras com zombeteira seriedade e vai embora. Na saída, assina o livro e deixa uma "moeda irlandesa" na caixa de esmolas.

Ele se pergunta por que fez isso: "o lugar não merecia uma visita". Contudo, ele parou. Durante suas excursões de bicicleta, ele muitas vezes para em frente a igrejas vazias e entra. *Para que servem as igrejas?*, pergunta-se ele. Que acontecerá com elas quando ninguém aparecer para o culto, o que mais cedo ou mais tarde certamente vai acontecer? Talvez algumas das maiores serão mantidas abertas como peças de museus arquitetônicos, ao passo que a chuva e algumas ovelhas pastando completarão a lenta demolição do resto. Depois da inevitável desintegração da crença, a superstição também morrerá (fantasmas e histórias de fantasmas, curas do câncer e oráculos sussurrados pelo vento através das ruínas). Com o desaparecimento da crença e da superstição, o que sobrará? Nada a não ser um local com algumas inscrições em pedras tumulares e talvez sopros de recém-evaporada santidade. Ou um descanso para algum ciclista como ele próprio, "entediado e desinformado", que indaga para que serve uma igreja quando Deus ou a adoração de Deus não está mais na moda.

A essa altura, espontaneamente, suas reflexões se aprofundam, apesar de seu cínico ceticismo. Ele reconhece que aquela é "uma casa séria num terreno sério", onde "alguém sempre apanhará de surpresa dentro de si uma fome de mais seriedade". E essa fome "nunca pode ser obsoleta".

Uma igreja continua sendo uma igreja quando todos deixam de ir à igreja? Se Larkin estiver certo, e eu agora estou convencido de que está, a resposta é positiva. Uma igreja "nunca pode ser obsoleta". Eu estava pronto para voltar e cumprir minha tarefa na igreja.

* * *

Acontece que há muito mais coisas acontecendo na questão da igreja do que os olhos conseguem ver. Paulo nos diz o que é. Assim como o ciclista de Larkin vai passando pelos elementos exteriores do que vê na igreja vazia, "os maços de flores", Paulo nos transforma em pessoas bem informadas sobre o fato amplamente documentado de que aquele é um lugar onde "alguém sempre apanhará de surpresa dentro de si uma fome de mais seriedade". À medida que deixamos Paulo formar nosso entendimento do que está acontecendo na igreja, o que nos surpreende é que ela é primeiramente a atividade de Deus em Cristo através do Espírito. Deus e Jesus são o sujeito de nove verbos ativos que nos dizem o que está acontecendo: Jesus é nossa paz (Ef 2.14), fez de nós um só (v. 14), derrubou a parede da separação da humanidade (v. 14), aboliu a lei (v. 15), criou uma nova humanidade (v. 15), fez a paz (v. 15), reconciliou-nos (v. 16), destruiu a morte (v. 16), proclamou a paz (v. 17).

E uma vez que estamos incluídos na ação, a ação não é algo que nós fazemos, mas algo que é feito para nós. Paulo emprega cinco verbos, quatro deles apassivados para nos dizer como somos incluídos na ação: somos aproximados de Cristo (v. 13), o Espírito nos dá acesso (v. 18), somos edificados sobre o fundamento (v. 20), somos bem ajustados (v. 21) somos edificados juntamente (v. 22). Simples verbos de ligação nomeiam as identidades que adquirimos pela ação de Deus. Somos identificados como cidadãos e membros da igreja. Quando somos envolvidos na ação, é Deus que nos puxa para dentro. Adquirimos nossa identidade não pelo que fazemos, mas pelo que é feito de nós.

É isso que transforma a igreja que vemos na igreja que não vemos, "uma casa séria num terreno sério", um lugar onde alguém "sempre apanhará de surpresa dentro de si uma fome de mais seriedade".

A igreja ontológica

Mas é difícil chegar a esse entendimento da igreja — especialmente nos Estados Unidos. Os americanos falam e escrevem continuamente sobre o que a igreja precisa vir a ser, o que ela deve fazer para ser eficaz. Identificam-se as falhas da igreja e prescrevem-se estratégias de reforma. A igreja é vista quase exclusivamente em termos de função — o que podemos ver. Se não pudermos vê-la, ela não existe. Tudo é visualizado pela lente do pragmatismo. A igreja é um instrumento que recebemos para realizar praticamente tudo aquilo que Cristo nos mandou fazer. A igreja é o campo de batalha para motivar as pessoas a continuarem a obra de Cristo.

Esse modo de pensar — igreja como atividade humana a ser medida por expectativas humanas — é adotado irrefletidamente. A enorme realidade de Deus já em ação em todas as operações da Trindade é deixada no banco dos reservas, enquanto pedimos tempo, amontoando-nos com a cabeça abaixada, e imaginamos uma estratégia para compensar o lamentável afastamento de Deus para a invisibilidade. Isso está totalmente errado; isso é responsável pelas intermináveis superficialidades e tentativas visando o sucesso e a relevância e a eficiência que as pessoas possam ver. As estatísticas fornecem o vocabulário básico para marcar a contagem. Os programas oferecem a tática do jogo. Esse modo de lidar com as coisas tem causado e continua causando um prejuízo incalculável à igreja americana.

Esse modo de entender a igreja é muito, muito americano e muito, muito errado. Não podemos entender a igreja de modo funcional assim como não podemos entender Jesus de modo funcional. Temos de nos submeter à revelação e receber a igreja como o dom de Cristo que se corporifica neste mundo. Paulo nos diz que Cristo é a cabeça de um corpo, e o corpo é a igreja. Cabeça e corpo são uma coisa só.

"Ontologia" é uma palavra que pode nos levar além dessa confusão funcionalista. A ontologia tem a ver com o ser. Um entendimento ontológico da igreja tem a ver com o que ela é, não com o que ela faz. E o que ela *é* é muito mais amplo, mais profundo, mais elevado do que qualquer coisa que ela faça, ou de tudo o que possamos controlar ou manipular. O teólogo de Cingapura Simon Chan coloca o dedo na ferida de nosso persistente erro de compreensão da igreja como sendo instrumental, pragmática, ao escrever: "Quando se trata de entender a igreja, a sociologia assume o comando".[4] É da *natureza do ser* da igreja que estamos tratando aqui. A igreja não é alguma coisa que juntamos e costuramos a fim de fazer alguma coisa para Deus. Ela é "a plenitude daquele que a tudo enche em todas as coisas" (Ef 1.23), trabalhando de modo abrangente conosco e em nosso benefício.

* * *

[4] Simon Chan, *Liturgical Theology* (Downers Grove, IL: InterVarsity Press, 2006), p. 36.

Tendo introduzido o termo "igreja" em seu "crescimento em Cristo" (Ef 1.22-23), e tendo nos guiado pelo traiçoeiro terreno do individualismo, Paulo está preparado para ir direto ao ponto. Ele começa a estimular em nós uma imaginação que ora e que é adequada para assimilar tudo o que está implícito na igreja.

Ele começa sua renovação do entendimento de igreja pelos efésios lembrando-os do que a igreja não é. "Lembrai-vos", diz Paulo, de como era a vida na fase anterior à igreja (2.11). Isso é importante: para entender o que significa ser uma igreja, é preciso ter em mente o que a igreja não é, lembrar-se da vida antes da existência da igreja. Não se lembram de como vocês eram definidos inteiramente pelo que não eram? Paulo refresca a memória deles botando-lhes na cabeça sete negativas: gentios (todos os efésios eram gentios, isto é, não judeus), incircuncisos, não tinham Cristo, não pertenciam à nação, não conheciam as alianças, não tinham nem esperança nem Deus.

Improvisando sobre o *lembrai-vos* de Paulo, ouço-o dizendo: "Vocês se lembram de como foi aquela transição quando passaram pelos umbrais e entraram na igreja, a transição da exclusão para a inclusão? Lembram-se da surpresa de serem íntimos de Deus e de sua revelação depois de terem estado do lado de fora? Lembrem-se bem disso, pois a igreja não pode ser compreendida por aspectos negativos, por aquilo que ela não é. E vocês também não podem".

Há um bocado de ironia na probabilidade de que essa definição negativa tenha sido atribuída aos primeiros cristãos gentios por cristãos judeus representando a igreja. Mas é compreensível. Os judeus tinham uma longa história como povo de Deus com ancestrais como Abraão, Moisés, Samuel, Davi, Elias e Eliseu, Isaías e Jeremias em sua árvore genealógica. Eles tinham um sentimento de ser o povo escolhido, o que de fato eram. Isso era uma coisa boa. Aliado a isso, porém, eles também haviam desenvolvido um entranhado preconceito contra os não judeus como sendo um povo rejeitado, o que de fato não eram. A aliança original que surgiu com Abraão foi que nele "serão benditas todas as famílias da terra" (Gn 12.3, citado por Paulo em Gl 3.8); mais de mil anos depois, a natureza inclusiva da bênção da aliança foi reafirmada na pregação de Isaías falando de todas as nações afluindo para "o monte do Senhor" (Is 2.2-3) e da "Casa de Oração" para a qual serão conduzidos os estrangeiros (56.7) — nas palavras de Larkin, "uma casa séria num terreno sério".

O preconceito, concebido contra a magistral autoridade de Abraão e de Isaías, não era uma coisa boa. E assim quando Jesus, com uma sólida linhagem judaica, foi reconhecido como o Messias e sua crucificação e ressurreição se tornaram definitivas para a salvação, foi difícil para os judeus, que eram os primeiros cristãos, aceitar os gentios em sua família de fé. No fim acabaram aceitando-os, mas a vida não foi tranquila para os primeiros cristãos gentios.

Paulo, que tinha impecáveis credenciais como judeu, identificou-se como "apóstolo dos gentios" — daqueles tidos como forasteiros, estrangeiros, foras da lei — e foi incansável em sua insistência de que a igreja não tolera nenhuma divisão, nenhuma condescendência, nenhuma rejeição de ninguém por qualquer razão que seja. Ele não admite nenhuma exceção: "Dessarte, não pode haver judeu nem grego; nem escravo nem liberto; nem homem nem mulher; porque todos vós sois um em Cristo Jesus. E, se sois de Cristo, também sois descendentes de Abraão e herdeiros segundo a promessa" (Gl 3.28-29) — aquela promessa de bênção citada de Gênesis 12.3.

* * *

As condições prévias da igreja não são diferentes das condições prévias da criação: "sem forma e vazia; havia trevas sobre a face do abismo, e o Espírito de Deus pairava por sobre as águas" (Gn 1.2). Deus fala por sobre aquele informe vazio, aquele caos aquático, e gera as formas da criação.

O "Unigênito do Pai", que no princípio "estava com Deus", por meio do qual "todas as coisas foram feitas", Jesus Cristo (Jo 1.1-14), também fala por sobre os destroços após a queda — desintegração, desconexão, despersonalização, o caos da humanidade fragmentada, almas vazias, famílias divididas — e gera "como o orvalho emergindo da aurora" (Sl 110.3)... a igreja.

A igreja que Jesus gera com sua palavra toma forma sobre o pano de fundo da criação da Palavra, que no princípio estava com Deus e, ao ser proferida, tudo criou.

Essa é a igreja ontológica. Essa é a igreja em sua essência. Essa essência precede qualquer coisa que façamos ou deixemos de fazer. Nós não criamos a igreja. Ela *é*. Entramos nela e dela participamos naquilo que nos é dado. O que fazemos é, obviamente, importante. Nossa obediência e desobediência, nossa fidelidade e infidelidade — o que *deveríamos* e o que *não deveríamos* fazer — fazem parte dela. Mas o que eu estou querendo dizer é que há mais — muito mais — coisas que dizem respeito à igreja além de nós mesmos. Há o Pai, o Filho e o Espírito Santo. A maior parte do que a igreja *é*, não tudo, é invisível. Não captamos a complexidade e a glória da igreja se insistirmos em medi-la e defini-la pelos papéis que nela desempenhamos, se insistirmos na avaliação e julgamento dela pelo que pensamos que ela *deveria* ser.

* * *

Há cinquenta anos me apaixonei por uma mulher que logo se tornaria minha esposa. Eu estava fazendo minha pós-graduação na Universidade Johns Hopkins em Baltimore; ela estava prestes a se formar na Universidade Estadual de Towson. Nossos estudos eram árduos, e não dispúnhamos de muito tempo para ficarmos juntos, nem sequer para visitar o parque Druid Hill a fim de passear pelo zoológico ou de visitar o Inner Harbour e nos divertir com os malabaristas e os mágicos e os músicos que ofereciam diversão na calçada. E nenhum de nós dois tinha muito dinheiro para ir ao teatro e frequentar concertos. A universidade dava entradas grátis aos alunos de pós-graduação para todos os eventos esportivos, e assim assistíamos a todo jogo que houvesse, gostássemos do evento ou não — era um espaço livre para ficarmos juntos. Considerando que todo mundo estava vendo o jogo, aquelas ocasiões também acabavam nos proporcionando um espaço essencialmente privado no qual podíamos continuar a conhecer-nos mutuamente sem interrupção, e essa, em qualquer caso, era a razão primária de estarmos lá.

Quando chegou a primavera, o jogo era o *lacrosse*, uma espécie de hóquei que nenhum de nós dois jamais havia visto. Na primeira partida, por curiosidade, prestamos atenção ao jogo, esperando entender alguma coisa do que estava acontecendo. Não conseguimos entender nada. A nossos olhos inexperientes, aquilo parecia um motim organizado, os jogadores no campo no meio de um redemoinho de violência autorizada. Logo voltamos a nos concentrar no motivo principal para estarmos ali. Todas as tardes de domingo lá estávamos nós na arquibancada do campo de *lacrosse*, a maioria das vezes esquecidos do jogo que não conseguíramos entender. Estávamos aprendendo a nos conhecer mutuamente, e nisso melhorávamos cada vez mais, mas praticamente esquecemos o *lacrosse*.

Nessa época precisei ser hospitalizado para curar-me de uma antiga lesão no joelho. Alguns dias depois de eu ter tido alta do hospital, recebi um diagnóstico acusando uma infecção bacteriana contraída na cirurgia. Fui colocado na enfermaria da universidade no *campus*. A enfermaria era um quarto único de 20 metros quadrados com camas dispostas ao redor do centro. Lá estavam outros três estudantes, todos eles jogadores de *lacrosse* que se haviam lesionado praticando aquele esporte — um com um tornozelo quebrado, outro com a clavícula, o terceiro uma costela. Tinham consigo seus tacos de *lacrosse* para lançar a bola um para o outro, carambolando-a pelas paredes ao atirá-la contra o chão.

Seu manejo dos tacos era impressionante. A bola voava pelo quarto numa velocidade incrível, mas também com precisão exata. Às vezes eu temia por minha vida, quando a bola passava a centímetros de minha cabeça, mas não precisava temer — eles sabiam o que estavam fazendo e eram bons nisso. Fiquei lá uma semana. Aquela semana foi um seminário intensivo sobre *lacrosse*. Com paciência, eles me deram instruções sobre o jogo. De minha primeira percepção de caos e confusão, emergiu um jogo assombrosamente intrincado e requintado, gracioso e belo em sua execução.

Desde aquela semana na enfermaria, já vivi cinquenta anos como pastor de uma igreja em companhia de pessoas, das quais muitas parecem não fazer ideia do que está acontecendo. O que elas veem é o caos: hostilidades, injúrias, fraturas, brigas de igreja, trapaças de igreja, exibicionismo de igreja, guerras de religião. Muitas delas ocupam seus lugares nas arquibancadas na companhia de algumas outras pessoas que pensam como elas e vão levando a vida que lá encontram. Sobrevivem ignorando o que acham confuso ou distorcido. Desviam sua atenção do que está acontecendo dentro do campo (na congregação, na denominação). Oram juntas, estudam juntas, convivem socialmente juntas. A vida na arquibancada não é tão ruim.

Há outras pessoas que ficam tão perturbadas com o que enxergam como um caos no campo do jogo que decidem "fazer alguma coisa sobre o problema". Querem que o jogo pareça um jogo, que uma igreja pareça uma igreja, onde ninguém se machuca e tudo está em ordem e no lugar certo. Veem a igreja como algo que elas devem controlar. E obviamente há muitos que simplesmente abandonam o campo e procuram um jogo que eles já conheçam bem, ou vão para casa e ligam a televisão onde podem satisfazer, se assim se pode dizer, suas necessidades religiosas escolhendo um produto sem ter de lidar pessoalmente com Deus ou com outras pessoas.

* * *

Nenhuma dessas três reações a uma confusão constatada e ao desconcertante caos da igreja é totalmente inútil, quer se trate de achar um nicho confortável, de achar alguma coisa para consertar, ou de procurar algo do agrado do temperamento e das circunstâncias individuais. Mas toda essa gente, reduzindo a igreja a questões de função e preferência pessoal, deixa de captar a igreja em sua riqueza, sua complexidade, a complicada vitalidade inerente a tudo o que está acontecendo.

Paulo quer que primeiro entendamos a igreja e depois participemos dela como ela é, como o Cristo vivo. Ele quer que entendamos a igreja primeiramente e acima de tudo em termos de ontologia, de seu ser, não de sua função. Há, naturalmente, funções — coisas acontecem, coisas se fazem, há trabalhos a executar, tarefas a obedecer. Mas se não compreendermos a igreja como corpo de Cristo, sempre nos sentiremos insatisfeitos, impacientes, zangados, desanimados ou ofendidos diante do que vemos. Nunca veremos a elegância e a complexidade da igreja; deixaremos totalmente de notar o "louvor da sua glória"; deixaremos de discernir o que está acontecendo bem diante de nossos olhos em nossa congregação. Boa parte do que é observável na igreja é simplesmente incompreensível se não tivermos alguma ontologia da igreja.

"[Jesus] é a nossa paz"

Paz é a palavra que Paulo escolheu para nos ajudar a obter um entendimento ontológico da igreja. Ele começa identificando Jesus como "a nossa paz" (Ef 2.14). Prossegue descrevendo Jesus "fazendo a paz" (v. 15) e dizendo que ele "evangelizou paz" (v. 17). Paulo elabora essa tripla evocação da paz dizendo-nos que somos "aproximados" por Jesus (v. 13), que Jesus "de ambos [judeus e não judeus] fez um" (v. 14), que Jesus, derrubou "a parede de separação que estava no meio, a inimizade" (v. 14), que Jesus "aboliu [...] a lei dos mandamentos [...] para que dos dois criasse, em si mesmo, um novo homem, fazendo a paz" (v. 15), tudo isso para que Jesus "reconciliasse ambos em um só corpo com Deus" (v. 16) — cinco ações distintas de Jesus que totalizam a paz. Cada uma delas contribui com detalhes e textura para nosso entendimento da paz: Jesus nos leva para casa, Jesus nos reúne, Jesus anula a hostilidade, Jesus nos recria como uma humanidade unificada, Jesus nos reconcilia a todos com Deus. A paz é complexa e tem muitas camadas. Muita ação é necessária para fazer a paz — e Jesus *é* a ação.

Até aqui tudo bem. Mas há um enigma: se Paulo estiver certo — e eu não estaria escrevendo isto se não tivesse certeza de que está — então por que a igreja cuja cabeça é Cristo não é o lugar mais notável do mundo como um lugar de paz e de pacificação?

Três coisas explicam essa dissonância entre Jesus "nossa paz" e a igreja que na maioria das vezes mais parece um campo de guerra. Todas as três têm a ver com o modo de Jesus ser nossa paz.

Em primeiro lugar, Jesus é uma pessoa. Isso significa que a paz é pessoal. Se não for pessoal não é nada. Não existem outras maneiras. Não se pode conseguir a paz de maneira impessoal. Não é uma estratégia, não é um programa, não é uma ação política, não é um processo educativo. Jesus é sempre relacional, nunca uma ideia sem corpo, nunca um arranjo burocrático. A paz não passa a existir por meio de uma sanção oficial. Ela exige participação nas maneiras da paz, participação em Jesus que é a nossa paz.

Segundo, Jesus nos respeita como pessoas. Ele não se impõe a nós. Não impõe a paz. Não força nada. Jesus nos trata com dignidade. Sua paz não é um decreto determinando que todos devem se dar bem, sem machucar ou matar ou desprezar outras pessoas. A paz nunca é exterior em relação a nós. Não é a ausência de guerra ou da fome ou da ansiedade que possibilita a convivência em paz. Não conseguimos a paz livrando-nos de mosquitos, de adolescentes rebeldes e de vizinhos briguentos, ou levando hereges à fogueira.

Todos nós somos partícipes da paz. Jesus está trabalhando para nos levar, levar tudo o que constitui o "nós" — nossa *alma* eterna — para uma vida de conexão, de intimidade, de amor. Há muita coisa acontecendo, muita coisa envolvida nisso. Estamos todos envolvidos, queiramos ou não. O processo exige muito tempo, porque Jesus não fica nos dando ordens, nos moldando e nos calando, para que não perturbemos a paz. A paz é sempre um processo, nunca um produto acabado.

Terceiro, a maneira como Jesus se torna a nossa paz — e este é o ponto crucial, literalmente! — é por um ato de sacrifício. O sacrifício de Jesus é o que faz Jesus ser Jesus; é o que faz a paz ser a paz; é o que faz a igreja ser a igreja. Paulo diz isso de dois modos diferentes: "pelo sangue de Cristo" (Ef 2.13) e "por intermédio da cruz" (2.16).

A igreja é o único lugar do mundo que congrega todos esses três componentes da paz, recusando-se a simplificá-los pela eliminação de qualquer um desses aspectos. A igreja é o lugar onde Deus não pode ser despersonalizado e transformado numa ideia ou força. A prova disso? Jesus, o "Verbo que se fez carne".

A igreja é o lugar onde homens e mulheres não podem ser despersonalizados em abstrações do tipo praticantes e não praticantes, incluídos e excluídos, amigos e inimigos. A prova disso? Nosso culto: o Santo Batismo, no qual recebemos um nome pessoal em Nome da Trindade, e a Santa Eucaristia, na qual a paz é inextricavelmente identificada com o sacrifício — o corpo ferido e o sangue derramado de Jesus, que nos são dados para realçar, esclarecer sua vida, morte e ressurreição, e para envolver-nos nisso tudo com Jesus — que é a nossa paz.

* * *

Eu não acredito que devamos apresentar quaisquer desculpas pelo fato de a igreja não se destacar notavelmente como um lugar de paz. A paz é contínua, complexa e árdua. Se tratamos dela com seriedade, e muitos de nós fazemos isso, logo aprendemos que não existem atalhos. Aceitamos as condições que nos são dadas como igreja: Jesus, que não nos impõe a paz; nosso próximo, da casa ao lado e do mundo inteiro, a quem não impomos a paz; e o sacrifício, a única maneira — a maneira de Jesus — de promover a paz sem violência.

A igreja em seu mais profundo ser, como ela é em si mesma, a igreja ontológica, abrange uma vasta complexidade de homens e mulheres em todos os estágios de maturidade: bebês engatinhando e crianças gritando, adolescentes desajeitados e impulsivos, pais atribulados e cansados, e ocasionais homens santos e mulheres santas que têm a mente e o corpo sadio. Todos nós que entendemos e praticamos a paz na companhia de Jesus, que é a nossa paz, temos muito a fazer para atingir a maturidade. Por volta da época em que nos tornamos maduros (se isso realmente um dia acontece), descobrimos que já trouxemos ao mundo outra geração que terá de passar por todo o processo de novo. A humanidade não amadurece toda de uma vez. E assim a paz está constantemente em processo de construção, e também constantemente em risco. A igreja está onde Jesus é proclamado como "a nossa paz".

A igreja é o lugar onde a paz é entendida de modo abrangente como Cristo presente e trabalhando entre nós. Mas nenhum de nós que nos reunimos e adoramos juntos como igreja foi admitido no grupo em virtude de nossas habilidades pacificadoras. Todos temos diante de nós um longo caminho de crescimento: aprendendo a adorar a Deus como pessoa; aprendendo a aceitar e abraçar uns aos outros como pessoas, como membros da família, e não como competidores ou estranhos; aprendendo a aceitar e seguir Jesus de modo sacrificial no caminho da cruz. Considerando o duplo conjunto de circunstâncias — o fato de que usamos muito o vocabulário da paz e de que, como crianças aprendendo a andar, nenhum de nós é muito bom nisso — quando se olha para a igreja como um espetáculo, visto de dentro ou de fora, geralmente o que se vê são joelhos esfolados e tornozelos torcidos, tentativas desajeitadas e confusas de manter a paz. Mas nós também sabemos que, no nascedouro e no centro da igreja, Jesus é a nossa paz. E assim não desistimos.

Mas tampouco nos sentimos intimidados por críticos que nada sabem da igreja ontológica, quando eles se escandalizam com nossos fracassos.

A igreja hospitaleira

O ponto central da quíntupla ação pela qual Jesus fez e anunciou a paz está na proclamação feita perto do fim da carta (Ef 6.15): "o evangelho da paz" é o próprio Jesus, derrubando a parede — "a parede da separação que estava no meio, a inimizade" (2.14).

Jesus destrói a parede que separa os que estão dentro dos que estão fora, homens e mulheres perdidos e sem casa, forasteiros e estranhos. No lugar dela ele constrói um lugar de paz. Assim que o entulho é removido, ergue-se uma estrutura para receber esses homens e mulheres, outrora alienados e hostis, num local de hospitalidade.

Três metáforas fornecem os detalhes do que está implícito nessa realidade originada em Deus e habitada por ele: "família de Deus" (2.19), "santuário dedicado ao Senhor" (2.21), "habitação de Deus" (2.22) — todas metáforas para igreja.

A utilidade de uma metáfora é que ela se refere a algo que podemos ver ou pegar, mas ao mesmo tempo nos leva a participar de algo que não podemos ver nem pegar. Podemos ver uma casa, um celeiro, uma loja — ou no nosso caso um lar, um templo, uma moradia. Não podemos ver Deus — Pai, Filho e Espírito Santo. Mas o prédio que vemos e o Deus que não podemos ver são a mesma coisa, ocupam o mesmo espaço, unidos pelas preposições "de", "ao" e novamente "de".

A igreja em certa medida é algo que podemos ver. É um prédio. É um lugar sobre a terra. Podemos entrar lá passando pelas portas, juntar-nos com outras pessoas dentro de suas paredes, conversar e estudar e orar sob seu teto. Não é raro ouvirmos alguém descartar o prédio de uma igreja como "nada mais que tijolos e argamassa". Num mundo que adquire seu significado partindo de "E o Verbo se fez carne e habitou entre nós", essa é uma afirmação que não é nada espiritual. É como dizer: "Ela não é nada mais que um belo rosto", ou "Ele não é nada mais que um capacho", ou "Jesus não é nada mais que carne e osso". Nada é "nada mais que".

A igreja é também algo que não podemos ver. Não podemos ver a ascensão de Jesus. Não podemos ver a "descida do Paracleto". Não podemos ver os pecados lavados. Não podemos ver o nascimento de uma alma. Não podemos ver o rio da vida. Não é incomum alguém entrar numa igreja por curiosidade, olhar ao redor, sair e depois relatar aos amigos: "Não consegui ver ali a razão de ser daquilo". Essa é também uma afirmação nada espiritual, pois muita coisa que nos garante a vida é invisível, começando pelo ar que respiramos e as promessas que fazemos.

**

As três metáforas paulinas em relação à igreja levantam vários aspectos da igreja como *lugar*, não apenas uma ideia, mas um local hospitaleiro concreto onde somos recebidos como participantes com Jesus, que é a nossa paz: "família de Deus", um lugar onde Deus reúne sua família; "santuário dedicado ao Senhor", um lugar onde estamos isolados para adorar a Deus; e "habitação de Deus", um lugar onde Deus se nos dá a conhecer em nossa linguagem e circunstâncias, na palavra e no sacramento.

Os aspectos locais imediatos e participativos da igreja são ampliados ao descrevermos a nós mesmos como os materiais usados para construir a igreja. Homens, mulheres e crianças são simplesmente tão materiais quanto tábuas e tijolos. Apóstolos e profetas são as pedras da fundação. Jesus é a pedra angular (ou pedra fundamental). E nós somos qualquer outra coisa que constitui a estrutura: vigas e traves, assoalho e telhado, caixilhos de portas e janelas.

Quando consideramos a igreja, não devemos ser mais espirituais do que Deus. A igreja é um lugar e um prédio, a igreja é gente e relacionamentos, a igreja é Pai, Filho e Espírito Santo. E tudo isso ao mesmo tempo: una, santa, católica, apostólica.

7

A igreja e a multiforme sabedoria de Deus: Efésios 3.1-13

> Os gentios são coerdeiros, membros do mesmo corpo e coparticipantes da promessa em Cristo Jesus por meio do evangelho [...] para que, pela igreja, a multiforme sabedoria de Deus se torne conhecida, agora, dos principados e potestades nos lugares celestiais.
>
> Efésios 3.6,10

> Cuidado! Nada deste mundo se aprende
> rápido ou fácil demais. Tudo
> é também mistério e tem sua aura secreta ao luar,
> sua canção particular.
>
> Mary Oliver, "Moonlight"

Paulo avança e vai ganhando força enquanto nos leva a compreender intimamente a igreja e participar intimamente nela. O ponto singular mais significativo a conhecer é que Cristo está envolvido em tudo o que está acontecendo, seja na redenção ou no julgamento, seja na repreensão ou na bênção. Paulo usa a palavra "igreja" pela primeira vez em Efésios 1.22-23. Ele nos revela que Cristo e a igreja estão organicamente unidos como a cabeça e o corpo: Jesus Cristo é a cabeça da igreja; a igreja é o corpo de Cristo. Não se pode ter uma cabeça sem um corpo; não se pode ter um corpo sem uma cabeça. É essencial que essa metáfora de cabeça-e-corpo seja levada a sério, pois um dos equívocos mais frequentes, quer em relação a Cristo, quer em relação à igreja, surge quando cabeça e corpo, Jesus e igreja, são separados e depois estudados ou discutidos isoladamente.

Desde as linhas de abertura, Efésios nos tem impregnado da primazia e presença de Deus em tudo. Com demasiada frequência a vida cristã é vista em nossa cultura como algo adicional, algo com o qual nos envolvemos depois de determinarmos as necessidades básicas para a sobrevivência e então percebermos que as coisas ainda não estão completas. Assim, tornamo-nos cristãos. Tudo bem, só que, em nossa vida, não há nenhum a.C., não há nenhum "antes de Cristo". Como também não há nenhum a.C. para ninguém que não seja um cristão confesso. Cristo está *sempre* presente, para *todos* nós. O simples fato de não termos consciência da presença e ação de Deus antes de nos darmos conta disso não significa que Deus estivesse ausente. Não devemos presumir ingenuamente que a vida cristã começa conosco. Enquanto pensarmos nesses termos, tendemos a julgar tudo e a todos de acordo com nossa experiência e circunstâncias. Esse tipo de pensamento é compreensível em adolescentes. Mas nós somos chamados a crescer.

Paulo se opõe vigorosamente a suposições do tipo a.C.: ele nos fornece informações específicas sobre o que aconteceu "antes da fundação do mundo" (Ef 1.4). O mundo é imenso, e Deus atua nele de modo abrangente. Não só isso, mas tudo o que Deus faz, está fazendo e fará envolve totalmente nossa vida (1.3—2.10). Crescer em Cristo significa crescer até atingirmos uma estatura adequada para responder de corpo e alma à grandeza de Deus.

Efésios continua a expandir e aprofundar as implicações dessa vida cristã, enfocando nosso modo de pensar sobre a igreja (2.11ss). A igreja, que é o corpo de Cristo, tem uma longa pré-história. A formação do povo de Deus que começou com Abraão realizou-se plenamente no momento em que a igreja se concretizou no Pentecostes. A igreja se forma dando continuidade a Israel, como uma expansão de Israel, "o Israel de Deus" (Gl 6.12). Exatamente como Israel, na linguagem de muitos profetas (Os.1—3; Jr 3.1-5; Is 54.4-7), era a esposa de Deus, assim a igreja é a esposa de Cristo (Ef 5.22-33; Ap. 21.2,9-11). Quando nos tornamos cristãos, somos "enxertados" na oliveira que é o povo de Deus (Rm 11.17-24). Nós nos tornamos partícipes conscientes da história sagrada, um povo cuja vida recebe sua identidade em Jesus e em sua ressurreição, a encarnação do Filho que existia "antes da fundação do mundo" (Ef 1.4).

Paralelamente ao modo errôneo de pensar em "cristão" como um acréscimo feito à vida, uma melhoria ou complementação para aquilo que se mostrou não ser suficiente, também "igreja" em nossa cultura é erroneamente considerada algo mais ou menos associado a "cristão". Igreja não é um "adicional", um programa ou um líder de torcida, para nos ajudar a ser cristãos fiéis e melhores. Estamos errados se consideramos a igreja em termos do que ela pode fazer por nós, ou (e isto talvez seja ainda pior) do que nós podemos fazer por ela. Enquanto pensarmos na igreja desse modo, nós a avaliaremos com base em como ela satisfaz nossas necessidades pessoais, ou como ela precisa de nós e como podemos ajudá-la. Nesse processo nós nos excluímos de nossa rica e complexa pré-história em Israel.

Paulo não aceita nada disso: em sua incursão de abertura sobre a igreja (Ef 2.11-22), Paulo usa o nome de Cristo quatro vezes e pronomes para Cristo oito vezes — doze vezes ao todo — enquanto vai estabelecendo a base que nos mostrará exatamente como nasce a igreja e como nos encaixamos nela. É interessante observar que um dos verbos que ele emprega é a grandiosa palavra de Gênesis "criar" ("No princípio, criou Deus os céus e a terra"). Paulo usa esse verbo falando de Cristo criando a igreja ("para que dos dois criasse, em si mesmo, um novo homem"). É proveitoso, a meu ver, deixar a imaginação concentrar-se naquela primeira grande história da criação para que ela nos forneça uma perspectiva dessa segunda grande história da criação, a criação da igreja com sua longa pré-história de povo de Deus, Israel. Da mesma forma que a criação nos fornece o contexto para vivermos na aliança de Deus, a igreja nos oferece o contexto para a prática da ressurreição de Jesus.

Mas à medida que Paulo continua sua reformulação do modo como vemos e vivemos a igreja, notamos uma mudança de ritmo (Ef 3.1-13). Há uma alteração da intensidade que marcou sua escrita até esse ponto. Detectamos uma leve diminuição da tensão. Não é exatamente uma digressão, uma vez que o assunto é o mesmo, mas Paulo se permite participar da conversa. O tom é mais narrativo que doutrinal. As metáforas que são tão notáveis nos capítulos 1—2 recuam para dar espaço a um testemunho pessoal.

"[Eu,] o menor de todos os santos"

É característico de Paulo tornar-se reticente quando passa a falar de si mesmo. Ele tem um assunto muito mais amplo a tratar do que falar a seu próprio respeito. Está lidando com o vasto território da vida cristã, das profundas e amplas realidades da ação de Deus na criação e na salvação, da ressurreição de Jesus que nos faz passar da morte para a vida, da igreja em que todos somos "edificados para habitação de Deus" (Ef 2.22). Ele não quer nos distrair da mensagem do evangelho, da presença de Jesus, intrometendo-se na conversa.

Mas de vez em quando há uma fresta na porta — uma palavra, uma frase. Vislumbramos Paulo em ação, escrevendo, orando. Há uma pessoa viva envolvida nestas expressões: um prisioneiro (3.1), ministro (3.7), uma alusão a sua biografia, o modo como, por meio de uma revelação, lhe "foi dado a conhecer o mistério" (3.3). Sua autorreferência crítica ao "menor de todos os santos" (3.8) chama nossa atenção mediante a criação de um novo adjetivo que duplica sua ênfase comparativa. Uma tradução literal desse adjetivo — menor — resultaria no seguinte: "Eu sou o *mais menor* ou o *mais mínimo* de todos os santos". Em 1Timóteo 1.15, ele se identificou como o "principal" dos pecadores. O último na lista de chamada dos santos; o primeiro na lista de chamada dos pecadores.

Os pronomes pessoais da primeira pessoa, "eu" e "me/mim", começam a aparecer: há uns dez deles nesse parágrafo. Aparecem fragmentos biográficos. Paulo se insinua na história, mas do modo mais discreto possível.

É o suficiente, apenas o suficiente para nos advertir de que a linguagem da maturidade espiritual não pode ser despersonalizada em abstratas proposições de "verdades". Esse homem está vivendo tudo o que afirma. Essa vida de ressurreição nunca é desencarnada, nunca é abstrata, nunca é uma verdade objetiva que pode ser analisada, discutida e defendida.

A vida madura da ressurreição é irredutivelmente pessoal; diz respeito a nós. Mas é também uma vida que em sua maior parte *não* nos diz respeito. Diz respeito a Deus. Paulo a mantém pessoal, mas faz isso com muita reticência. A espiritualidade cristã não é bem servida por monólogos confessionais. A verbosidade egoísta diminui a autenticidade da linguagem do testemunho. Paulo está presente de modo inequívoco. Mas ele também está presente de modo despretensioso. Ele não assume o controle.

* * *

Eis outra observação: o inesperado tom tranquilo interrompe um ponto central muito intenso, carregado, decidido sobre a ação de Deus que nos envolveu até aqui. Essa intensidade indesviável é muito eficaz. Nossa imaginação passa por um novo treinamento para considerar primeiro "Deus" e "Cristo" e "Espírito" e depois, quando temos a oportunidade de recobrar o fôlego, para considerar o "me/mim" e o "eu". Mas a intensidade também é extenuante. Não podemos suportá-la por muito tempo. Precisamos recuar, parar, tomar pé da situação.

A vida cristã tem um alvo, explicitado por Paulo numa carta anterior de uma forma que ficou famosa: "Prossigo para o alvo, para o prêmio da soberana vocação de Deus em Cristo Jesus. Todos, pois, que somos perfeitos, tenhamos este sentimento" (Fp 3.14-15). A vida madura em Cristo não vacila. Não segue modismos. Mas qualquer foco num alvo que descarte, ignore e evite cônjuge, filhos e vizinhos, considerando-os impedimentos que afetam a "vocação celestial", simplesmente não entende como funciona o *alvo* na vida madura.

A vida cristã não é uma corrida em linha reta traçada por uma declaração de visão formulada por um comitê. A vida vagueia boa parte do tempo. Interrupções materiais, pessoas imprevisíveis, acontecimentos desarmônicos não podem ser evitados em nossa determinação de atingir o alvo sem impedimentos, sem distrações. O "plano de metas", no contexto e nos termos intentados por uma mentalidade obcecada pela liderança e pelo gerenciamento programado que, com demasiada frequência, infiltra-se na igreja, é espiritualidade ruim. Muita coisa fica fora. Muita gente é excluída.

A maturidade não pode ser acelerada, programada ou improvisada. Não dispomos de esteroides para crescer em Cristo mais rapidamente. Atalhos impacientes nos conduzem a becos sem saída de imaturidade.

Meseque e as tendas de Quedar

Na esteira da apresentação abrangente que Paulo faz de Cristo "nossa paz" (Ef 2.14) como uma forma de entender a igreja, aparece outro item que requer nossa atenção antes de retornarmos à elaboração mais profunda que Paulo faz de igreja, isto é, a notável ausência da paz no mundo e em sua vida no momento em que ele redige sua carta. Essa exposição em Efésios do que é a vida madura em Cristo na qual a paz ocupa um lugar proeminente é redigida (ou ditada) na cela de uma prisão. Todo esse tempo em que Paulo está empregando a metáfora de uma parede derrubada para uma igreja que aceita a todos, que está aberta a todos, uma igreja que é hospitaleira para todos, ele está trancafiado atrás das paredes de uma prisão romana: "Eu, Paulo, sou o prisioneiro de Jesus Cristo, por amor de vós, gentios" (3.1). Ao mesmo tempo, sabemos que havia numerosas disputas em muitas, se não em todas, igrejas do primeiro século, disputas que aparecem em relatos e preleções do Novo Testamento. E nos dois mil anos seguintes, conflitos e até assassinatos ocorreram em nome de Jesus. Que aconteceu com aquela parede derrubada?

Uma fotografia ficou exposta sobre minha escrivaninha por vários anos, a mesma escrivaninha sobre a qual preparava meus sermões. Ela mostra a visão aérea de um conjunto residencial onde as casas são todas iguais, cada uma delas separada por uma bela cerca e cada uma com uma piscina igual à das outras em seu quintal.

Denominei essa fotografia "Meseque e as tendas de Quedar".

Descobri essa foto numa época em que estava organizando uma igreja num bairro residencial na zona noroeste de Baltimore. Esses conjuntos residenciais eram novidade para mim. Cresci numa cidade pequena onde havia algumas cercas para prender um ou outro cão, mas em geral os cães andavam soltos, e meus amigos e eu tínhamos liberdade para fazer atalhos cruzando os quintais de nossos vizinhos. E nós tínhamos uma piscina municipal com acesso livre para todos.

Uma piscina só. Sem cercas.

Quando iniciei meu trabalho numa área residencial restrita, logo percebi que cada morador era um estranho para seus vizinhos. Ingênuo, imaginei que todos me receberiam bem e aceitariam minha proposta de uma igreja como um lugar para fazer amigos, para encontrar novos irmãos e irmãs, primos e primas, tios e tias, capazes de substituir as famílias e os vizinhos que eles haviam abandonado em busca de um emprego melhor.

Queria que tudo fosse o mais simples e direto possível. Eu me concentraria em duas coisas: juntaria e lideraria uma congregação para prestar culto a Deus, e convidaria as pessoas a uma vida em comunidade entre si. Presumi que convidar esses homens e mulheres para o culto seria o ponto problemático; desenvolver um sentimento de comunidade seria fácil.

Minha impressão era de que aquelas pessoas eram totalmente secularizadas e tinham pouco sentimento de reverência pelo mistério de Deus e nenhuma prática de como participar dele. Estavam habituadas a ver a vida como uma sequência de problemas a resolver ou superar. Interpretavam o mundo a seu redor em termos de mercadorias que pudessem adquirir.

Tinham pouca noção da necessidade de Deus. Cultivar esse sentimento seria tarefa árdua. Em contrapartida, todas aquelas pessoas haviam sido tiradas de suas casas e não se conheciam. Estavam deslocadas e solitárias. Sentiam a falta de amigos. Eu as apresentaria umas às outras, ofereceria a elas um lugar seguro para que se conhecessem e participassem de algo muito maior do que suas salas de estar e as responsabilidades do lar. Talvez elas não se interessassem por Deus, mas com certeza se interessariam por seus vizinhos. Isso era o que eu pensava. No final das contas, eu estava errado.

Não demorou muito e eu já tinha gente adorando a Deus nas manhãs de domingo. As pessoas não se sentiam totalmente à vontade. Tinham de reinventar muitas coisas sobre o Deus a quem não haviam prestado muita atenção. O vocabulário precisava modificar-se um pouco para que adquirissem uma linguagem adequada a conversas sobre coisas que elas não podiam ir comprar no *shopping*. Mas elas estavam lá, adorando a Deus.

Todavia, fazê-las interessar-se umas pelas outras era outra coisa completamente diferente. Essas pessoas não queriam vizinhos. Queriam ser autossuficientes, independentes. Depois de convivermos na mesma vizinhança por seis semanas, uma associação comunitária que fora iniciada havia pouco tempo reuniu-se para discutir que tipo de comunidade nós queríamos e o que poderíamos fazer para concretizá-la. Lá fui eu, sem saber o que esperar. (Lembre-se de que eu cresci numa cidade pequena do oeste. Não tínhamos associações comunitárias por lá. Nós *éramos* uma comunidade.)

Mas o que aconteceu nessa reunião foi uma total surpresa para mim. Foi o agrupamento de pessoas mais contencioso de que já participei. Depois de meia hora me dei conta: "Essas pessoas não *gostam* umas das outras". Elas não se conheciam, mas do que não conheciam também não gostavam. Quando alguém falava, havia de imediato uma objeção ou uma refutação. Houve muita conversa, sobretudo conversa rude. Não houve praticamente nenhuma escuta. Fiquei lá sentado, assimilando tudo, e percebi que meu trabalho já estava designado.

Foi então que me ocorreu a frase: "Ai de mim, que peregrino em Meseque e habito nas tendas de Quedar". É uma frase tirada do salmo 120. Meseque e Quedar eram tribos bárbaras com fama de selvageria. Eram vizinhos dos judeus bíblicos. A pessoa que orou o salmo 120 estava orando na companhia de gente a caminho de seu culto em Jerusalém, mas sentia-se imersa na inimizade, "lábios mentirosos" e "língua enganadora". Essa pessoa está comprometida com um caminho de paz, a paz de Deus, mas ela sente a hostilidade a seu redor. "Sou pela paz", diz ela, "quando, porém, eu falo, eles teimam pela guerra."

Foi assim que me senti aquela noite na reunião da associação comunitária. Eu viera para a comunidade com o intuito de juntar as pessoas e formar uma igreja na qual pudéssemos adorar a Deus. Mal havia começado e já me via cercado pela descendência de Meseque e Quedar, homens e mulheres cujo vocabulário consistia basicamente em rude hostilidade, em conversas cheias de animosidade, pessoas que de algum modo haviam conseguido chegar a essa área residencial onde eu esperava iniciar uma igreja cuja cabeça fosse Cristo, "nossa paz".

* * *

Foi um momento de reflexão. Depois disso eu tive de enfrentar as complexas dificuldades de juntar uma congregação de facções belicosas num lugar onde a parede da inimizade havia sido derrubada e, em seu lugar, uma igreja estava sendo construída. Muitos dos que participaram daquela reunião da associação comunitária mais tarde se tornaram membros de minha congregação. Alguns deles levaram muito tempo para se sujeitar a ser o material "bem ajustado" por Jesus (2.21) para o santuário de Deus. Um dos homens, Reuben, o mais vituperioso na reunião comunitária inicial, nunca se dobrou. Vinte e sete anos mais tarde eu realizei seu funeral na igreja na qual ele se sentara todos os domingos, com a mesma postura zangada e taciturna da noite em que o conheci.

Eu sabia da existência de guerras e boatos de guerra no mundo inteiro durante milhares de anos, e sabia que a situação não estava melhorando nada. Mas de certo modo eu não esperava isso em "subúrbios pacíficos" e numa congregação que se reunia regularmente para transformar-se em "casa de Deus", "templo sagrado" e "habitação para Deus" a fim de adorar Jesus, "nossa paz".

Mas aos poucos fui aprendendo. Aprendi que o crescimento em Cristo implica muitas dores de crescimento. Aprendi que a "igreja ontológica" é a realidade na qual adoramos e nos tornamos uma comunidade, e que a maturidade consiste numa vida longa, uma lenta e piedosa vida de reconciliação com Deus e com o próximo, o processo de perceber que cada um de nós faz parte de "todo o edifício" (2.21), e que não é permitido "viver sozinho", deixando para trás os mais lentos ou menos promissores. Nem mesmo Reuben.

A igreja, gloriosa como ela é, construída como morada de Deus e crescendo para transformar-se em templo sagrado no Senhor, origina-se em terreno hostil, entre pessoas que não se conhecem — algumas das quais se consideram melhores que as outras e estão muito dispostas a ajudar Deus a fazer o que ele tem de fazer, algumas das quais pensam que são inadequadas e estão mal equipadas para qualquer coisa que tem a ver com Deus. Muito antes de minha experiência com a comunidade, Isaías viu Quedar, com sua obstinada história de belicosidade contra Deus, reunida na casa do Senhor: "Todas as ovelhas de Quedar se reunirão junto de ti" (Is 60.7).

Foi por isso que mantive aquela fotografia, Meseque e as tendas de Quedar, sobre minha escrivaninha durante tantos anos.

Paisagem interior

Não é possível descrever a igreja com objetividade ou defini-la de fora dela. A igreja só pode ser adentrada. É uma criação de Cristo para o crescimento em Cristo. Não é um museu pelo qual podemos circular e ver a exposição do que aconteceu ao longo da história, tudo devidamente etiquetado, com nomes e datas e lugares. A igreja acontece na história, assim como Jesus. Mas há mais do que história envolvido nisso. Há a vida de Cristo, a obra do Espírito, o plano de Deus.

Muitas coisas sobre a igreja podem ser definidas e descritas: credos e líderes, conflitos e perseguições, arquiteturas e políticas. Mas as peças não se juntam para formar uma igreja.

Esse complexo cerne da igreja é capturado na frase "para que, pela igreja, a multiforme sabedoria de Deus se torne conhecida" (Ef 3.10). O termo "multiforme" encerra um quadro: um complexo padrão bordado numa tapeçaria.[1] E a sabedoria carrega o sentido do conhecimento vivido, ou a revelação de Deus como vivida. Sabedoria é conhecimento em ação, corporificada na vida da igreja. Sabedoria é a prática da ressurreição.

A igreja é onde acontece essa sabedoria, essa corporificação do conhecimento e da revelação de Deus, onde a ressurreição é praticada. A igreja

---

[1] J. A. Robinson, *St. Paul's Epistle to the Ephesians*, 2ª ed. (Londres: Clark, 1992), p. 80.

é a oficina para a transformação do conhecimento em sabedoria, tornando-se aquilo que sabemos.

* * *

Gerard Manley Hopkins, sacerdote jesuíta e poeta do País de Gales e da Irlanda do século 19, cunhou um termo que é útil para compreender o que está envolvido na "multiforme sabedoria" revelada na igreja. O termo em inglês é *inscape*, "paisagem interior". O termo é formado por uma contrastante analogia com *landscape*, "paisagem exterior". Paisagem é o que se estende contra o horizonte diante de nós. Ela é relativamente estável e pode ser descrita e pintada e cultivada: bosques, campos de capim ceifado, o serpentear de um rio, uma cadeia de montanhas com geleiras no topo. A paisagem interior é a percepção intuitiva de que aquilo que vemos é uma forma viva e orgânica que ultrapassa os sentidos e entra na mente carregando um sentimento de novidade e descoberta. Paisagem interior é o que algo é de modo singular, aquilo que dá consistência a qualquer coisa que se esteja vendo ou ouvindo e a torna distinta — proporções, matizes de luz, variedades de cor, formas, relacionamentos, sons.

Um editor dos poemas de Hopkins, W. H. Gardner, observa que "esse sentimento da qualidade intrínseca do padrão unificado de características essenciais [paisagem interior] é a marca especial do artista".[2] Os pintores usam tintas e telas para dar visibilidade ao que, por conta própria, talvez nunca notássemos num rosto humano ou numa cesta de frutas. Os escultores esculpem e dão forma ao granito, à argila e ao bronze para chamar nossa atenção ao modo como o desenho, a forma e a textura afetam nossa consciência. Os poetas organizam metáforas e símiles, vogais e consoantes e nos alertam sobre o significado e a significância de palavras que não captamos em nossa preocupação com a mera informação ou com a angariação de votos. Os músicos misturam sons e lhes conferem ritmo — uma voz cantando, o ar soprado através de uma flauta ou uma corneta, um arco teso afagando uma corda de tripa ou de metal — e nos levam a reagir participando daquilo que não temos palavras para descrever. Os artistas nos tornam íntimos da complexidade e beleza de coisas com que lidamos

---

[2] *Poems and Prose of Gerard Manley Hopkins*, compilado por W. H. Gardner (Baltimore: Penguin Books, 1953), p. xx.

todos os dias mas muitas vezes não percebemos. Chamam nossa atenção para o que está bem diante dos olhos, ao alcance da mão; ajudam-nos a ouvir sons e combinações de sons que nossos ouvidos já surdos devido a ruídos jamais ouviram.

Muitas vezes um elemento de surpresa acompanha essa experiência da paisagem interior: "Nunca vi isso antes", "Nunca ouvi nada igual", "Nunca me comovi tanto". Mas de fato tudo aquilo a que o artista chama nossa atenção já foi ouvido, visto e tocado. Tudo estava lá diante de nós, na árvore pela qual passávamos todas as manhãs a caminho do trabalho, na face que julgávamos conhecer perfeitamente bem, nos sussurros do vento nos salgueiros e no marulho das ondas lambendo a praia.

O artista nos ajuda a ver o que sempre temos visto mas nunca vimos, a ouvir o que sempre temos ouvido mas nunca ouvimos, a sentir o que temos tocado centenas de vezes sem nunca nos sentirmos tocados, a reconhecer que estamos vivendo uma história e não apenas flutuando à deriva entre fragmentos de registros em um diário e desconexos trechos de fofocas.

Por que os artistas são tão necessários? E como é que eles conseguem nos tocar? Muita atenção tem sido dada ao entendimento do que está envolvido nisso. A resposta pronta é que o artista nos conscientiza da beleza em contraste com o que é monótono ou feio ou comum. Mas é óbvio que essa resposta não satisfaz, pois muita coisa a que o artista chama nossa atenção, com nosso grato apreço, mais do que beleza é realidade — a maneira de ser das coisas, seja a dor lancinante num quadro de Rouault retratando a crucificação de Jesus, seja a inflexível mediocridade de um carrinho de mão vermelho mostrada num poema de William Carlos Williams, duas situações que não são "bonitas".

Gerard Manley Hopkins nunca definiu o termo que criou. Mas empregou-o com suficiente frequência em seus diários e anotações para nos passar uma noção do que ele está tentando buscar. Certa ocasião, ele entrou num celeiro e se surpreendeu com a maneira como o madeiramento misturava luz e sombra. Mais tarde ele pensou "como lamentavelmente a beleza da paisagem interior era desconhecida e ficava escondida aos olhos de gente simples e, no entanto, como ela estaria tão perto e sempre tão disponível se essa gente tivesse olhos para vê-la e se ela pudesse ser evocada novamente em toda parte". Em outra ocasião, olhou pela janela e capturou a paisagem interior em torrões ao acaso e em acúmulos de neve formados pelos golpes de uma vassoura. Mais tarde ele observou: "O mundo inteiro está cheio de paisagens interiores, e o acaso atuando livremente adquire uma ordem bem como um propósito".[3]

Ler e recitar os poemas de Hopkins é uma imersão na paisagem interior, um completo e maravilhoso aprendizado na percepção das coisas invisíveis e inaudíveis que conferem coerência e integridade a tudo o que vemos e ouvimos e degustamos, ultrapassando sua aparência superficial para atingir o cerne interior da individualidade.

* * *

Norman H. MacKenzie, leitor extremamente perceptivo de Hopkins, apresenta esta conclusão: "A paisagem interior é o caráter distintivo (quase uma personalidade) conferido pelo Criador a uma espécie particular de rocha ou árvore ou animal. Cada espécie separada, por meio de sua paisagem interior, reflete alguma fração da onipresente perfeição de Deus".[4] À lista das "espécies particulares" de MacKenzie quero acrescentar a igreja. Quero analisar a paisagem interior da igreja, a "multiforme sabedoria de Deus" que estrutura a realidade da igreja.

Muitas pessoas (a maioria delas?) olham para a igreja e enxergam apenas o exterior, sem nenhuma percepção do que a unifica, nenhuma percepção de padrão ou proporção, nenhuma percepção da energia interior que nela pulsa, nenhuma sensação de estar em harmonia com a realidade ali presente, nenhuma imaginação adequada para reagir à "multiforme sabedoria". É um prédio, na maior parte das vezes indistinto. É um agrupamento de pessoas, na maior parte das vezes indistintas. Ela tem uma história, grande parte da qual causa embaraço.

A paisagem interior significa que a igreja é muito mais do que podemos ver, ouvir ou ler. Significa também que tudo aquilo que fazemos, vemos, ouvimos e lemos na igreja é *igreja*. Não há nenhuma igreja invisível que exista independentemente do que os nossos cinco sentidos nos mostram. Aqueles que pretendem livrar-se do embaraço e da dificuldade de lidar com a igreja como "multiforme sabedoria de Deus", criando a partir

---

[3] Norman H. MacKenzie, *A Reader's Guide to Gerard Manley Hopkins* (Ithaca: Cornel University Press, 1981), p. 130.
[4] MacKenzie, *A Reader's Guide*, p. 233.

do nada uma "igreja mística", estão entrando numa rua sem saída. Markus Barth perde a paciência e chama essa prática de "absurdo sacrílego".[5]

É verdade que uma vista geral da igreja revela muitas coisas, ideias e pessoas sem nexo e deixadas ao acaso. Mas descartar tudo aquilo que ofende nossas sensibilidades espirituais para criar nossa própria igreja sanitizada e idealizada significa rejeitar a igreja que Deus nos deu. A tarefa é ver tudo num contexto de relação e proporção, ver toda luz e toda sombra ao mesmo tempo, ver todas as cores e matizes atuando juntas, reconhecer todos os homens, mulheres e crianças como músculos e tendões no corpo que é a igreja, tendo Cristo como sua cabeça.

Outro poeta, Czeslaw Milosz, um dos grandes poetas cristãos do século 20, expressou em outras palavras o que Hopkins propagou como paisagem interior. Num texto que trata de sua criação na Polônia e da preservação de sua identidade cristã em meio às forças e ideologias antagônicas do comunismo soviético, do fascismo nazista e do secularismo francês, ele escreveu sobre a crescente percepção de que "a pessoa tinha de dominar alguma habilidade, como a natação ou o atletismo, mais do que um corpo de conhecimentos passível de exposições teóricas. A realidade [a 'multiforme sabedoria' de Paulo] [...] era um tecido vivo, mutável; o entrelaçamento de inúmeras interdependências de tal forma que até o menor dos detalhes germina infinitamente; e nas articulações que mantêm sua estrutura móvel, o homem tem a capacidade de inserir a alavanca de um ato consciente".[6]

* * *

Esse era o ponto a que eu queria chegar anteriormente usando o termo "ontologia": a *igreja ontológica*. Quando nossos olhos e ouvidos, nossos sentimentos e memórias são ativados para enxergar tudo funcionando em conjunto, ali está ela, a *paisagem interior*. Sem uma percepção desenvolvida da paisagem interior nós permanecemos presos a entusiasmos irritantes e efêmeros: as fofoqueiras que sempre conseguem atrapalhar nossa visão

---

[5] Markus Barth, *The Broken Wall: A Study of the Epistle to the Ephesians* (Chicago: Judson Press, 1959), p. 121.
[6] Czeslaw Milosz, *Native Realm: A Search for Self-Definition* (Berkeley: University of California Press, 1968), p. 267.

durante o culto; o rapaz de 16 anos que, com sua sentimental ingenuidade, relata como três semanas de trabalho missionário no México construindo casas para vítimas de um furacão "mudaram minha vida"; a leviana memória da inquisição e das cruzadas que se intromete no sermão; a vulgaridade de cristãos que encontramos no *shopping* estapeando seus filhos pequenos para forçá-los a obedecer; os aleluias da Páscoa; o mais recente escândalo sexual ou financeiro de uma celebridade da igreja. Tudo isso também é igreja, mas dentro e em cada parte da "multiforme sabedoria".

Gregório de Nissa elabora a "multiforme sabedoria" num sermão sobre o Cântico dos Cânticos. Ele enumera as difíceis justaposições que constituem a igreja: a vida criada pela morte, a conquista da glória pela desonra, a bênção pela maldição, a força pela fraqueza, e muito mais.[7] Essa é a igreja tal qual nos é dada por Deus. Essa é a igreja *real*. Nós vamos receber o que Deus nos dá? Ou vamos constituir nossa própria igreja? "Quem tem ouvidos para ouvir, ouça."

Trabalho de sombra

Judith é uma artista. Ela trabalha com materiais têxteis. Na maioria das vezes, começa sua obra usando algodão ou lã. Carda, fia, tinge e depois faz seus tecidos. Seus trabalhos em geral são produzidos numa escala reduzida — um ninho de ovos de pássaro, um retrato da Abigail de Davi, três corvos — que ela emoldura e dá de presente para seus amigos. Ganha seu sustento restaurando tapeçarias em museus.

Judith tinha um marido alcoólatra e um filho viciado em drogas. Manteve a vida e a família unidas durante anos por meio de sua participação em reuniões dos doze passos. Um domingo, mais ou menos quando tinha uns 40 anos de idade, entrou na igreja na qual eu era pastor. Veio a convite de alguns amigos que conheceu nas reuniões — "Você precisa vir à igreja. A gente se encontra lá". Ela nunca havia frequentado uma igreja. Não sabia nada sobre igreja. Fora criada numa família moralmente correta, mas não tinha familiaridade alguma com a religião institucional ou formal. Na família de Judith Deus não fazia parte do vocabulário ativo. Ela era muito versada em poesia e política e psicologia, e tinha bons conhecimentos

---

[7] Ver Markus Barth, *Ephesians 1—3*, The Anchor Bible, vol. 34 (Garden City, NY: Doubleday, 1974), p. 356.

sobre arte e artistas. Mas nunca lera a Bíblia. Se tinha ouvido as histórias bíblicas, não havia prestado nenhuma atenção. Pelo que conseguia se lembrar, nunca pusera os pés dentro de uma igreja.

Alguma coisa, porém, despertou sua atenção ao entrar nessa igreja, que ela continuou frequentando. Em poucos meses tornou-se cristã, e eu me tornei seu pastor. Gostava muito de observá-la e ouvi-la. Tudo era novidade: Escrituras, culto, oração, batismo, eucaristia — a *igreja!* Era um tônico para mim ver e ouvir por meio de suas percepções entusiasmadas tudo aquilo que eu tinha vivido toda a minha vida. Todas as suas perguntas eram exclamações: "Por onde eu andava?! Essas histórias são incríveis — por que ninguém nunca as contou para mim?! Como isso estava acontecendo a meu redor, e eu nunca soube de nada?!". Tivemos conversas prazerosas. Ficamos bons amigos.

Enquanto isso, sua comunidade básica era composta de artistas — pintores e poetas e escultores, sobretudo, com alguns amigos do grupo de doze passos espalhados entre eles.

Depois de mais ou menos quatro anos, eu me mudei para o outro extremo do continente a fim de assumir uma nova tarefa. Cartas substituíram nossas conversas pessoais. O que vem em seguida é parte de uma carta que é um testemunho de como a paisagem interior da igreja e sua multiforme sabedoria são sentidas por uma recém-chegada.

Querido pastor,
    Entre meus amigos artistas eu me sinto muito defensiva sobre minha vida — quero dizer, sobre frequentar a igreja. Eles não têm ideia do que estou fazendo e parecem desnorteados. Então tento me manter reservada quanto ao assunto. Mas, como minha vida na igreja ganha cada vez mais importância — agora ela é essencial para minha sobrevivência —, fica difícil escondê-la de meus amigos. Sinto-me protetora dela, não querendo que seja rejeitada ou minimizada ou trivializada. É como se eu estivesse tentando protegê-la de profanação ou sacrilégio. Mas ela é forte, é cada vez mais difícil mantê-la em segredo. Não é como se me sentisse envergonhada ou constrangida — apenas não quero que ela seja depreciada.
    Um amigo secular de longa data, e um tremendo artista, há poucos dias mostrou-se assustado: "Que é isso que ouvi dizer sobre você frequentar uma igreja?". Outro ouviu dizer que eu estava partindo numa viagem missionária de três semanas para o Haiti e estava incrédulo: "Você, Judith, *você* indo para o Haiti com um grupo da igreja! Que deu em você?". Não me

sinto forte o suficiente para defender minhas ações. Meus amigos estariam muito mais dispostos a me aceitar se descobrissem que eu estava envolvida com algum culto exótico e atividades estranhas como magia negra ou experimentos com levitação. Mas frequentar uma igreja é algo estigmatizado como uma tremenda mediocridade.

Mas é isso que valoriza minha participação tanto na igreja quanto nas reuniões dos doze passos, essa fachada de mediocridade. Quando se retira o véu da mediocridade, descobre-se a mais extraordinária vida por trás dele. Mas eu me sinto isolada e incapaz de explicar a meu marido e a amigos íntimos — e até a mim mesma — o que ela é. É como se tivesse de me despir diante deles. Talvez se eu me dispusesse a fazer isso eles não ousariam me desprezar. O mais provável é que só sentissem pena de mim. Do jeito que a coisa está, eles se limitam a apertar um pouco mais o nó da gravata.

Sinto-me desnuda e fria e vulnerável e um pouco tonta. Penso que não me sinto muito mal por ser uma tonta no contexto do mundo secular. Com base no modo como olham para mim, não tenho muito a mostrar em favor de minha nova vida. Não posso exibir uma vida melhorada. Muitas das tristezas e dificuldades parecem corrigidas por um tempo, mas logo explodem novamente. Mas, para dizer a verdade, não tenho tomado remédios desde junho e por isso me sinto grata.

Quando tento me explicar a esses amigos, sinto-me como se estivesse suspensa numa asa-delta entre o material e o imaterial, lançando uma sombra lá embaixo, e eles dissessem: 'Veja, não é nada mais que um trabalho de sombra'. Talvez se requeira um tolo para saborear a alegria de um trabalho de sombra, a sombra projetada enquanto estou a serviço do desconhecido, do trabalho gratuito, da doação espontânea.

* * *

Judith entendeu bem. Ela não alimenta ilusões românticas sobre a igreja. Sabe que não pode defendê-la ou explicá-la de modo a satisfazer seus amigos. Ninguém faz ideia do que ela está fazendo. Ela assume uma posição defensiva a respeito disso. Mas abraça o que lhe foi dado — aquela aparentemente frágil igreja da asa-delta que a mantém suspensa no mistério, no trabalho gratuito, na doação espontânea. Ela está aqui. Ela não pode *não* estar aqui. Ela não esperava encontrar pessoas simpáticas, pessoas habilidosas, artistas. Ela é uma artista da igreja: "Não olhem para mim — contemplem a sombra lá embaixo. Vejam um trabalho de sombra. Talvez vocês vejam o que Deus está fazendo".

Recém-chegada como ela é, inexperiente como é acerca das sutilezas e controvérsias da igreja, Judith sabe o que é a igreja, visível mas não charmosa, suspensa no mistério, nas palavras dela, "o desconhecido, o trabalho gratuito, a doação espontânea". Ela sabe tão pouco sobre a igreja, mas sabe o que ela é. Ela é uma artista que sabe alguma coisa sobre a paisagem interior e a multiforme sabedoria. Com a intuição de artista, ela percebe a energia (o Espírito Santo) que mantém nas alturas as amarras e os ligamentos e o tecido da asa-delta à qual está presa, essa aparentemente frágil igreja que lança sobre a terra o que ela chama de trabalho de sombra.

* * *

A igreja como corpo de Cristo não é óbvia. Mas Jesus como Salvador do mundo também não é. Aprendemos a ingressar na mediocridade óbvia quando pensamos em termos de paisagem interior e multiforme sabedoria e trabalho de sombra. Mas enquanto nos servirmos de valores seculares e insistirmos em ter uma igreja como achamos que ela deveria ser, formulando esse "deveria" a partir do que vemos funcionando em nossa cultura alienada de Deus, jamais reconheceremos a igreja que está exatamente diante de nós. Pois enquanto pensarmos que a igreja está em competição com o mundo, que ela é um modo de superar o mundo, nós nunca a entenderemos.

O contraste entre o mundo e a igreja a esse respeito é total: a cultura está fazendo o máximo possível com suas celebridades, seu consumismo e sua violência para nos manter perpetuamente estagnados numa condição de adolescência. No entanto, a igreja está o tempo todo, em silêncio e sem propaganda enganosa, nos imergindo nas condições de amadurecimento "à medida da estatura da plenitude de Cristo".

8

A oração e toda a plenitude: Efésios 3.14-21

> [Oro] a fim de poderdes compreender, com todos os santos, qual é a largura, e o comprimento, e a altura, e a profundidade e conhecer o amor de Cristo, que excede todo entendimento, para que sejais tomados de toda a plenitude de Deus.
>
> EFÉSIOS 3.18-19

> Devemos reaprender a verdade essencial de que a oração cristã é mais ou menos como lavar um carro. Quando temos a sorte de ter um carro novo, nós o lavamos e polimos com entusiástico fervor; é um trabalho feito com devoção. Quando a novidade se desgasta, esse trabalho mais parece um aborrecimento e uma chatice, mas mesmo assim ainda sabemos lavar nosso carro de modo eficiente, e aqui está o ponto vital: não há diferença nenhuma no resultado.
>
> MARTIN THORNTON, *Christian Proficiency*

A oração é a linguagem de berço da igreja. Essa é nossa língua materna. Assim, é ao mesmo tempo natural e apropriado que a mais "igrejeira" das cartas de Paulo seja articulada na linguagem da oração. Paulo abriu a epístola com uma longa, explosiva (!) rajada de oração: "Bendito o Deus e Pai de nosso Senhor Jesus Cristo..." (Ef. 1.3-14). Ele prossegue dirigindo-se aos leitores, mas depois de uma única longa frase periódica, lá está ele orando novamente: "[Oro] para que o Deus de nosso Senhor Jesus Cristo [...] vos conceda espírito de sabedoria e de revelação..." (1.17-23).

Agora, no centro de transição de sua carta, Paulo mais uma vez está em ação, ajoelhado, orando diante do Pai (3.14-21). Duas páginas depois vamos encontrá-lo concluindo a carta instigando seus leitores (nós!) a entrar na oração e no texto que ele vem orando e escrevendo, orando tudo aquilo eles mesmos: "orando em todo tempo no Espírito [...] e também [orando] por mim [...] para que, em Cristo, eu seja ousado para falar [fazendo conhecido o mistério do evangelho]..." (6.18-20).

Paulo ora. Mesmo quando as orações não são explícitas, a linguagem é piedosa. Paulo vive suas orações. Está orando mesmo quando não sabe que está orando. Ele começa lançando o fundamento numa oração de bênção e depois prossegue orando por aqueles para quem está escrevendo. Agora aqui, no ponto central da carta, encontramos essa oração situada de modo estratégico, mantendo a epístola focada na oração. No fim da carta, a exortação de Paulo a orar manterá a igreja orando — não discutindo a igreja, não falando sobre a oração, mas orando.

A igreja começa na oração, mantém seu centro pela oração e termina orando.

"Glória, na igreja e em Cristo Jesus"

Essa oração centralizadora é uma única frase que é controlada por sua conclusão: "glória, na igreja e em Cristo Jesus" (Ef 3.21), um resumo sucinto de toda a carta: o tema da glória (1.6,12,14) como ela se expressa em Cristo e na igreja.

Cristo e igreja, igreja e Cristo. Quando tratamos da igreja, tratamos de Cristo. Quando tratamos de Cristo, tratamos da igreja. Não podemos separar essas duas realidades — Cristo não existe sem a igreja, a igreja não existe sem Cristo.

O que é singular em Cristo é que ele é ao mesmo tempo humano e divino. Não apenas humano. Não apenas divino. Mas as duas coisas ao mesmo tempo. Manter esses dois aparentes opostos juntos, simultaneamente, é o problema mais difícil que os seguidores de Cristo têm para resolver.

O que é singular na igreja é que ela é ao mesmo tempo humana e divina. Não apenas humana. Não apenas divina. Mas as duas coisas ao mesmo tempo. Os paralelos entre Cristo e a igreja não são exatamente iguais, pois o que é divino na igreja é derivativo da divindade de Cristo. Mesmo assim, manter esses dois aparentes opostos juntos, simultaneamente, é um dos problemas mais difíceis que os membros da igreja têm para resolver.

* * *

É bastante fácil entender Jesus Cristo como humano. Nós temos um investimento pessoal em sermos humanos — é o que *nós* somos. E sabemos que não somos muito bons nisso. Há muita tentativa e erro. Se contarmos com alguma ajuda, tentaremos ser humanos. Jesus parece digno de uma tentativa. Ele tem uma ampla reputação como o maior e mais belo exemplo de humanidade na longa história da espécie humana. Sua sabedoria, sua compaixão, seu amor pelos inimigos, seu sofrimento voluntário, seus ensinamentos sobre quem é Deus e como ele atua, seus ensinamentos sobre quem somos e como podemos viver bem, seu cuidado com os pobres e a aceitação dos excluídos, seus incisivos aforismos e suas histórias que expandem nossa imaginação — tudo isso e muito mais é ao mesmo tempo fácil de discernir e fácil de admirar em Jesus. Pouca gente discordaria disso.

Há muitos, naturalmente, que conhecem tudo isso, mas não seguem Jesus. Não porque pensam que ele é (ou foi) uma pessoa má. Simplesmente pensam que seguir Jesus não os levará aonde querem chegar neste mundo, não lhes trará sucesso ou riqueza, não satisfará suas ambições ou desejos, não lhes garantirá filhos obedientes nem uma aposentadoria confortável.

Também não é muito difícil acreditar que Jesus Cristo é divino. Em toda a história da humanidade, em todas as épocas e lugares de que temos alguma informação, homens e mulheres têm adorado algum deus ou alguns deuses segundo sua crença. A vida é mais do que nascer, conseguir um emprego, casar-se e ter filhos, jogar golfe e ir pescar, galgar degraus e "distinguir-se". Há verdades a conhecer, amor a provar, céu e inferno a considerar, almas a nutrir, beleza a abraçar, mistérios eternos ainda a revelar-se. A pergunta de Robert Browning — "O alcance do homem deve exceder o que sua mão consegue pegar; caso contrário, para que serve o céu?" — nos mantém atentos e sensíveis ao que está fora de nosso alcance, ao que não podemos controlar, ao mistério divino que infunde significado em nossa vida. Há relatos amplamente divulgados e oficialmente registrados de Jesus Cristo como o Filho de Deus, nascido milagrosamente neste mundo para nos mostrar e dizer essas coisas e depois milagrosamente voltar ao céu e ser entronizado à "destra do Pai". Nós, seres humanos, parecemos ter uma propensão inata a crer no sobrenatural. Para muitos, Cristo é o principal candidato a ser considerado a revelação de Deus, "Deus conosco".

Há muitos, naturalmente, que não acreditam em Jesus como Deus, como a revelação de Deus, mas não porque não conheçam os relatos em si. Eles simplesmente não julgam que a crença seja uma opção adulta. A crença de que Cristo é Deus é uma superstição. Levar o sobrenatural a sério é coisa para crianças. É uma ingenuidade, não tem valor algum. Se alguma coisa existe em relação a Deus ou a deuses, trata-se simplesmente de um modo de falar sobre nós mesmos, o "deus interior". Se existe alguma divindade em que devo acreditar, essa divindade sou eu. Acreditar seriamente que Cristo é Deus significa que eu *não* sou Deus, que não tenho atributos divinos. Tornar-se adulto significa tomar as grandes decisões por conta própria. Os deuses não gostam de competir. Se alguém insistir na divindade de Cristo, isso não me interessa.

Longo e árduo tem sido o trabalho dos cristãos que têm refletido e orado e conversado entre si para entender e seguir Jesus Cristo como sendo, ao mesmo tempo, plenamente homem e plenamente divino: verdadeiramente Deus e verdadeiramente Homem. Não tem sido fácil, e os ataques continuam de ambos os lados. Mesmo assim, pelo menos na igreja, o consenso se mantém firme.

* * *

Os cristãos estão interessados em entender a vida da igreja e participar dela nos mesmos termos que usamos para entender a vida de Cristo e participar dela — simultaneamente humana e divina, sem diluir ou comprometer nenhum dos dois elementos. Efésios, mais do que qualquer outro texto nas Escrituras, junta Cristo e igreja. Onze vezes nessa breve carta Cristo e igreja aparecem lado a lado como elementos entrelaçados, inseparáveis.[1]

Quando a divindade da igreja é diminuída ou desprezada, o elemento "humano" preenche o vazio: temos uma religião costurada por nós mesmos, que nos damos ao luxo de ser estetas do sublime, com Deus sendo honrado tangencialmente. Muitas vezes é uma religião magnífica: música esplêndida, tapeçarias deslumbrantes e ofícios no altar, liturgias dramáticas, linguagem elegante, retórica repleta de emoção, arquitetura de tirar o fôlego, teologias cuidadosamente redigidas e intelectualmente

---

[1] Efésios 1.22-23; 2.15,26; 3.6,7-10,21; 4.15-16; 5.23,25,29,32.

qualificadas (mas desprovidas de oração). Tudo para a glória de Deus, é óbvio, mas principalmente *pro forma*. Jesus executando as obras do Pai — cura, salvação, bênção, perdão — é reverentemente ignorado.

Quando a humanidade da igreja é diminuída ou desprezada, uma falsa "divindade" sutilmente desencarnada toma seu lugar, e temos então uma espiritualidade que diz respeito principalmente a nós mesmos como indivíduos com almas eternas a salvar e tarefas espirituais a desempenhar. O nome de Cristo é usado de modo notável, mas também fica muito visível quem está dando as cartas: *nós* mesmos, tendo Cristo como recurso a ser usado no caso de haver a necessidade de um milagre. Às vezes Cristo é recrutado para nos ajudar a desenvolver nossa vida interior de devoção mediante estudos bíblicos e a prática da oração. Às vezes Cristo é chamado para nos ajudar na execução de programas ou cruzadas ou missões. A igreja que deprecia a humanidade muitas vezes desenvolve uma espiritualidade impressionante: intensos estudos da Bíblia, oração e jejum, programas e causas, sonhos e visões, cruzadas e inspirados apelos para mover montanhas. Mas é também uma espiritualidade curiosamente deficiente no que se refere a relacionamentos humanos, hospitalidade e acolhimento cordial. Homens e mulheres, inclusive nossa própria alma, sofrem uma despersonalização e abstração e se transformam em causas a abraçar ou problemas a resolver. A igreja passa a ser um projeto impessoal. Tudo em nome de Jesus, é claro, mas não parece haver muito da humanidade de Jesus nos detalhes.

Quando a igreja deixa de adotar a divindade de Jesus como sua própria imputada divindade — o perdão e a salvação de Deus, o amor e a santificação de Deus — ela trai sua identidade essencial de corpo de Cristo.

E quando a igreja deixa de adotar a humanidade de Jesus como sua própria humanidade — pessoal, local, terrena, humilde — ela trai sua identidade essencial de morada de Deus.

* * *

Quando a igreja, o corpo de Cristo, é deficiente ou na divindade ou na humanidade de sua cabeça, ela deixa de ser o corpo de Cristo e não é mais igreja. Eu quero levar a sério a ousada e forte junção que Paulo faz da identidade da igreja como derivada da identidade de Jesus. Não estamos procurando a perfeição, mas sim marcas de maturidade, por mais imperfeitas que elas sejam em sua realização. Nunca existiu uma igreja perfeita, sem pecado, e nunca existirá.

Acho útil evocar João de Patmos e sua experiência com suas sete igrejas para colocá-lo lado a lado com Paulo e sua igreja de Éfeso a fim de afixar um sinal de advertência: "Perigo! Cuidado: a igreja não é um conclave seguro, livre do pecado". Exige-se constante vigilância para manter a humanidade e a divindade de Jesus Cristo organicamente unificadas. Vigilância idêntica se exige para manter a humanidade e a divindade da igreja organicamente unificadas.

Paulo escreveu sua carta aos efésios mais ou menos trinta anos antes de João assumir suas responsabilidades de pastor de um grupo de sete igrejas que incluía a de Éfeso. Essa carta moldou a visão que os efésios tinham de si mesmos como uma igreja em continuidade com aquilo que eles entendiam sobre Cristo. Uma geração mais tarde, aquela identidade formada por Cristo estava sofrendo, no seio da congregação de João, um ataque de falsos mestres e de Satanás e da presença perniciosa da idolatria e da violência, da mentira e da perseguição que permeavam o mundo greco-romano. Paulo, em sua carta fundacional, formadora de identidade, dissera-lhes que esse tipo de situação fazia parte de ser uma igreja, advertira-os de que a igreja não tinha imunidade diplomática contra as forças do mal.

Agora era a vez de João. As acusações identificadas pelo Espírito que o pastor João de Patmos revelou às sete igrejas servidas por ele (Ap 2—3) são um sensato aviso contra a igreja à "nossa imagem" em qualquer época e em qualquer forma. Ele usa sua visão do corpo ressuscitado de Jesus Cristo como seu texto para entender a igreja (Ap 1.12-20). Prossegue empregando uma linguagem forte para confrontar as sete congregações com suas traições desleixadas, indiferentes ou deliberadas do corpo de Cristo.

A igreja de Éfeso é a primeira a ser acusada de ter abandonado o primeiro amor (Ap 2.4). A insipidez ("és morna") da última igreja mencionada, a de Laodiceia, leva Jesus a dizer: "estou a ponto de vomitar-te da minha boca" (3.16). Ele emprega o nome Satanás ("sinagoga de Satanás" [2.9], "trono de Satanás", "onde Satanás habita" [2.13]) para chocar os membros de algumas das outras congregações e levá-los a reconhecer que aquilo que acontece bem diante dos olhos deles se opõe diametralmente ao Cristo que se revelou entre eles como verdadeiro Deus e verdadeiro Homem. Será que eles são tão ingênuos e inocentes de pecado e maldade que não enxergam a astúcia do "anjo de luz" que é Satanás? Cristo os denuncia por seus falsos ensinamentos e falsas práticas que aparentemente estão formando seguidores entre eles: "as doutrinas dos nicolaítas" (2.15), "a doutrina de Balaão" (2.14), "essa mulher, Jezabel" (2.20), "as coisas profundas de Satanás" (2.24). Será que não conseguem perceber a diferença radical entre os ensinamentos que, como uma flamejante espada de dois gumes, vieram da boca de Jesus Cristo, e o que esses pretensos profetas e profetisas estão dizendo? Não temos informações sobre a natureza desses ensinamentos, mas três dos nomes a eles associados — Balaão, Jezabel, Satanás — claramente os identificam como mentiras, perversões e distorções daquilo que as igrejas aprenderam de Moisés e Elias, de Jesus e Paulo e, mais recentemente, do próprio João.

É improvável que os termos "Satanás" (quatro vezes), "nicolaítas" (duas vezes), "Balaão" e "Jezabel" se referissem a algum pecado ou ensinamento claramente injurioso que estivesse acontecendo nas igrejas de João. A igreja, a cabeça e o corpo de Cristo, é raramente provocada e desafiada diretamente de dentro para fora. O pecado e as mentiras no seio da igreja atuam num nível mais sutil. Quase sempre se revelam como uma melhoria prometida ou uma extensão do que já foi definitivamente revelado em Jesus Cristo.

O que João identificou para suas igrejas como Satanás e os nicolaítas, Balaão e Jezabel, e as coisas profundas de Satanás, Paulo chamara anteriormente de "as ciladas do diabo [...] os dominadores deste mundo tenebroso [...] as forças espirituais do mal, nas regiões celestes" (Ef 6.11-12). A igreja sempre foi vítima de ataques e infiltrações do inimigo. E sempre será. A igreja de Éfeso tinha sido bem advertida por Paulo desde o começo. Agora João retoma a tarefa pastoral de discernir as maneiras pelas quais o mal e as pessoas más e "este mundo tenebroso" estão dissimulando e desconstruindo a identidade fundamental de Jesus nas igrejas sob seus cuidados pastorais.

João contra-atacou a ameaça sofrida por suas congregações com uma grande visão de Jesus vivo, atuante e presente no meio da igreja. Por meio da visão, cada igreja se viu como parte da igreja numa grande escala, adorando a Deus e vendo Jesus desafiando o mundo inteiro de Satanás e Balaão e Jezabel, as ciladas do diabo, este mundo tenebroso, as forças espirituais do mal, "vencendo e para vencer" (Ap 6.2).

A visão era um *tour de force*. Desde que aconteceu, ela tem desempenhado importante papel na igreja através dos séculos e no mundo inteiro, recriando e reforçando o central, exclusivo e insubstituível lugar de Jesus Cristo como a cabeça da igreja, que Paulo havia identificado como o corpo de Cristo.

"[Eu] me ponho de joelhos diante do Pai"

O ato físico — "me ponho de joelhos diante do Pai" (Ef 3.14) — é um ato de reverência. É também um ato de desproteção voluntária. De joelhos, não posso fugir. Não posso me afirmar. Coloco-me em posição de submissão deliberada, vulnerável à vontade da pessoa diante da qual me curvo. É um ato de distanciamento da ação para que eu possa perceber o que é a ação sem minha participação nela, sem minha ocupação de espaço, sem a expressão verbal de minha fala. De joelhos, já não estou numa posição que me permita alongar os músculos, desfilar ou agachar-me, esconder-me na sombra ou exibir-me no palco. Aceito ser menos para ter consciência do que é ser mais — assumo a postura que me permite saber como é a realidade vista sem a lente distorcedora de minha tímida anulação ou de minha agressiva dominação. Deixo de lado minha agenda por algum tempo e fico quieto, presente perante Deus.

Essa postura não está em voga num mundo no qual a mídia, nossos pais, nossos empregados, nossos professores e (talvez este seja, de todos, o aspecto mais exigente) nosso ego estão nos dizendo para fazer o máximo de nós mesmos. Ajoelhado perante o Pai, Paulo ora.

* * *

A oração é a *língua franca* da humanidade. Todo mundo ora. Pelo menos, todo mundo começa orando. Nesse caso, por que essa prática da oração é tão esporádica e tão confusa na denominada América cristã? Por que para tanta gente a oração ou é causa de embaraço pessoal ou é uma causa política? Muitas vezes me faço essa pergunta.

Como pastor, grande parte de meu trabalho consiste em incentivar e ensinar as pessoas a orar. Mas nunca encontrei facilidade nesse trabalho. Por que é tão difícil ensinar isso? Se a oração é óbvia praticamente em toda parte e, pelo menos como vestígio, em todas as pessoas, por que sua fluência é tão reduzida? Os homens e as mulheres com os quais trabalhei não se opõem a que alguém ore por eles — de fato, muitas vezes é exatamente o que me pedem. Por que as pessoas estão tão dispostas a escolher um representante que faça suas orações por elas? Por que se fala muito mais sobre oração do que de fato se ora? Por que há muito mais dúvidas e perguntas sobre essa forma de linguagem do que sobre qualquer outra forma?

Uma resposta apropriada, pelo menos o início de uma resposta, começa a se formar ao observarmos como empregamos a linguagem quando não estamos de joelhos. Quando ouvimos com atenção a linguagem usada a nosso redor todos os dias indo às compras, à escola, ao banco, ao trabalho e ao ligarmos o computador, não podemos deixar de observar que o emprego básico da linguagem é impessoal.

A linguagem pode ser usada de várias maneiras: para nomear coisas, descrever ações, dar informação, comandar comportamentos específicos, dizer a verdade, contar mentiras, amaldiçoar, abençoar. A linguagem é incrível e infinitamente versátil. Mas neste nosso mundo de excesso de tecnologia e consumismo, a maioria das palavras ditas e ouvidas nos dias mais comuns têm em si mesmas pouca ou nenhuma profundidade relacional ou pessoal. Elas lidam com um mundo de coisas e atividades, máquinas e ideias.

Mas a linguagem, no fundo e em seu melhor desempenho, revela. Usando palavras, eu posso conversar e criar um relacionamento com outra pessoa. Posso dizer a outros quem eu sou, o que sinto, meu modo de pensar. E ouvindo as palavras que outra pessoa me diz, posso envolver-me num relacionamento com ela. Em seu melhor desempenho, a linguagem inicia e desenvolve relacionamentos pessoais. Faz tudo o mais que também já mencionei, mas é como revelação que ela mostra o que é.

Desde a infância, todos nós aprendemos uma linguagem nesse modo pessoal, relacional e revelador. Antes de sabermos articular palavras, os sons que produzimos desenvolvem afetos íntimos, uma confiança básica, promessas e conforto. Mais que depressa, porém, aprendemos a dar nomes às coisas e a pedi-las. A linguagem objetifica o mundo e as pessoas a nosso redor. Uma vez que nos tornamos cada vez mais eficientes na linguagem da nomeação e definição e descrição, seus aspectos pessoais e relacionais regridem à medida que aprendemos a nos expressar com competência num mundo construído principalmente de coisas a ordenar e trabalho a fazer. Infelizmente, nesse processo nós "coisificamos" as pessoas. Na maioria das vezes, as palavras que proferimos e ouvimos ocorrem no contexto de papéis a desempenhar que nos são atribuídos: estudantes, fregueses, empregadores, trabalhadores, competidores, todos os quais poderiam simplesmente não ter nome, e muitas vezes não têm. Aos poucos, nosso primeiro instinto linguístico se desgasta, e com isso a própria capacidade de intimidade vai se perdendo. Bem depressa, a maior parte de nossa linguagem é empregada, como lamentava Wordsworth, para "ganhar e gastar". À medida que a linguagem se torna impessoal, o mundo é despersonalizado. Quando chega a época de nos decidirmos pelo casamento, mal sabemos como dizer "eu te amo", e assim vamos a uma papelaria e compramos um cartão que contenha uns versos burlescos que seja capaz de fazê-lo por nós.

Mas este é o ponto central: a oração é uma linguagem pessoal, caso contrário não é nada. Deus é pessoal, enfaticamente pessoal: pessoal em três pessoas. Quando usamos uma linguagem impessoal nesse que é o mais pessoal de todos os relacionamentos, ela não funciona. E quando ouvimos nas Escrituras e no silêncio aquilo que Deus tem a nos dizer em nossa condição de pessoas únicas, se anteciparmos informações ou respostas e não dermos ouvidos a nada remotamente parecido com aquilo, não saberemos como entender o que lemos ou ouvimos. Vamos embora dizendo ou pensando: "Deus não fala comigo... Ele nunca me ouve". A linguagem na qual somos realmente fluentes, a linguagem que estamos mais habituados a praticar, lida com dados impessoais e com o desempenho de papéis funcionais. A prática da oração, se quiser significar algo mais do que uma lista de desejos e queixas, exige a recuperação de uma linguagem pessoal, relacional e reveladora tanto em nosso ouvir quanto em nosso falar.

O livro clássico para a recuperação da linguagem pessoal da oração é Salmos. Uma imersão total nos salmos é o método básico pelo qual os cristãos adquirem fluência na linguagem pessoal, íntima, honesta e terrena da oração e pelo qual assumimos nosso lugar na grande companhia de nossos ancestrais em oração. No entanto, embora a oração seja sempre pessoal, ela nunca é individual. Na oração fazemos parte de uma grande congregação, visível ou invisível. Orar os salmos nos habitua a estar numa congregação de homens e mulheres em oração. Nunca estamos menos sós do que quando oramos, mesmo quando não há mais ninguém no recinto. Estamos orando por outros que não sabem que estamos orando por eles. Outros estão orando por nós, mesmo que não saibamos disso. Esse fato é importante, pois embora a oração seja linguagem em seu aspecto mais pessoal, ela também é, por sua natureza, inter-relacional — é linguagem *de igreja*. Quanto mais íntima for nossa relação com Cristo, tanto mais conscientes seremos de nossa relação com o corpo de Cristo. Quando oramos, não estamos fechados em nós mesmos. Orar os salmos nos mantém numa escola de oração que nos coloca em estado de vigília e de ouvidos abertos, mantém-nos alerta e com a língua articulada, tanto em relação a Deus quanto às vozes de louvor e sofrimento do povo de Deus.

"Toda a plenitude"

A oração de Paulo por sua congregação não é nada menos que exuberante. Não há nela nada de cauteloso ou contido. Em sua oração pelos efésios, as intercessões transpiram generosidade: "a riqueza da sua glória [...] poder, mediante o seu Espírito [...] arraigados e alicerçados em amor [...] a fim de poderdes compreender [...] a largura, e o comprimento, e altura, e a profundidade [...] o amor de Cristo, que excede todo entendimento [...] para que sejais tomados de toda a plenitude de Deus [...] para fazer infinitamente mais do que pedimos ou pensamos [...]". Oramos num clima de extravagância.

Não é nada menos que espantosa essa oração de intercessão pelos efésios cristãos. A intercessão geralmente começa na oração por uma pessoa que precisa de ajuda: intercede-se por famílias que choram a morte de alguém, pela cura ou saúde de doentes, pela prudência de nossos líderes políticos, pela clareza e direção dos que andam confusos, pela paz no Oriente Médio, pelos famintos do mundo inteiro, pelos sem-teto, pelo fim da luta e discriminação raciais, pelos desempregados.

Isso é compreensível. Todos os domingos, em qualquer congregação, olhando ao redor logo vemos e identificamos pelo nome uma dúzia de pessoas cuja identidade é sinônimo de necessidade: uma mãe solteira de três filhos com um recente diagnóstico de um câncer inoperável; um pai que acaba de internar o filho viciado numa casa de recuperação; uma avó recentemente abandonada por seu marido após 35 anos de casamento; um estranho mal vestido que não se "encaixa" *nesta* congregação, obviamente um desajustado. Não há um banco em qualquer santuário que não reserve espaço para as necessidades que requerem e recebem orações de intercessão.

As orações de intercessão de Paulo acrescentam outra dimensão, o enorme reservatório da plenitude do qual fluem as intercessões. Suas orações de intercessão fluem da plenitude de Deus. A plenitude de Deus, não a penúria da condição humana, sustenta as intercessões. Paulo certamente está consciente do estado de indigência da congregação à qual dirige sua carta — ele, no fim das contas, é um pastor. Mas suas orações não nascem da compaixão ou do desespero devido à condição humana. Essas intercessões são moldadas e energizadas por Deus: Pai, Filho e Espírito Santo. Os sete verbos-foguetes disparados na oração inicial (Ef 1.3-14), a identidade de "santo" criada pela ressurreição pela qual ele agradece ao lembrar-se dela na oração de sua congregação (1.15-25), a "suprema riqueza" da salvação que substitui o ansioso esforço com a maravilhosa graça (2.1-10), a parede que Cristo derrubou para que todos em toda parte tenham acesso a "nossa paz" (2.11-22), a "multiforme sabedoria" — a "paisagem interior" e o trabalho de sombra da igreja — tudo isso nos dá olhos para enxergar e ouvidos para ouvir o que está acontecendo neste mundo, *realmente* acontecendo.

Herman Melville certa vez escreveu a um amigo: "Gosto de todos os homens que *mergulham*". Paulo mergulha. Ele vai fundo e explora as condições que nos mantêm à tona. Ele não é inconsciente ou indiferente em relação ao que acontece na superfície, mas em suas intercessões ele mergulha, escuta e identifica o que Deus diz e está continuamente fazendo abaixo de nós — e quando deixa as profundezas para voltar à superfície ele ora para que Deus "vos conceda [...] poder, mediante o seu Espírito" (3.16), "e, assim, habite Cristo no vosso coração" (3.17), "a fim de poderdes compreender" (3.18) e "para que sejais tomados de toda a plenitude de Deus" (3.19). Aí estão quatro intercessões que pela oração nos levam à presença de Deus e à participação em Deus, o Deus que é anterior a quem nós somos e ao que estamos fazendo, o Deus que é anterior ao que deu errado em nossa vida. Nossos problemas não nos definem; Deus nos define. Nossos problemas não são nem a primeira, nem a última palavra sobre quem somos; Deus é.

* * *

Dois amigos meus, Fred e Cheryl, foram buscar no Haiti, 25 anos atrás, uma criança que haviam adotado. Addie tinha 5 anos. Perdera os pais num acidente de trânsito que a deixou sem família. Ao caminhar pela pista para embarcar no avião, a pequena órfã procurou com as mãos as mãos de seus novos pais que ela havia acabado de conhecer. Mais tarde eles nos contaram sobre esse instante de "nascimento", sobre como a confiança inocente e destemida manifestada nesse gesto físico de lhes dar as mãos pareceu-lhes tão milagrosa quanto as ocasiões em que seus dois filhos haviam deslizado pelo canal de parto quinze e treze anos antes.

Naquela noite, já de volta no Arizona, sentaram-se à mesa para a primeira refeição juntos com sua nova filha. Havia sobre a mesa uma travessa de costeletas de porco e uma tigela de purê de batata. Depois da primeira porção, os dois rapazes adolescentes serviram-se várias outras vezes. Dali a pouco as costeletas de porco haviam desaparecido e o purê tinha acabado. Addie nunca vira tanta comida sobre uma mesa em toda a sua vida. E nunca vira tanta comida desaparecer tão rápido. De olhos esbugalhados, observou seus dois novos irmãos, Thatcher e Graham, satisfazendo seu voraz apetite de adolescente.

Fred e Cheryl notaram que Addie havia ficado taciturna e perceberam que algo estava errado — agitação... confusão... insegurança? Cheryl imaginou que era o desaparecimento da comida. Ela suspeitou que, pelo fato de Addie ter passado fome em sua criação, quando a comida desapareceu da mesa ela talvez estivesse pensando que passaria um dia ou mais até que houvesse mais alimento. Cheryl suspeitou corretamente. Tomou Addie pela mão, levou a menina até a gaveta do pão e abriu, mostrando que havia uma reserva de três pães. Levou-a até a geladeira, abriu a porta e mostrou as garrafas de leite e de suco de laranja, as verduras frescas, os potes de geleia e de pasta de amendoim, uma caixa de ovos e um pacote de bacon. Levou-a para a despensa, onde havia recipientes de batatas, cebolas e abobrinhas, e prateleiras com produtos enlatados — tomates e pêssegos e picles. Abriu o congelador e mostrou a Addie três ou quatro frangos, algumas embalagens de peixe e duas caixas de sorvete. O tempo todo ela ia tranquilizando Addie, dizendo-lhe que havia muita comida na casa e que, por mais que Thatcher e Graham comessem e por mais rápido que o fizessem, havia muito mais comida guardada. Ela nunca mais passaria fome.

Cheryl não só lhe disse que ela nunca mais passaria fome. Mostrou-lhe o que havia naquelas gavetas e por trás daquelas portas, falou das carnes e dos legumes, colocou-os nas mãos dela. Era suficiente. A comida estava lá, pudesse ela ver ou não. Seus irmãos já não eram rivais à mesa. Ela estava em casa. Nunca mais passaria fome.

Minha mulher e eu ouvimos essa história 25 anos atrás. Desde aquela época, sempre que leio e faço essa oração de Paulo eu penso em Cheryl delicadamente conduzindo Addie pela mão num passeio pela cozinha e pela despensa, tranquilizando-a em relação às "insondáveis riquezas" (3.8) e a "toda a plenitude" (3.19) disponíveis na casa em que ela passaria a morar.

"O homem interior"

Oração é prestar atenção a Deus, o que Paulo certamente fez com muita diligência. Mas oração também é o cultivo que vem com a prática do que às vezes chamamos de vida interior. Isso quer dizer que há muito mais coisas em relação a Deus do que apenas ter conhecimentos sobre "a riqueza da sua glória" (Ef 3.16). A oração junta o que sabemos de Deus a uma sensibilidade em relação a ele. E assim Paulo ora — "para que [...] sejais fortalecidos com poder, mediante o seu Espírito no homem interior; e, assim, habite Cristo no vosso coração" (Ef 3.16-17).

A expressão "homem interior" é a tradução literal da expressão grega usada por Paulo, e como tal é traduzida pela Almeida Revista e Atualizada (ARA). A maioria dos estudiosos desse texto considera que o significado é nossa vida interior, nosso coração, a vida da alma. Mas Markus Barth apresenta uma argumentação abrangente (para mim persuasiva) para se ater a uma tradução literal, "homem interior", e depois vai um passo adiante usando as letras maiúsculas para "Homem Interior" como um título atribuído a Jesus. Ele traduz: "[...] conceda mediante seu Espírito que sejais fortificados com o poder de crescer em direção ao Homem Interior para que, pela fé, o Messias possa morar em vosso coração". Homem Interior é sinônimo do Messias, que habita em nosso coração.[2]

Anteriormente Paulo usou uma linguagem semelhante ao escrever aos gálatas: "Estou crucificado com Cristo; logo, já não sou eu quem vive, mas Cristo vive em mim; e esse viver que, agora, tenho na carne, vivo pela fé no Filho de Deus" (Gl 2.19-20).

* * *

---

[2] Markus Barth, *Ephesians 1—3*, The Anchor Bible, vol. 34 (Garden City, NY: Doubleday, 1974), p. 391.

Para mim, a atratividade da exegese barthiana do Homem Interior como Jesus é a proteção que ela oferece contra o perigo de divinizarmos nossa vida interior sem relação alguma com Jesus. A hipersubjetividade na oração ameaça sua própria natureza, o âmago *relacional* da oração. Enquanto estou de joelhos diante do Pai, Cristo está orando por mim (Jo 17) e em mim, reforçando-me com o poder mediante seu Espírito. Contrastando com isso, a tradução "íntimo do ser" — da Nova Versão Internacional (NVI), por exemplo — é às vezes vista como uma abstração espiritual incolor a que posso livremente atribuir qualquer cor ou todas as cores do arco-íris. Mas, se o "Homem Interior" é especificamente Jesus — Deus revelado com palavras que posso ponderar, com ações de que posso participar — minhas orações estão enraizadas na história real, na encarnação real e não são controladas por meus estados de espírito ou por minhas fantasias, sentimentos de culpa ou caprichos.

A oração é subjetiva; ela *tem* a ver com o íntimo do meu ser, meu coração. Mas há muito mais coisas que isso, muito mais dentro de mim do que "meu eu". Há Deus, revelado em Jesus. Há o "castelo interior" celebrado e elaborado por Teresa de Ávila que inclui necessariamente todo o meu eu — corpo e alma, emoções e pensamentos, memórias e sonhos, pais e família, e todas as pessoas que têm feito parte de minha história. Mas o "castelo", a pessoa em oração, inclui muito mais coisas: há também tudo de Deus, em todas as operações da Trindade — Pai, Filho e Espírito Santo. Em oração eu não sou eu mesmo sozinho perante Deus: o Homem Interior está ali, um parceiro em minha oração, proferindo a palavra de Deus. A oração transcende o "eu, me, mim", levando-me para um relacionamento atento e participativo com o Homem Interior, com Jesus, que revela a divindade.

Oração não é "entrar em contato com o verdadeiro eu", como muitas vezes se diz. É a prática deliberada de deixar de preocupar-se com o próprio eu para fixar a atenção em Deus e responder a ele. É o abandono deliberado de um estilo de vida centrado no eu em favor de um estilo de vida centrado em Cristo. É certamente verdade que na fraqueza e na sede e no desespero nós estendemos as mãos para Deus, mas a realidade maior e mais abrangente é que Deus já está nos estendendo as suas mãos. A oração se origina no gesto de Deus em nossa direção.

Isso está em harmonia com todo o sentido de Efésios. Tudo começa e se completa em Deus. Crescer em Cristo é uma questão de "nascer de novo" e depois, com o maravilhoso dom da vida, receber a responsabilidade de alimentá-la e fazê-la crescer.

* * *

Instalando o Homem Interior no recinto onde oramos, Paulo nos protege de nos sentirmos preocupados com o estado do "íntimo de nosso ser". Não é incomum, no estilo cristão, as pessoas se distraírem na oração e ficarem mais atentas a si mesmas do que a Deus, às vezes até o ponto da obsessão. Isso acontece quando falamos muito de oração, lemos muitos livros sobre oração, transformamos a oração em especialidade. A autoconsciência em questões de oração não é um bom sinal, não é um sinal de saúde, não é uma marca de santidade. Com Jesus, o Homem Interior, em nossas orações, estamos protegidos de orações que se tornam uma espiral de neurótica preocupação egoísta.

Outra perversão da oração da qual Paulo nos protege é tratá-la como uma curiosidade despersonalizada: fenômenos envolvendo o sobrenatural, sinais e maravilhas, experimentos laboratoriais para validar alguma percepção extrassensorial, os efeitos da oração sobre o crescimento de plantas, coleções de testemunhos de lugares remotos sobre bilocação e levitação. Essa curiosidade facilmente degenera na busca de métodos para entrar em contato com esferas transcendentais mediante técnicas de meditação ou mapas astrológicos ou para induzir estados psicológicos por meio da dança ou do jejum ou das drogas, o que nada tem a ver com Jesus ou com qualquer outra pessoa, e certamente nada a ver com viver "para o louvor da sua glória". Mas se nós soubermos que Jesus, o Homem Interior, está aqui "habitando" conosco no local e no ato da oração, seu Espírito nos fortalecendo para que cresçamos até a "estatura da plenitude de Cristo" (Ef 4.13), não nos deixaremos distrair por episódios de voyeurismo espiritual. Se o contexto da oração é um aspecto do meu eu, do íntimo do meu ser, é bastante fácil desenvolver curiosidades impróprias sobre o que poderia estar acontecendo. Mas com a presença do Homem Interior no ambiente, qualquer curiosidade seria exposta como sacrílega.

Paulo ora, nós oramos, em companhia da Trindade.

* * *

Para entender a igreja, precisamos mergulhar no vocabulário que revela a Deus e na sintaxe saturada de Deus na qual esse vocabulário nos é dado, um vocabulário e uma sintaxe tão evidentes em Efésios. Sem essa imersão, a igreja não pode ser compreendida. Os que estão fora dela, não podem entendê-la. Sem um vocabulário que revele a Deus e uma sintaxe saturada de oração, eles só podem entender a igreja de forma equivocada.

Os equívocos são muitos, mas dois que constantemente perseguem a igreja se destacam. Um diz que a igreja é aquilo que fazemos. Comumente se pensa que a igreja é aquilo que construímos, aquilo que organizamos, aquilo que pode ser medido e contabilizado. São pessoas e tijolos, causas e programas, liturgias e convites à conversão. A igreja é nossa tarefa nas atividades de missão e salvação. A forma que a igreja toma pode variar desde uma burocracia religiosa bizantina até uma fachada de loja terceirizada passando por uma igreja sentimentalizada na mata virgem — igrejas nacionais, denominações tradicionais, igrejas "livres" e igrejas "bíblicas". O que acontece na igreja depende de nós.

O segundo equívoco é que a igreja, a "igreja real", é invisível. A igreja é uma companhia mística de almas que pouco têm a ver umas com as outras, a não ser por algumas reuniões ocasionais de gente com a mesma mentalidade, pessoas que compartilham as "vibrações certas". Ela tem pouco, talvez nada, a ver com corpos e prédios. Corpos e prédios ficam bem em seu devido lugar, mas não são a igreja. A igreja é inteiramente espiritual.

Há uma variação na forma de expressar esses dois equívocos, mas ambos são uma negação essencial daquilo que nossas Escrituras revelam como igreja. O primeiro equívoco, que a igreja é o que fazemos, é uma negação da ação central do Pai, Filho e Espírito Santo na formação e continuação da igreja. Não é que essas pessoas não acreditem em Deus, ou não o sirvam, ou não lhe dirijam orações. Algumas delas fazem tudo isso com grande devoção. Outras o fazem por hábito religioso, ou por obrigação moral, ou por uma predileção pela estética sacra. O que elas têm em comum é que elas mesmas, estejam conscientes disso ou não, são a medida da igreja. As decisões que elas tomam e os sentimentos que elas têm superam tudo aquilo para o que elas *não* têm voz ou poder de decisão. Essas modalidades de igreja podem ser formais ou espontâneas, tradicionais ou inovadoras, mas o pragmatismo é a questão básica — o que fazemos por

Deus e em nome de Deus. Às vezes o pragmatismo se apresenta em vestes de religião; outras vezes se apresenta ostensivamente de *jeans*.

O segundo equívoco, que a igreja consiste numa elite mística que não pode ser identificada com lugares e pessoas com nomes próprios, é essencialmente uma negação da crença e experiência distintiva da fé cristã, a saber, a Encarnação: Deus se fez carne e habitou entre nós, nós que somos carne. Deus não trabalha sem carne e ossos, madeira e tijolos. A igreja cristã é histórica. Ela existe no tempo e no espaço. A fé cristã nasceu num corpo humano em Belém. A igreja cristã nasceu mais ou menos trinta anos mais tarde numa convivência de corpos humanos em Jerusalém.

Há muitas pessoas por aí — sempre houve — que ignoram a Trindade e a Encarnação ou são indiferentes a elas, que estão determinadas a reconstruir a igreja juntamente com as ideias que aprenderam de marqueteiros e sociólogos. Essa gente pode ser seguramente ignorada. São pessoas que não sabem de que estão falando. Melhor para nós é voltarmos a Efésios com seu vocabulário que revela a Deus e sua sintaxe saturada de oração e trabalhar com a cornucópia de imagens para entender a igreja: a plenitude daquele que a tudo enche em todas as coisas (1.23), uma nova humanidade (3.15), os concidadãos de Deus (3.19), o santuário (3.21), o edifício para a habitação de Deus (3.22), o corpo de Cristo (4.12), o casamento (5.31-32), uma comunidade (6.23).

Deus sabe de que está falando quando se trata de igreja, mesmo que não saibamos de que nós estamos falando.

9

Um e Todos: Efésios 4.1-16

> […] esforçando-vos diligentemente por preservar a unidade do Espírito no vínculo da paz; há somente um corpo e um Espírito, como também fostes chamados numa só esperança da vossa vocação; […] até que todos cheguemos à unidade da fé e do pleno conhecimento do Filho de Deus, à perfeita varonilidade, à medida da estatura da plenitude de Cristo.
>
> EFÉSIOS 4.3-4,13

> Os batizados são incluídos numa relação com Deus e entre si no mesmo ato, em virtude de compartilharem da comunhão com o Pai, mediada pelo Filho e realizada pelo Espírito. Aqueles que estão em Cristo estão na igreja: incluídos numa relação com Deus e, simultaneamente, numa comunidade.
>
> COLIN GUNTON, *The One, the Three, and the Many*

Estamos num ponto de transição em Efésios, passando de uma exuberante exploração de quem Deus é e como ele trabalha para uma detalhada explicação de quem somos nós e como trabalhamos. "Pois" é o termo de articulação. Mas a transição não é abrupta. Não é como se eu pudesse separar o ser de Deus do ser dos humanos e tratá-los separadamente. Mas nós de fato os separamos. A prática da ressurreição une o que nós "separamos". O Jesus da ressurreição restaura a intimidade original desfrutada por nossos primeiros pais naquelas desinibidas conversas com Deus ao entardecer no Éden. A "vida" não pode ser dividida em compartimentos. Muito menos possível é compartimentalizar a vida cristã: primeiro, quem é Deus e o que ele faz por nós, e depois, após dominarmos aquilo, quem somos nós e o que fazemos por Deus.

Estamos antecipando coerência, inteireza integrada, maturidade "à medida da estatura da plenitude de Cristo" (Ef 4.13). Paulo não tem pressa; paciente e habilmente ele nos tem levado a um entendimento da igreja como sendo criada por Deus. Ele mostra a mesma paciência e habilidade no discernimento de nossa parte nela. A igreja é o local e o tempo designados para a conversação entre dois "seres" — o ser de Deus e o ser humano. Aos dois "seres" é dedicado um tempo igual.

Deus criou a igreja como um lugar sobre a terra que é acessível e apropriado para ele estar presente a nós, ouvindo-nos e falando conosco em nosso próprio terreno. Ao mesmo tempo é sua dádiva para nós, um local na vizinhança acessível a pé ou de carro, para estarmos na presença de Deus, ouvindo-o e falando com ele. Toda a realidade de Deus e toda a nossa realidade se cruzam localmente na companhia da família e amigos e nas circunstâncias imediatas de nossa vida.

Não precisamos deixar nossa vizinhança para encontrar um lugar e um tempo apropriado onde possamos estar na presença de Deus. Não precisamos subir "ao céu" (Rm 10.7) para termos uma audiência com Deus. Não precisamos descer "ao abismo" (10.6) para descobrir o que Deus está fazendo no fundo das almas, no fundo da história e nos bastidores. A igreja nos convida, do jeito que somos, para a conversação. Deus não é abstrato, remoto, inacessível. A igreja — comum, local, imediata, pessoal — nos convida a estar na companhia de Jesus, que é Deus conosco, que abraça a condição humana e fala a nossa língua. Não se intimidem: nada aqui é profundo demais para a compreensão de gente comum.

A igreja, em sua condição mais simples e mais óbvia, é um lugar protegido, um tempo disponível para Deus conversar conosco e para nós conversarmos com Deus na companhia de seu povo. Ela, ao mesmo tempo, é muito mais que isso. Deus fala e age sempre e quando quiser, mas ela é no mínimo isto: um lugar e um tempo apropriados para cultivar a presença de Deus.

Quando abraçamos a igreja, nós nos vemos participando de uma conversa em andamento entre aquilo que sabemos e experimentamos de Deus e o modo como vivemos uns com outros, com nossa família, no local de trabalho — do ponto de vista moral, ético e pessoal. Há muitos que se ausentam da conversa para poderem sair sozinhos e desenvolver uma geringonça religiosa complicada como a máquina de Rube Goldberg, usando fragmentos de Deus ou boatos sobre Deus colhidos em becos perdidos, mercados de pulgas e grupos de discussão — uma espécie de paliativo, uma crença (ou descrença) do tipo caseiro que satisfaz seu estilo de vida particular. Outros, impacientes com as complexidades e ambiguidades da conversa, se apresentam como peritos independentes da transcendência, que estão explorando experiências de êxtase fotografando cenas de pôr do sol, colecionando livros e composições musicais inspiradores.

Parece que para muita gente essas práticas funcionam bastante bem para abrandar o tédio da monotonia. Tudo isso, contudo, leva a uma espécie de pastiche espiritual de incoerentes momentos de diversão ou fuga dos confins do eu. Essas duas formas de abstenção da conversa que acontece na igreja têm cada uma suas atrações. Não há nada que pareça destrutivo naquilo que seus participantes estão fazendo. Não é como se os ausentes tivessem saído por aí vandalizando a vizinhança ou levando secretamente uma vida de crimes. Ao mesmo tempo, nenhuma das duas formas contribui para a maturidade — o crescimento e, mais exatamente, o crescimento em Cristo.

Há muito mais em relação a Deus, a quem ele é e ao que ele está fazendo, do que conseguimos alinhavar usando nossos próprios recursos. E há muito mais em relação a nós, nossa vida terrena e nossa alma imortal, do que podemos compreender criando um mosaico com fragmentos de beleza. Existe Deus em todas as operações da Trindade: "magnífico em toda a terra é o teu nome!" (Sl 8.1). E existimos nós: "Por um pouco, menor do que Deus" está o ser humano coroado "de glória e de honra" (8.5). Amadurecer significa recusar uma vida reduzida, recusar uma espiritualidade minimalista. A igreja é a dádiva que recebemos por manter um relacionamento conversacional incluindo tudo o que Deus é e tudo o que nós somos, para que possamos gradativamente passar a viver "para o louvor da sua glória", para que possamos finalmente — vai levar muito tempo! — crescer até atingirmos "a estatura da plenitude de Cristo".

* * *

Comparecer na igreja nesta terra e em nossa história não nos garante que levaremos uma vida atenta à plena revelação de Deus em nossa vida e que entenderemos tudo o que somos e fazemos conversando com Deus. Os presentes, pela própria natureza do que é um presente, podem ser livremente recebidos ou rejeitados. Não há coerção num presente.

Ao longo dos três primeiros capítulos de Efésios, Paulo treinou nossa imaginação para reconhecer e abraçar a natureza do presente de Deus que é a igreja. Ele está prestes a elaborar com detalhes (de 4.17 até o fim) de que maneiras nós nos envolvemos na ação e vivemos o presente recebido. Mas ele não nos empurra porta adentro. Demora-se, ponderando as complicações implícitas no amadurecimento em Cristo na companhia de todos os outros que estão crescendo conosco, e juntamente com o número considerável de pessoas que não estão, pelo menos por enquanto, interessadas em crescer. Em Efésios 4.1-16 ele descreve uma transição, tranquilizando-nos durante esse processo para que não desviemos nossa atenção de Deus e com isso percamos nossa distintiva orientação da *igreja*: cabeça e corpo, Cristo e nós, em contínua e reverente conversação.

"A vocação a que fostes chamados"

Paulo junta tudo o que escreveu até aqui numa única palavra que nos prepara para o que vem depois. A palavra é "vocação". A palavra de Deus dirigida a nós é inerentemente um chamado, um convite, uma saudação de boas-vindas a sua presença e ação. Quando respondemos a seu chamado, vivemos uma vocação.[1] A vocação nos dá um destino, determina o que devemos fazer, molda nosso comportamento, forma uma vida coerente. Passamos a viver neste mundo, com os relacionamentos a que fomos chamados. Derivada do latim, nossa palavra para "chamado" (*vocare*) é "vocação". Vocação, chamado, é uma forma de vida. Um emprego é diferente. Um emprego é uma tarefa que nos foi designada. Quando o trabalho está feito, a tarefa foi realizada e nós voltamos a ser apenas nós mesmos, livres para fazer qualquer coisa que queiramos. Uma vocação, pelo contrário, é abrangente.

Jesus nos chama. Quando ouvimos o chamado e respondemos, nós vivemos a vocação. Dali em diante o chamado molda nossa vida, confere-lhe conteúdo, caracteriza o modo como a conduzimos. "Rogo-vos, pois, eu, o prisioneiro no Senhor, que andeis de modo digno da vocação a que fostes chamados" (Ef 4.1).

O verbo "chamar" é a raiz da palavra grega para igreja, *ekklesia*. Paulo emprega essa palavra nove vezes em Efésios.[2] Para os gregos, não se

---

[1] Esse é o fulcro central de Efésios que elaborei no capítulo 2, "A mensagem aos efésios".
[2] Efésios 1.22; 3.10,21; 5.23,24,25,27,29,32.

trata de uma palavra religiosa ou cultual. Ela simplesmente significava assembleia, uma reunião de pessoas, homens e mulheres que foram chamados a reunir-se num lugar designado. Na tradução grega da palavra da Bíblia hebraica essa palavra é "congregação" (*qahal*), mas sempre com o significado implícito de "congregação de Deus", a "assembleia do povo de Deus". Alguns prenderam essa palavra a uma cadeira e tentaram arrancar pela etimologia dela um significado espiritual ou teológico. Nossos melhores estudiosos nos advertiram sobre a futilidade dessa exegese forçada.[3] Não. É uma palavra comum extraída da vida comum — reuniões públicas, celebrações, reuniões de família, qualquer coisa assim — para referir-se a uma assembleia de pessoas. Isso por si só me parece significativo, pois mostra uma forte resistência à romantização ou glamorização da palavra "igreja" sem levar em conta as condições em que ela nos é dada.

A utilidade que a palavra nos propicia em sua raiz é nos manter atentos ao fato de que essa assembleia, essa congregação, esse lar de Deus, esse templo de Deus, esse corpo de Cristo, é a comunidade dos chamados — que agora têm uma vocação. O chamado de Deus e nossa vocação se fundem na igreja. Os verbos são o sistema circulatório da igreja. O chamado e a vocação são os batimentos cardíacos sistólicos e diastólicos do corpo de Cristo.

A linguagem da paraclese

O tom característico da linguagem de Paulo até esse ponto tem sido kerigmático. *Kerigma* é a transliteração da palavra grega para pregar, proclamar, afixar um decreto, anunciar notícias urgentes. "Pregar" é a tradução costumeira. Mas uma vez que nossos ouvidos muitas vezes captam nessa palavra nuances de condescendência e piedosa importunação ("não me venha com sermões/pregações"), eu pretendo usar o termo "kerigmático" para captar a ousada, urgente, entusiástica, extravagante exuberância que permeia a linguagem de Paulo quando ele escreve sobre Deus e a glória, Cristo e a graça, a igreja e a abundância, o Espírito e a oração.

E quero contrastar o uso kerigmático com outro uso da linguagem, muito diferente, que Paulo vai introduzir agora: "Rogo-vos, pois, eu, o

---

[3] Ver *Theological Dictionary of the New Testament*, ed. Gerhard Kittel, trad. Geoffrey W. Bromiley (Grand Rapids: Eerdmans, 1965), p. 530-536.

prisioneiro no Senhor, que andeis de modo digno da vocação..." (Ef 4.1). Esse verbo, "Rogo-vos", em contraste com o atrevido vigor kerigmático da linguagem de Paulo na qual estivemos imersos, introduz um tom mais calmo, mais conversacional, algo mais ou menos equivalente a "Estou do seu lado; vamos conversar sobre isso; vamos considerar como podemos ficar a par de tudo o que Deus está fazendo". Na conclusão de Efésios, Paulo empregará de novo o mesmo verbo, traduzido desta vez como "console o vosso coração" (6.22). O estilo de linguagem que se desenvolve a partir desse verbo é às vezes classificado como *paraclético*. Como igreja (*ekklesia*), que tem o verbo "chamar" (*kaleo*) em sua raiz, também o verbo "rogo-vos" ou "console" (*parakaleo*) tem "chamar" (*kaleo*) incrustado nele. "Paraclético" designa o estilo de linguagem usado na igreja quando discernimos e incorporamos a vocação à qual os cristãos têm sido chamados.

Três espécies de linguagem são comumente usadas na igreja: a kerigmática, a didática e a paraclética. A pregação, proclamação (linguagem kerigmática), é muito óbvia. O evangelho deve ser pregado. Paulo, escrevendo aos romanos, disse isso de maneira memorável: "E como ouvirão, se não há quem pregue [*querussontos*]? E como pregarão [*queruxosin*], se não forem enviados? Como está escrito [ele está citando Isaías]: Quão formosos são os pés dos que anunciam coisas boas!" (Rm 10.14-15). A pregação se orgulha de ser a linguagem distintiva da igreja. "Sim, o mundo é um navio atravessando o mar e que não completou a viagem; e o púlpito é sua proa".[4] Jesus Cristo é a revelação da salvação: "Arrependei-vos e crede no evangelho". As igrejas têm santuários e púlpitos para manter a linguagem da pregação numa posição central de liderança. A pregação mira a vontade, chamando-nos a tomar uma decisão e seguir o caminho de Jesus.

O ensino (a linguagem didática) vem em seguida. Existem as Escrituras a entender. Existe um mundo de descrença a diagnosticar. Existem perguntas a apresentar e responder. A vida cristã envolve um novo entendimento de toda a nossa vida e do mundo inteiro à luz da revelação de Deus. Há muito a aprender e entender. A criação e a aliança mapeiam nossa existência, e nós precisamos aprender como ler os mapas e usar a bússola para descobrir o caminho através do território. As igrejas têm salas de aula e atris para manter nossa mente aguçada e ativa no entendimento

---

[4] Herman Melville, *Moby Dick* (1851; Nova York: W. W. Norton & Company, Inc., 1976), p. 40.

de quem é Deus e de quem somos nós, de quem é essa complexa companhia de gente (a igreja) na qual estamos inseridos. O ensino visa a mente, o conhecimento da mente e dos métodos de Deus revelados na Escritura e experimentados na igreja.

O discernimento (a linguagem paraclética) não desfruta da saliente visibilidade das linguagens coirmãs, mas não é menos importante. Todavia, por ser proferido em voz mais baixa, muitas vezes passa despercebido, ou, quando percebido, não é levado tão a sério quanto suas linguagens coirmãs. A pregação dispõe do púlpito e do santuário para dignificar sua autoridade. O ensino dispõe de atris e salas de aula para definir o espaço de sua tarefa. Mas o discernimento acontece de modo informal, em qualquer tempo e lugar, sem ninguém oficialmente encarregado disso. O cenário para esse tipo de fala varia de um par de cadeiras de balanço no pórtico de uma casa de repouso, a dois homens debruçados sobre uma xícara de café numa lanchonete, a uma conversa por telefone entre mãe e filha atravessando três fronteiras estaduais. Poderia acontecer numa carta ou série de cartas tratando de questões do coração e da alma, ou entre três ou quatro amigos numa reunião semanal antes de sair para o trabalho, lendo e ponderando juntos as maneiras pelas quais o discurso de Jesus em João 6 se cruza com as horas que eles têm diante de si naquele dia.

O discernimento é conversação dirigida para as percepções e as decisões, os comportamentos e as práticas, que emergem do que ouço na pregação das boas-novas e da verdade que aprendo nas Escrituras e que vão sendo oradas e incorporadas em minha vida onde me encontro exatamente agora. Essas percepções não são sempre óbvias, devido a minhas emoções, minha história, meus pais, minha bagagem de antigos pecados e equívocos acumulados a partir de uma cultura secular. A mensagem do evangelho que parecia tão simples e direta domingo no santuário desenvolve graves complicações quando entro em meu local de trabalho na segunda-feira. Nossas famílias turvam as águas que pareciam tão límpidas, delineadas e ordenadas no quadro-negro enquanto estávamos sentados lá na sala de aula da escola dominical.

Gerhard von Rad, a meu ver o mais perceptivo conhecedor de hebraico do século 20, observou que a linguagem da paraclese aparece pela primeira vez em nossas Escrituras em Deuteronômio, onde ela ocorre ao lado do "evangelho" indicativo e da "lei" imperativa. Não se deve confundi-la com a lei; ela pressupõe que há uma participação contínua no evangelho da salvação. Difere muito tanto do evangelho (*kerigma*) quanto da lei (*didache*). Paraclese é a linguagem usada com homens e mulheres que já receberam a palavra que pregava a salvação e foram instruídos nos ensinamentos da lei, mas que necessitam de conforto, ou de encorajamento, ou de discernimento nos confusos detalhes do dia a dia.[5] Essa é uma forma de linguagem comumente identificada na vida da igreja como "cura de almas" e "direção espiritual".

E esse é o estilo de linguagem que é absolutamente exigido na igreja durante o processo do amadurecimento, do crescimento em Cristo. Todas as três formas de linguagem — kerigmática, didática e paraclética — atuam juntas nisso, mas a forma que com maior frequência é desprezada, pelo menos na igreja contemporânea, com sua predileção pelo indicativo (dizer como a coisa é) e o imperativo (mandar alguém fazer alguma coisa a respeito), é a paraclética. Essa é uma espécie de linguagem que presta atenção ao modo como as outras duas formas, a de pregar e a de ensinar, invadem particularidades individuais de cada pessoa enquanto ela está na companhia de irmãos e irmãs, de estranhos e vizinhos. A individualidade é dignificada, mas sempre no contexto da congregação. Ouvir, que exige silêncio, é elemento essencial na linguagem da paraclese.

A paraclese é uma linguagem que permeia Isaías, um de nossos principais orientadores na vida madura da fé: "Consolai, consolai o meu povo [...] Falai ao coração de Jerusalém" (Is 40.1-2). É a linguagem do salmo 23 que orientou tantas almas confusas através do deserto: "o teu bordão e o teu cajado me consolam" (Sl 23.4). Essa é a linguagem que Jesus usou na segunda bem-aventurança, abençoando os que choram: "porque serão consolados" (Mt 5.4). Em cada uma dessas passagens representativas o verbo fundamental é *parakaleo*: "confortar", "consolar", "vocês não estão sozinhos nessa", "eu sempre estou com vocês".

E essa é a linguagem que Jesus emprega na conversação final com seus discípulos (Jo 13—18). Durante os anos que passaram em sua companhia, eles o ouviram pregar: "O reino de Deus está próximo!". Ouviram seus grandes ensinamentos: "O reino de Deus é assim como...". Mas nessa noite, sua última noite com eles, Jesus entabulou uma longa, íntima conversa sem pressa alguma. Ele usa a linguagem da paraclese. Eles sabem o que havia

---

[5] Ver Gerhard von Rad, *Old Testament Theology*, trad. D. M. G. Stalker (Nova York: Harper & Row, 1965), vol. 2, p. 393.

acontecido em Jesus; o reino, a salvação. Sabem o que significa vocação. Parábolas e discursos e orações deixaram tudo muito claro. Tudo isso agora precisa ser assimilado e digerido. Precisa ser metabolizado e transformado em músculos e ossos, terminações nervosas e células cerebrais do corpo de Cristo. Eles têm agora uma nova identidade básica: amigos, discípulos, seguidores de Jesus. Mas apenas começaram. Precisam agrupar-se, transformar-se no que sabem, amadurecer — crescer em Cristo.

Para esclarecer exatamente o que acontecerá e de que modo, Jesus lhes apresenta uma nova palavra: "Paracleto", que nossas Bíblias traduziram por "Consolador" (ARA, ARC), "Conselheiro" (NVI), "Auxiliador" (NTLH), "Encorajador" (NVT), "Amigo" (*A Mensagem*). Ele emprega esse termo quatro vezes (Jo 14.16,26; 15.26; 16.7). Jesus não os deixa tentando adivinhar quem ou o que é o Paracleto; ele o identifica como o "Espírito da verdade", o "Espírito Santo". Jesus promete a seus discípulos que o Paracleto, o Espírito Santo, continuará falando suas palavras na vida deles. Jesus não os deixa imaginando como eles farão isso sozinhos — "Não vos deixarei órfãos" (Jo 14.18).

A linguagem paraclética é a linguagem do Espírito Santo, uma linguagem de relacionamento e amizade, um modo de falar e ouvir que põe as palavras de Jesus dentro de nós para que elas se *transformem* em nós. Não é uma informação nova. Não é uma explicação. É a palavra de Deus do nosso lado, dentro de nós, resolvendo os detalhes das circunstâncias de nossa vida.

* * *

Quando Paulo passa para outra modalidade de linguagem, ele descreve a vida paraclética que autentica essa linguagem. A linguagem paraclética só é digna de crédito se for falada a partir de uma vida paraclética, uma vida que ele descreve como vivida "com toda a humildade e mansidão, com longanimidade, suportando-vos uns aos outros em amor, esforçando-vos diligentemente por preservar a unidade do Espírito no vínculo da paz" (Ef 4.2-3).

Nenhuma dessas cinco características da "vocação a que fostes chamados" que contribuem para a fluência da fala paraclética tem, como tal, a ver com o conhecimento das palavras corretas ou o entendimento dos significados corretos. Elas se referem ao modo como as palavras são proferidas e ao elemento relacional em que são transmitidas. O único modo adequado, "digno", de articular esse chamado na igreja e pela igreja, essa companhia dos chamados (a *ekklesia*), é com humildade, mansidão e paciência. Ou seja, sem arrogância, sem rispidez, sem pressa. O amadurecimento exige tempo, com muitas paradas ao longo do caminho; ele não pode ser apressado. O amadurecimento é um processo complexo que desafia a simplificação; não há atalhos.

A única atmosfera adequada à fala paraclética é uma comunidade na qual o amor e a paz são ativamente buscados. Isso significa que tratar os outros de modo despersonalizado (*não* se suportando uns aos outros em amor) viola a própria natureza daqueles que compartilham a vocação. E significa que tratar os outros de um modo competitivo (*não* tratando os outros como companheiros unidos num vínculo de paz) viola as condições da derrubada "parede da separação" criadas por Cristo que faz a igreja ser *igreja*.

O que quero dizer, seguindo Paulo, é que, por mais brilhantes e intensas que sejam nossas pregações das boas-novas de salvação (*kerigma*), e por mais exatas e completas que sejam as verdades que ensinamos sobre o reino (*didache*), se não dominarmos o idioma da paraclese, as oportunidades de crescimento até a "medida da estatura da plenitude de Cristo" serão incertas.

Deometria

Há muita coisa a levar a sério em nossa vocação: a torrente de metáforas da igreja, a cascata de verbos ativados por Deus, as generosas dimensões envolvidas em todos os sentidos — "a largura, e o comprimento, e a altura, e a profundidade" (Ef 3.18). Tudo isso nos deixa aturdidos, desnorteados com a prodigalidade da graça. E agora Paulo, sem que nos apercebamos disso, nos induz a levar uma vida real aqui, a assumir uma residência permanente neste país, a arrumar empregos, a aprender a língua, a criar uma família, a sentir-nos em casa nessa nossa nova pátria, a crescer e envelhecer aqui.

Muito bem. Mas corremos o risco de ficar sobrecarregados, paralisados diante de tudo o que temos pela frente. Por onde começar?

Bom judeu como é, perfeitamente escolado nas Escrituras hebraicas, Paulo começa partindo de uma palavra só, "único", extraída do credo de Israel: "Ouça, ó Israel: O Senhor, o nosso Deus, é o único Senhor"

(Dt 6.4, NVI). Único é um só. Paulo repete "um/um só" sete vezes: um só, um só, um só, um só, um só, um só, um só. Um só. Um só é enfático.

Certo, há muita coisa acontecendo. E certamente há muita coisa a fazer. Mas não é um conjunto de coisas isoladas, não é um conjunto aleatório de tarefas diferentes, de pessoas separadas, um monte de sucata com que pretendemos fazer alguma coisa viável. Viver uma vocação torna-se uma "unidade do Espírito [...] até que todos cheguemos à unidade da fé e do pleno conhecimento do Filho de Deus, à perfeita varonilidade" (Ef 4.3,13). A latente e onipresente unidade que é a igreja flui do entendimento latente e onipresente da unidade que é Deus. A unidade reverbera na latente e onipresente unidade que é a vocação cristã, a vida cristã.

A repetição nesse contexto não é, penso eu, uma inoportuna insistência no monoteísmo como um dogma a acreditar; é uma tranquila certeza pastoral restabelecida de que estamos envolvidos numa vida de simplicidade fundamental. Mas não é uma simplicidade excessivamente simplificada. A simplicidade de nossa participação na unidade da Trindade é profunda e conseguida a duras penas. Não é uma vida de prioridades competitivas, mas uma vida em que "todas as coisas cooperam para o bem daqueles que amam a Deus, daqueles que são chamados..." (Rm 8.28). Não é uma vida repleta de ansiedades sobre a melhor forma de agradar a Deus, mas é simplesmente "querer uma única coisa" (Kierkegaard). Não é uma vida como a de Marta, cheia de preocupações e distrações com mil coisas, mas uma vida como a de Maria, em que "pouco é necessário, ou mesmo uma só coisa" (Lc 10.42).

Essa unidade básica e inerente está disponível em tudo o que contemplamos e tocamos. Paulo nos apresenta uma abertura retumbante identificando sete dimensões da unidade: "somente um corpo e um Espírito [...] uma só esperança [...] um só Senhor, uma só fé, um só batismo, um só Deus e Pai de todos, o qual é sobre todos, age por meio de todos e está em todos" (Ef 4.4-6).

Sete é mais do que uma simples enumeração. Leitores experientes das Escrituras detectam aqui um significado simbólico: a completude dos sete dias da criação, os sete "trovões" da voz do Senhor no salmo 29, os sete "setes" que estruturam a finalidade inclusiva do livro do Apocalipse. E aqui a mesma coisa: os sete itens não indicam que cada item é uma unidade por si só, mas que cada um mensura a unidade básica de Deus e da igreja, a vocação cristã em suas múltiplas dimensões.

Henry Adams, em seu brilhante estudo das maravilhas — teológicas, espirituais, arquitetônicas — de duas igrejas medievais, Mont-Sant-Michel e Chartres, conduz seus leitores numa peregrinação por esses lugares elaborados de adoração passando pelos homens e mulheres que ali oraram. Ele cunhou uma palavra — *deometria* — para designar seu assunto: tomar a medida de Deus como a unidade que produz diversidade.[6] Isso é essencialmente o que Paulo está fazendo, mas com esta diferença: Henry Adams está escrevendo um ensaio histórico e estético da igreja no século 12; Paulo está escrevendo uma carta endereçada a cristãos de uma igreja (ou igrejas) do primeiro século que estão de fato experimentando a vocação que era simultaneamente unidade e diversidade, o um e o todos. Para Paulo, a deometria não é um assunto proveniente do estudo do passado. Ela implica a observação da prática daquilo que envolve a ele e seus leitores que juntos vão formando uma igreja.

Há mais a observar. Cada parte do credo está agrupada em duas tríades de extensão semelhante: corpo-Espírito-esperança seguida por Senhor-fé-batismo. A segunda tríade contém três gêneros de "um" numa sequência gramaticalmente precisa de masculino, feminino e neutro (*heis, mia, hen*). O sétimo item, "Deus e Pai de todos", é fechado com uma tríade de preposições — "sobre todos, age por meio de todos e está em todos".[7]

As simetrias e repetições desenvolvem uma espécie de ritmo litúrgico que tem o efeito de harmonizar "todos" em "um". As múltiplas dimensões dessa assim chamada vida, essa vida de Cristo, essa vida da igreja de Todos, toma a medida do Um. Quanto mais vivemos essa vida, tanto mais a vida tem coerência. Quanto mais entramos na unidade, tanto mais nos encontramos "unidos".

Quando vivemos "de modo digno da vocação" a que fomos chamados, gradativamente assimilamos o ritmo do credo estabelecido pelas vibrações timpânicas baseadas no um: um corpo, um Espírito, uma esperança, um Senhor, uma fé, um batismo, um Deus e Pai de todos nós. O crescente floreado de preposições no fim — "sobre todos, age em todos e está em todos" — junta cada um dos possíveis "todos" na unidade.

---

[6] Henry Adams, *Mont-Saint-Michel and Chartres* (Garden City, NY: Doubleday Anchor Books, 1959), p. 338.

[7] Markus Barth, *Ephesians 4—6*, The Anchor Bible, vol. 34A (Garden City, NY: Doubleday, 1974), p. 429, 467.

* * *

Alguns anos atrás, Jan e eu passamos um ano em Pittsburgh. Estávamos num lugar desconhecido onde as ruas e as pessoas e o trabalho eram novidade. Havíamos deixado para trás trinta anos de rotinas e rituais. Sentíamos a estranheza de tudo, sentíamos falta do conhecido e deliberadamente decidimos nos familiarizar com essa nova vocação, encaixar-nos no lugar. Uma coisa que praticávamos com essa finalidade era fazer uma caminhada diária ao meio-dia num parque que ficava aproximadamente a um quilômetro e meio de casa, andando em volta de uma grande lagoa, observando os pássaros e a vegetação e refletindo sobre o significado dessa abrupta mudança em nossa vida e sobre o que isso poderia representar em anos vindouros.

Um dia, quando fazíamos nossa caminhada de meditação em torno da lagoa, um ciclista passou por nós, depois parou de repente e ficou a nossa espera. Sem apresentar-se e sem cerimônias, perguntou:

— Há quanto tempo vocês estão casados?

Atônitos com essa brusquidão, ainda assim conseguimos responder intrigados mas corteses:

— Há 33 anos.

— Eu sabia — disse ele. — Vocês percebem que caminham com passadas perfeitamente iguais? Quero dizer, numa sincronia perfeita. Minha mulher e eu estamos casados há cinco anos e ainda não conseguimos isso. Estamos sempre uns microssegundos fora do ritmo.

Foi só isso. Ele já estava pedalando de novo.

Retomamos a caminhada, satisfeitos com nós mesmos que, ao longo de 33 anos de casamento, havíamos dominado esse milagre de caminhar juntos num ritmo perfeito. Não fazíamos ideia de que havíamos conseguido algo em nosso casamento que pudesse interromper o passeio de um ciclista. Isso merecia um comentário e mais conversa. Mas no momento em que nos conscientizamos disso, não conseguimos mais andar em ritmo perfeito. Sentimo-nos desajeitados, descompassados. Quanto mais nos esforçávamos para recuperar o ritmo conjugal, tanto pior a coisa ficava. Observamos, porém, que "caminhar com passadas perfeitamente iguais" não decorre de um objetivo estabelecido no casamento e de disciplinadas práticas de uma hora por dia.

Mais tarde nos ocorreu que levar uma vida coerente, madura em Cristo, é algo que não se pode realizar conscientemente — há muitos detalhes envolvidos num acúmulo excessivo de condições. Talvez isso seja algo do que Jesus estava querendo transmitir quando disse: "Não vem o reino de Deus com visível aparência" (Lc 17.20).

Barão von Hugel

Os Estados Unidos do século 21 não oferecem condições propícias para o crescimento. A maturidade não é a marca registrada de nossa cultura. Nossa cultura é notável por sua ideia fixa de "ganhar e gastar". Em vez de nos tornarmos mais, preferimos ganhar mais ou fazer mais. Por isso, não surpreende que muita gente esteja querendo nos vender mapas para vivermos melhor, sem que precisemos crescer: mapas de garantia financeira, gratificação sexual, apreciação da música, proezas atléticas, um carro melhor, um emprego melhor, uma educação melhor, férias melhores.

Acontece que esses mapas nunca nos levam aonde queríamos chegar: quanto mais ganhamos e fazemos, tanto menos somos. Regredimos à condição de "meninos, agitados de um lado para outro e levados ao redor por todo vento de doutrina, pela artimanha dos homens, pela astúcia com que induzem ao erro" (Ef 4.14). É difícil saber se as coisas ficaram piores desde que Paulo escreveu sua carta, mas com os bilhões e bilhões de dólares gastos todos os anos neste país para financiar a "artimanha" e a "astúcia com que induzem ao erro" no campo do comércio e do entretenimento e do governo e, o que é mais lamentável, da igreja, a situação certamente não está melhorando nada. Paulo pensa em algo muito diferente para nós.

Um amigo meu passou recentemente alguns dias de retiro num mosteiro beneditino. O fundador, são Bento, instruíra seus monges do monte Cassino no século 6 a "receber cada hóspede como o próprio Cristo". Há mais de 1.500 anos os beneditinos vêm fazendo isso. Sua reputação pela hospitalidade cresce a cada século. Meu amigo relatou que já na primeira noite o monge anfitrião reuniu os hóspedes a seu redor e disse: "Se vocês perceberem que precisam de alguma coisa, procurem um dos irmãos e ele lhes dirá como passar sem ela".

Não há mapas para a vida madura, e certamente não há para uma vida madura em Cristo. Crescer envolve uma assimilação simplesmente de tudo, de "todos" em relação ao "um". O "todos" de pai e mãe, biologia, escolarização, vizinhança, culto, Escrituras, amigos, orações, decepções, acidentes, injúrias, canções, depressão, política, dinheiro, pecado, perdão, ocupações, jogos, romances, filhos, poemas, casamento, suicídios — e o "um" de Deus, também mencionado quatro vezes em Efésios como "a plenitude" (*pleroma*):[8] Pai, Filho e Espírito Santo.

* * *

Então, se não há mapas, que devemos fazer? Descartamos a ideia de achar um mapa. Dispensamos as "respostas" dos peritos. Deixamos de definir a vida mediante aquilo que pensamos que precisamos. Não há atalhos para a unidade, para o um, para o centro. Quando a vida nos confunde e ficamos diante de vozes rivais e simplistas, as soluções únicas são atraentes ao extremo. Mas elas também são em regra enganosas e estagnarão nossa existência num beco sem saída de constante imaturidade.

A alternativa do evangelho para essa confusão cultural do conselho único e da errática astúcia, da sedução e da promessa vazia de uma vida melhor, é a igreja. A igreja simplesmente como ela é, que nos foi revelada por Paulo como Um e Todos: o Um circulando por todas as células sanguíneas do corpo de Cristo. Nós mergulhamos nessa comunidade que oferece condições adequadas para o crescimento até "a estatura da plenitude de Cristo". Informados pelas orientações de Paulo em Efésios, ficamos à vontade e livres nos verbos de Deus e da sua glória, na companhia de Paulo e todos os santos, no mundo da graça e das boas obras, no trabalho de Cristo fazendo a paz e criando a igreja, na multiforme sabedoria e oração, brincalhões como crianças na diversidade do "Todos" e contentes com o nosso lento amadurecimento no "Um".

* * *

Mas há uma advertência a fazer: a igreja não é ideal. Não é, nem jamais pretendeu ser, um agrupamento das melhores pessoas da cidade. Deus não é difícil de contentar no que se refere a seus companheiros. Há pecadores em grande número, hipócritas aos montes, há os grosseiros e os sem asseio. Nós nos sentiremos tremendamente desapontados se olharmos ao

---

[8] Efésios 1.10,23; 3.19; 4.13.

redor esperando ver homens e mulheres que tenham atingido "a estatura da plenitude de Cristo". Aqui estão homens e mulheres *a caminho do crescimento* visando a estatura de Cristo. Poucos dentre eles já chegaram lá. Nós nos encontramos entre cristãos de todas as idades em todos os estágios do crescimento: criancinhas que ainda não saíram das fraldas; crianças inocentes e puras descobrindo o que significa ser filho ou filha de Deus; adolescentes que alternam momentos de entusiasmo contagiante com outros de mau humor e rebeldia; jovens mães e pais que estão lutando para entender as exigências e responsabilidades da maternidade ou paternidade; pessoas de meia-idade que anos atrás se deixaram distrair pelo emprego e pela família e agora estão buscando de novo o que percebem ter perdido na esperança de que não seja tarde demais; idosos que estão enfrentando a morte numa cultura que nega a morte e emprega todos os ardis possíveis para adiá-la medicinalmente e evitá-la emocionalmente.

Às vezes — e isso não é tão raro como alguém poderia pensar — nós encontramos um homem ou uma mulher que parece ombrear-se com "a estatura da plenitude de Cristo". A cultura da igreja atual sofreu a infiltração, num grau alarmante, da glorificação secular da infância e da celebração da adolescência, de tal forma que, se não soubermos o que estamos procurando, quase com certeza não conseguiremos vê-los. Mas os homens e as mulheres que atingiram a estatura do amadurecimento estão ali presentes.

Cresci em meio a gente que associava a vida cristã com estados emocionais inflados. A grandiosidade era epidêmica. O que era comum destinava-se a pessoas "sem Cristo". Estávamos num treinamento para o êxtase. Logo me cansei daquilo. Comecei a procurar homens e mulheres que de algum modo houvessem conseguido crescer. Localizá-los não era sempre fácil e rápido. Mas a paciência compensava. Eu nunca participei de uma congregação na qual não os tenha encontrado. Alguns se tornaram meus amigos e guias. No caso de outros foi suficiente conhecê-los e observá-los à distância.

Logo aprendi que o caminho para a maturidade passa pelas coisas comuns. Tive de desaprender muitas coisas; tive de aprender a não exagerar na busca, a não me esforçar em busca de epítetos ou resoluções imponentes, aprender a ser leal no grau máximo ao mínimo sinal de vida que descobrisse nas pessoas a meu lado na congregação e nas Escrituras que formavam minha identidade.

* * *

Entre os guias que mais contribuíram para minha formação, porém, está um homem que nunca conheci pessoalmente. O barão Friedrich von Hugel morreu sete anos antes de eu nascer. Tendo sido avaliado por um exame físico anual e por meus graus acadêmicos, recebi o certificado de adulto, mas avaliado pelo padrão de maturidade de Paulo eu ainda era uma criança jogada "de um lado para outro [...] por todo vento de doutrina" (4.14) — longe de estar maduro do ponto de vista vocacional ou espiritual. Um de meus guias, o filósofo quacre Douglas Steere, recomendou-me a leitura dos livros de von Hugel. Depois de ler apenas algumas páginas, já percebi que estava na presença de um homem maduro que sabia o que significava atingir a "estatura da plenitude de Cristo". Nunca mais abandonei esse autor.

Von Hugel me forneceu uma imagem que chegou na hora exata para mim. Eu até que conhecia a fé cristã. Mas a igreja como instituição no tempo e espaço, a teologia como um pensamento crítico sobre Deus e a oração como a prática da ressurreição eram como planetas distintos em órbita ao redor de um centro incerto que era eu. Von Hugel usou a analogia do crescimento físico — infância, adolescência, idade adulta — para explicar detalhadamente a integração da vida cristã. A infância corresponde ao aspecto institucional; a adolescência ao intelectual; a idade adulta é análoga à oração quando tudo o que provamos na vida se harmoniza com uma vida na ressurreição. Os três estágios são idades através das quais desenvolvemos a maturidade. Nenhum estágio pode ser omitido. E nenhum estágio pode ser deixado para trás — a maturidade se desenvolve quando cada estágio é assimilado no seguinte, resultando numa única vida coerente.

Este resumo não está à altura da argumentação ricamente estruturada que von Hugel nos apresenta. Aqui pretendo apenas dar testemunho da influência que ele teve na minha vida em formação, perdendo apenas nessas questões de maturidade para Paulo em Efésios. O Barão não pode ser resumido assim como não pode o Apóstolo. As intrincadas complexidades que resultam em seus lúcidos esclarecimentos só podem ser recebidas diretamente de seus escritos, estou convencido disso.[9]

[9] Ver Baron Friedrich von Hugel, *The Mystical Element of Religion as Studied in Saint Catherine of Genoa and Her Friends* (Londres: J. M. Dent & Sons, 1961 [1ª ed., 1907]), vol. 1, p. 3-82.

* * *

Grande parte da experiência profundamente vivida e amplamente ponderada do leigo cristão von Hugel, enraizada e fundamentada na vida de Cristo e ao mesmo tempo nas realidades terrenas e domésticas de uma esposa, três filhas e o cachorro Puck, chega até nós através de cartas que ele escreveu de próprio punho a um número assombroso de correspondentes. Uma observação constante em seus conselhos, intensamente anunciada, é que o caminho para uma vida de maturidade não é uma "estrada de tijolos amarelos", mas implica dificuldades consideráveis que não podem ser descartadas. Este trecho de uma carta endereçada a sua sobrinha aborda esse tema:

> Quando, aos dezoito anos, decidi fazer um treinamento moral e religioso, a grande alma e mente que me educou — um digno dominicano — me advertiu: "Você quer crescer em virtude, servir a Deus, amar a Cristo? Bem, você crescerá nessas coisas e as conseguirá se fizer delas uma escalada lenta e segura, absolutamente real, avançando com dificuldade, disposto a ter de acampar durante semanas ou meses na desolação espiritual, na escuridão e no vazio, em diferentes estágios em sua marcha e crescimento. Toda demanda de luz constante [...] toda tentativa de eliminar ou minimizar a cruz e a provação, nada mais são do que um montão de bobagens e frivolidades pueris".[10]

Por magnífica que seja a vida cristã, quando se trata de crescer em Cristo na prática da ressurreição, von Hugel não quer admitir nenhum atalho, nenhuma romantização que deprecie as coisas comuns, "nenhum corte dos nós por mais difíceis que sejam, nenhuma revolta contra os abusos, ou fuga deles, por mais irritantes ou entorpecentes que se mostrem",[11] mas insiste que o caminho para a maturidade segue necessariamente uma rota que, nas palavras dele, muitas vezes é "aparentemente obtusa, sábia mas custosa, sem nenhuma chance de brilhantismo, morosa, meditativa e até, se você preferir, estúpida, ignorada e derrotada, mas mesmo assim criadora de vida".[12]

---

[10] Friedrich von Hugel, *Selected Letters 1896-1924*, ed. Bernard Holland (Nova York: E. P. Dutton & Co., 1933), p. 266.
[11] Von Hugel, *Selected Letters*, p. 38.
[12] Von Hugel, *Selected Letters*, p. 137.

Um axioma bem documentado na prática da ressurreição afirma que só podemos conhecer essa vida *transformando-nos* nela, crescendo de todas as formas numa maturidade sadia, estável e robusta. O Apóstolo, com a aprovação de von Hugel, gostaria que nos comprometêssemos com nada menos do que com a "estatura da plenitude de Cristo".

PARTE IV
A CONGREGAÇÃO EM AÇÃO

Ser uma testemunha não consiste em fazer propaganda nem em comover as pessoas, mas em ser um mistério vivo. Significa viver de tal maneira que a vida da pessoa não faria sentido se Deus não existisse.

Cardeal Suhard

10

Santidade e Espírito Santo: Efésios 4.17-32

> [Fostes instruídos para que] vos despojeis do velho homem […] e vos renoveis no espírito do vosso entendimento, e vos revistais do novo homem, criado segundo Deus, em justiça e retidão procedentes da verdade. […] E não entristeçais o Espírito de Deus, no qual fostes selados para o dia da redenção.
>
> Efésios 4.22-24,30

> […] um grande fato comovente, o de que vocês têm prontos, ao alcance da mão, todos os materiais da santidade completa.
>
> Friedrich von Hugel, Letters from Baron Friedrich von Hugel to a Niece

Às vezes uma única palavra pode mascarar-se de aparente insignificância e, mesmo assim, essa mesma palavra serve como pivô para os termos mais "estimulantes" a seu redor. O "pois" de Paulo marcou o começo da transição em Efésios 4.1, transição das maneiras como Deus cria a igreja e nela habita para as maneiras como nós agora vivemos apropriadamente como a igreja que Deus cria e na qual habita: "Rogo-vos, *pois*, eu, o prisioneiro no Senhor, que andeis de modo digno da vocação a que fostes chamados…". O "pois" de Paulo liga tudo o que Deus é e faz (o assunto da carta até esse ponto) a tudo o que nós somos e fazemos (o assunto do restante da carta). A passagem de transição, Efésios 4.1-16, nos faz passar da igreja como Deus a cria e nela habita para a igreja na qual nós habitamos e dela participamos, o país onde crescemos para a maturidade, "a estatura da plenitude de Cristo". A vida cristã, um estilo de vida condicionado pela *igreja*, deve ser congruente com quem Deus é e com a maneira como ele trabalha na igreja, em *nós*. Não se trata apenas de momentos isolados, mas de uma vida madura.

Paulo afixa um segundo termo de ligação, "portanto" (4.17), para marcar o complemento da transição.[1] Ele agora nos observa com a máxima atenção. O enfoque do restante da carta recai sobre nós: o que fazemos e como o fazemos.

"Enfoque" talvez não seja o melhor termo, pois nós nunca somos o centro do que acontece na igreja. O centro é Deus. Os "pois/portantos" de Paulo nos mantêm conscientes de nossa conexão com tudo o que aconteceu antes. Não estamos sozinhos. A igreja não é um emprego no qual nos é atribuída a responsabilidade de administrar tudo o que percebemos que precisa ser feito, adaptando-a a cada caso. A igreja já está completa, nas palavras do Credo Niceno: "una, santa, católica e apostólica".

Assim, para certificar-se de que não vamos sair por aí sozinhos no que se refere a questões de igreja, Paulo ao longo dos capítulos 4—6 emprega repetidas vezes a conjunção conectiva ("portanto/pois/por isso" e variantes) para manter nosso lugar e comportamento na igreja, nossa vocação, organicamente unidos àquele que nos chama. Ele emprega esse termo conectivo nove vezes.[2] Quando a conexão é mantida intacta, a vida que levamos é representativa da justiça e santidade recém-criadas em nós pelo Espírito Santo.

O termo "espírito" adquire o seu significado próprio nesse ponto da carta, numa frase em que Paulo estabelece sua agenda para nós, a saber, que "vos renoveis no espírito do vosso entendimento, e vos revistais do novo homem, criado segundo Deus, em justiça e retidão procedentes da verdade" (Ef 4.23-24). Essa é a tradução usual, sendo o "espírito" entendido como uma referência direta ao espírito humano, a pessoa interior. Mas Gordon Fee, um dos melhores exegetas do texto paulino, faz uma tradução totalmente diversa, tomando "espírito" como referência não ao espírito humano, mas ao Espírito Santo: "sejais renovados em vosso entendimento pelo Espírito". A ênfase geral de Efésios na obra do Espírito

---

[1] É a mesma palavra que ocorre em 4.1. Mas a ARC a traduziu assim: "E digo isto, e testifico...", uma tradução excelente, só que ela obscurece a repetição do primeiro "pois" de 4.1. A ARA a traduziu como "portanto", um conectivo diferente, mas que de certo modo preserva a repetição.

[2] Seu termo normal em grego é *oun*: Efésios 4.1,17; 5.1,7,15; 6.14 — seis vezes. Seu sinônimo, *dio* (4.25; 5.14) e *dia touto* (6.13), são as outras três ocorrências.

Santo para viver a vida de Deus em nós é mantida. A obra exegética de Fee em relação a esse texto, sustentada por vários outros estudiosos, antigos e modernos, é (para mim) muito convincente.[3] Significa que é a renovação de nossa mente pelo Espírito que resulta na criação da justiça e santidade em nós, uma vida moldada por Deus à medida que ele recria em nós o seu caráter. Paulo vai retomar esse papel do Espírito Santo alguns versículos mais adiante em 4.30.

Stalamus Chief

Cem quilômetros ao norte do local onde morei no oeste do Canadá, há uma montanha muito popular entre os alpinistas denominada Stalamus Chief. É uma laje de granito liso, com uns setecentos metros de altura. Nos dias de verão os escaladores aparecem espalhados em vários níveis da superfície da rocha. Às vezes eles passam a noite em macas (chamam isso de bivaquear), penduradas como casulos presos à parede de um celeiro. Aquilo me parecia uma forma de diversão extremamente perigosa.

Essa visão sempre me fascinava. Quando estava nos arredores, eu costumava parar no acostamento e ficava observando com meus binóculos. Não era a ação que prendia minha atenção, pois não havia muita coisa acontecendo lá em cima. Os alpinistas se movem lentamente, com cautela, cada movimento sendo testado, calculado. Não há espontaneidade temerária nesse esporte, nem emoções imprudentes. Com exceção talvez da emoção extrema de não cair — não morrer. Talvez o que prendesse minha atenção fosse o risco da morte — a vida pendendo por um fio.

Mesmo assim, por mais perigoso que aquilo fosse, eu sabia que não era tão perigoso quanto parecia. Quando observava do fundo do vale a olho nu, os alpinistas pareciam estar estranhamente livres da gravidade, mas usando binóculos dava para ver que cada escalador estava equipado com cordas e ganchos de metal e pinos (ou calços, cunhas e cames). Os pinos, fortes cavilhas feitas de metal leve, são fundamentais. Tenho dois filhos que são escaladores de rochas, e os tenho ouvido planejando suas escaladas. Eles passam mais tempo planejando do que de fato escalando. Planejam meticulosamente o roteiro e depois, enquanto escalam, gastam

---

[3] Gordon D. Fee, *God's Empowering Presence* (Peabody, MA: Hendrickson, 1994), p. 709-710.

sua energia no que chamam de "proteção" — pinos cravados em pequenas fendas na superfície da rocha, com cordas que interromperão uma súbita queda para a morte. Os escaladores que não se ocupam da proteção têm carreiras breves nesse esporte.

Certo dia, enquanto estava observando os escaladores do Stalamus Chief, ocorreu-me (mentalmente eu estava preparando uma palestra sobre esta passagem de Efésios naquela ocasião) que os "pois" e "portantos" de Paulo funcionam em grande medida como pinos, cavilhas cravadas na face vertical da rocha da *igreja* (numa sequência que se estende entre o céu e a terra), onde a vocação cristã é posta em prática. Um "portanto" é um pino, uma proteção contra estados de espírito e intempéries, erros de cálculo e cansaço. Visão ("tu és o Cristo!"), risco ("a si mesmo se negue e tome a sua cruz") e aspiração ("o louvor da sua glória") são as coisas de que mais temos consciência quando partimos rumo ao crescimento visando a estatura da plenitude de Cristo. Mas se não houver "proteção", a sobrevivência é precária.

A vida na igreja é perigosa. Grande parte do perigo decorre do fato de nos tornarmos tão intimamente familiarizados com o caminho da fé que nos sentimos diferentes ou acima de nossa condição anterior que às vezes consideramos como a de meros cristãos. Procuramos com tanta diligência aprender sobre o trabalho para Jesus que nosso relacionamento *com* ele se desgasta. O perigo constante — e isso vem acontecendo há muito tempo na igreja — é o de assumirmos um papel, uma função religiosa, que aos poucos suprime a vida da alma.[4]

Mas nossa participação na vida da igreja não nos conduz a um nível avançado de vivência do evangelho. A fé é vida em risco. O amor é vida em risco. A adoração é vida em risco. A familiaridade com Deus, com a igreja e com a congregação pode entorpecer nossa consciência dos riscos envolvidos de modo que nos esquecemos de introduzir dispositivos de proteção. Cada "pois/portanto" é um pino cravado na pedra para nos manter conectados com a rocha de granito. Paulo é generoso em sua oferta de pinos. Precisamos de cada um deles.

[4] O romance de Aldous Huxley, *Grey Eminence* [Eminência parda], é uma discreta advertência sobre essa queda de um devoto e flexível amor de Jesus e da igreja para um papel político rígido e artrítico (Nova York: Harper & Brothers, 1941, 1ª ed.).

Karl Barth é eloquente em sua insistência de que somos eternamente principiantes nessa vida cristã. Por mais que saibamos, por mais diligentes que sejamos, nós nunca nos graduamos como "cristãos" e avançamos rumo a níveis avançados. Nem a vida cristã, nem o serviço cristão, de leigos ou de pastores, jamais podem "ser algo mais do que trabalho de principiantes. [...] O que os cristãos fazem torna-se uma autocontradição quando toma a forma de uma rotina treinada e dominada, de uma arte aprendida e praticada. Eles têm a probabilidade e a possibilidade de serem mestres e até grandes artistas em muitas coisas, mas nunca naquilo que faz deles cristãos, filhos de Deus".[5]

Há uma enorme ironia aqui. Os cristãos que se mantêm distantes da igreja, que se situam nas extremidades, que aparecem de vez em quando, ficam geralmente livres desses perigos. Mas aqueles dentre nós que têm uma forte identificação com a igreja e assumem responsabilidades nela são alvos muito naturais da atenção de outros. Nós somos os escaladores do Stalamus Chief. Alguns nos criticam, outros nos admiram, mas de um jeito ou de outro temos consciência de que somos vistos como uma classe à parte. Somos cristãos tarimbados. Chegamos lá — somos maduros. Aos poucos assumimos ares de pessoas íntimas da igreja.

As palavras de Jesus, "se não [...] vos tornardes como crianças" (Mt 18.3), continuam sendo pertinentes, qualquer que seja nossa posição ou reputação na igreja cristã. Mas quando já passamos muitos anos testando e conhecendo as cordas da cultura da igreja, enquanto outras pessoas ficam nos admirando como líderes maduros ou (Deus nos ajude!) até mesmo como "santos", é tremendamente difícil ver a nós mesmos como crianças. A humildade diminui à medida que aumenta a competência.

É uma coisa delicada e geralmente levamos anos para consegui-la, mas sem "proteção", sem o tecido conjuntivo dos "pois" e "portantos" que nos preservam como partes que somos do corpo organicamente relacionado com a cabeça, com certa frequência acontece que, em vez de vivermos como quando começamos — crianças seguidoras de Jesus — nós nos tornamos chefes em nome de Jesus. Às vezes somos chefes muito bons, buscando o bem-estar dos outros; outras vezes somos apenas mal disfarçados tiranos religiosos.

---

[5] Karl Barth, *Church Dogmatics*, IV/4: *The Christian Life* (Grand Rapids: Eerdmans, 1981), p. 79.

Espaço negativo

A mudança da ênfase da igreja como o ser e a obra de Deus para a igreja como a nossa participação no ser e na obra dele começa com um comando negativo: "não mais andeis como também andam os gentios" (Ef 4.17). Por mais familiarizado que eu esteja com essa carta, todas as vezes que chego a esse ponto sinto uma espécie de solavanco na estrada. Até aqui, praticamente tudo foi declarado com afirmação ardente. Paulo é extravagante em seu entusiasmo, irrefreável em seu louvor. É como se nada fosse suficientemente louvado, e ele não consegue deixar de compensar o déficit — se necessário, trabalhando sozinho. A energia de sua linguagem extravasa com metáforas e símiles, forçando as ligações sintáticas até quase rompê-las.

As palavras sem cor, austeras, negativas, "não mais andeis como também andam os gentios", parecem fora de propósito. Por que Paulo simplesmente não transfere seu entusiasmo por aquilo que Deus faz para um equivalente entusiasmo por aquilo que essa congregação pode agora fazer com Deus e por Deus? Por que não desafia seus membros a "fazer grandes coisas por Deus"? O impulso foi dado. Por que não os leva a participar na ação? Por que esse "não" exatamente quando eles estão prontos para envolver-se em cada "sim" que Deus está operando neles e por eles?

Eu me pergunto se é porque ele não confia na maturidade deles. Esses cristãos novatos, homens e mulheres, cresceram numa cultura não judaica. Entraram na igreja desprovidos da riqueza secular de histórias de adoração e práticas morais que estavam profundamente arraigadas em qualquer cidadão criado como judeu. Esses gentios de Éfeso são novatos em tudo isso. Como gentios, provinham de um mundo no qual deuses e deusas gregos e romanos ofereciam as histórias que formam o contexto da vida de cada dia. Essas histórias, embora certamente religiosas, não têm nenhum conteúdo moral. A imoralidade e violência sexual permeavam o sobrenatural naquela cultura.

Na imaginação dos gentios daquela época, a religião e a moralidade não se misturavam. Não que os costumes morais estivessem ausentes em sua cultura. Contavam com filósofos que tinham muitas coisas sábias a dizer sobre a vida moral, coisas que resistem ao teste dos séculos. Sua *intelligentsia* não devia nada a nenhuma outra em relação a orientações morais. Mas os homens e mulheres da rua, na maioria analfabetos, juntamente com um considerável contingente de escravos, não poderiam ser afetados pelos filósofos. Na imaginação das pessoas comuns, Zeus e Hera presidiam um panteão de divindades sexualmente devassas e vorazmente assassinas. As histórias que os gentios contavam sobre seus deuses e deusas mostravam às vezes notáveis percepções psicológicas e eram infinitamente divertidas, mas seu conteúdo era desprovido de moralidade e retidão. Ártemis, a deusa que reinava na cidade de Éfeso, era uma figura da fertilidade, numa exibição pornográfica pública, um ídolo esculpido com mil seios.

Esse é, portanto, o mundo que muito provavelmente estava por trás do termo "gentio" nesse contexto — não tanto uma designação étnica em contraste com judeu, mas uma referência a essa cultura rica em imaginação religiosa e moralmente tão pobre.

Assim, quando Paulo volta sua atenção para o mundo de trabalho e comportamento cotidiano desses gentios cristãos que praticam a vida da ressurreição "para o louvor da sua glória", ele está pastoralmente consciente de como seria fácil para eles assumir sem perceber esse maravilhoso evangelho novo, mas deixando, sem perceber, de se livrar dos ornamentos da velha cultura. Devido ao longo hábito gentio eles talvez continuassem a presumir que a religião não tem nada a ver com os costumes morais. Quando Paulo caracteriza os gentios com esse seu velho estilo de vida, ele os descreve como "obscurecidos de entendimento, alheios à vida de Deus [...] os quais, tendo-se tornado insensíveis, se entregaram à dissolução para, com avidez, cometerem toda sorte de impureza" (4.18-19).

Se Paulo estivesse escrevendo para uma congregação majoritariamente judaica, eu duvido muito que ele analisasse os pontos básicos da moral de modo tão detalhado. Os judeus eram criados desde o berço com base nos Dez Mandamentos. Eles oravam o salmo 15: "Quem, Senhor, habitará no teu tabernáculo? Quem há de morar no teu santo monte?" (v. 1). E respondiam com uma lista de dez simples ações sobre as quais não paira nenhuma ambiguidade — francos atos morais. Também oravam o salmo 24, que apresenta uma dupla indagação parecida: "Quem subirá ao monte do Senhor? Quem há de permanecer no seu santo lugar?" (v. 3), respondida desta vez com três francos e evidentes atos morais. Os judeus tinham séculos de escolarização completa em comportamento moral que prepararam o solo do coração para a recepção dos dons de Deus e o crescimento em retidão e santidade, as duas palavras conclusivas empregadas por Paulo para designar uma vida conduzida de modo apropriado na igreja em resposta a Deus.

Mas os gentios não cresceram sob a tutela de Moisés ou as orações de Davi. Cresceram alimentados pelas histórias de Ártemis e Helena, Odisseu e Aquiles, Orfeu e Eurídice, Édipo e Jocasta. Por isso Paulo, ao conduzi-los para o mundo da vida na fé, cultivando uma vida que corresponde aos dons da graça, uma vida que pode florescer crescendo em retidão e santidade, impõe algumas negações. Nada complexo ou difícil, apenas algumas orientações, a fim de oferecer aos gentios uma mão para ajudá-los em seu caminho para o desenvolvimento de uma vida moral que prepare um bom terreno para o crescimento em Cristo.

A vida cristã não começa com um comportamento moral. Não nos tornamos bons para ter a Deus. Mas, tendo sido trazidos para as operações de Deus, o comportamento moral nos oferece formas para o amadurecimento numa vida de ressurreição. Os atos morais são formas no mesmo sentido em que um vaso de cerâmica dá forma a um buquê de flores, no mesmo sentido em que um balde oferece um recipiente para tirar água do poço e levá-la para a cozinha, no mesmo sentido em que um clarim oferece forma a uma coluna de ar comprimido que permite a produção de sons. Os atos morais são formas para organizar e expressar a ressurreição.

* * *

Uma mulher de seus vinte e tantos anos começou a frequentar minha congregação a convite de alguns amigos. Depois de algumas semanas ela perguntou se poderia ter uma conversa comigo. Queria tornar-se cristã. Não sabia quase nada sobre a fé cristã, não fazia ideia das implicações de "tornar-se cristã". Conversamos e oramos. Ela estava pronta. Assumiu o compromisso de seguir Jesus. Apresentou-se para o batismo.

Mas tinha poucos conhecimentos sobre a fé. Nunca havia frequentado a igreja, nem lido a Bíblia; tinha seguido mais ou menos os costumes da cultura em que se criara e se comportava como seus amigos. Ela pediu mais encontros para conversar. Assim, encontrávamo-nos a cada duas ou três semanas em meu escritório, conversávamos e orávamos, explorando o significado e as implicações dessa nova vida em que ela havia ingressado. Era tudo tão recente e novo, uma vida interior que ela jamais conhecera, uma comunidade de cuja existência ela nunca soubera. Era, no estilo americano, uma "gentia", e nada sabia da igreja.

Conservas desse tipo são sempre interessantes de ouvir e observar conforme a fé cristã, essa prática da ressurreição, ganha vida numa pessoa pela primeira vez. Ela assimilava tudo, abraçava tudo prontamente e com alegria. Mas uma coisa me intrigava. Ela morava com o namorado. Acabei sabendo que sempre havia convivido com namorados, desde que tinha 20 anos. Essa convivência quase nunca durava mais de seis meses. Ela não estava interessada em casamento. Contou-me tudo isso sem desculpar-se e não como uma confissão, mas tudo muito naturalmente, à medida que fomos nos conhecendo. Perguntei-me se eu devia dizer alguma coisa. Com certeza ela sabia que o estilo cristão tinha algumas implicações para seu estilo de vida. Ela frequentava a igreja todos os domingos. Estava se aclimatando à igreja, essa comunidade cristã. Supus que acabaria percebendo. Esperei que ela tocasse no assunto.

Certo dia, por impulso, eu disse:

— Há sete meses temos tido estas nossas conversas. Astrid, você faria uma coisa por mim?

— Claro. O que é?

— Passe os próximos seis meses como celibatária.

Surpresa, ela perguntou:

— Por que eu faria isso?

— Apenas porque eu lhe peço. Confie em mim. Acho que isso é importante.

Eu soube mais tarde que o namorado a deixou em menos de uma semana. Um mês depois, quando veio me visitar, não mencionou o fato. Mas nos meses seguintes ela falou no assunto:

— Quando o senhor pediu que eu levasse uma vida solitária por seis meses, eu não fazia ideia do que o senhor tinha em mente. O senhor me pediu que confiasse, e eu confiei. Já se passaram dois meses, e acho que entendo o que o senhor estava fazendo. Eu me sinto livre. Nunca me senti tão "eu mesma" antes, nunca me senti à vontade comigo mesma. Achava que todo mundo fazia o que eu estava fazendo. Todos os meus amigos faziam. A meu ver, era esse o estilo de vida moderno. E agora estou notando tantas outras coisas sobre minhas relações com as outras pessoas... elas me parecem muito mais limpas e completas. Tão ordenadas. E sabe de uma coisa? Andei pensando que posso querer me casar um dia. Eu lhe agradeço por isso.

A decisão pelo celibato sobreviveu aos seis meses e continuou por mais dois anos, até a época em que ela e seu noivo decidiram fazer os votos matrimoniais, e eu abençoei seu casamento cristão.

* * *

Os artistas empregam a expressão "espaço negativo" para designar a importância do que não está presente numa escultura ou num quadro. O artista precisa saber o que excluir e o que incluir. O espaço aberto, vazio, natural — o que não se vê — oferece o contexto para ver a obra criada. O espaço negativo faz parte de uma obra de arte tanto quanto aquilo que se vê.

As negativas são importantes à medida que vamos descobrindo nosso caminho na prática da ressurreição. Elas abafam o tumulto. Quando Paulo nos introduz no quadro da igreja, ele é cauteloso. Não nos bombardeia com imperativos sobre o que é preciso fazer, sobre que oportunidades existem simplesmente à espera que as aproveitemos. Ele é cuidadoso e não nos estimula a assumir nenhum comando desse assunto do reino. Ele lança os fundamentos que consistem naquilo que não fazemos. Nenhuma das negativas de Paulo exige algum heroísmo. Um modesto comedimento, um esforço mínimo: pôr a falsidade de lado, não permitir que o sol se ponha sobre nossa ira, não roubar, não proferir ofensas, não ofender o Espírito Santo, não discutir, não caluniar, não maliciar, não fornicar. Essas negativas identificam ações ou atitudes que eram vistas como normais, algumas até sancionadas, naquela cultura gentia do primeiro século. E também na cultura gentia do século 21. As coisas não mudaram muito.

A maior parte da vida cristã é uma resposta àquilo que Deus diz e faz. As negativas não definem nossa vida. As afirmativas de Deus nos definem. O que as negativas fazem é deixar espaço para a ação principal, a ação de Deus. Quando falamos demais ou fazemos demais, atrapalhamos o que Deus está fazendo. Tornamo-nos uma distração. Quando imergimos na igreja, percebemos que há práticas culturalmente aceitáveis, estilos gentios de vida, que devemos abandonar. Percebemos que há coisas nessa cultura gentia na qual crescemos que são extravagantemente admiradas e recompensadas por nossa sociedade secularizada, mas que nós devemos evitar. Uma coisa boa, dita ou feita no lugar ou no momento errado, é uma coisa ruim. Amadurecer na "medida da estatura da plenitude de Cristo", a prática da ressurreição, exige muito espaço negativo — muitas coisas não ditas, muitas coisas não praticadas.

O membro tímido da Trindade

A premissa por trás de todas essas negativas — "não mais andeis como também andam os gentios" — é uma enorme declaração positiva: Deus é ativo, incrivelmente ativo, ativo além de nossa imaginação. A esta altura, não deve ter passado despercebido em nossa leitura de Efésios o fato de que Deus é às vezes mencionado como Pai, às vezes como Filho (ou Jesus ou Cristo) e às vezes como Espírito Santo. As três Pessoas têm uma forma de estar acima de nós, criando e provendo; uma forma de estar conosco, revelando e salvando; uma forma de estar presentes em nós, abençoando e santificando.

Nas três Pessoas há uma unidade dinâmica e versátil, mas há também incumbências e ações primárias que procedem unicamente do Pai, do Filho e do Espírito Santo. Deus Pai: Deus que tudo cria e com sua palavra tudo mantém unido. Deus Filho: Deus entrando na história, mostrando-nos Deus em ação em termos humanos que podemos reconhecer, realizando a salvação para todos. Deus Espírito: Deus presente conosco e em nós, convidando-nos, guiando-nos e aconselhando-nos, seduzindo-nos para uma participação em todas as formas divinas de ser Deus. Todas essas operações de Deus estão em evidência conforme Paulo nos dirige e nos acompanha no processo do crescimento em Cristo. A doutrina da Trindade é a maneira da igreja de pensar sobre o que mantém unificadas e relacionadas entre si todas essas operações divinas.

À medida que assimilamos todas as maneiras de Deus ser Deus e delas participamos, é essencial que adquiramos um modo trinitário de olhar para Deus — entendendo que sempre que uma das Pessoas divinas ocupa o primeiro plano as outras duas estão ao mesmo tempo implicitamente envolvidas. O Pai nunca está isolado do Filho e do Espírito; o Filho nunca está presente sem a presença do Pai e do Espírito; o Espírito nunca é experimentado sem a presença do Pai e do Filho. Há um só Deus, mas esse Deus não pode nunca ser entendido como uma abstração, como uma ideia, como um princípio, como uma verdade, como uma força. Todas as formas de Deus ser Deus são completamente pessoais, não impessoais;

relacionais, não díspares; particulares, não gerais — e *somente* pessoais, relacionais e particulares.

Uma visão trinitária impede que o "único" Deus seja definido de modo matemático; que o Deus vivo seja reduzido a um número sem vida. Números são linguagem em sua forma mais abstrata e impessoal. Nada supera os números quando se trata de algo impessoal — máquinas e planetas e mercados financeiros — mas eles são praticamente inúteis para lidar com pessoas, e menos do que inúteis como linguagem a ser usada com Deus e sobre Deus. Assim, não entendemos a Trindade trabalhando com números, quebrando a cabeça indagando como um é igual a três e três é igual a um. A Trindade nada tem a ver com a aritmética. A Trindade é a maneira pela qual a igreja aprende a pensar em Deus e a reagir de modo relacional a ele que se nos revela como Pai, Filho e Espírito Santo. Deus é triplamente pessoal, enfaticamente pessoal, inexoravelmente pessoal. Crescer na prática da ressurreição deve ser inexorável e enfaticamente pessoal.

Até esse ponto Paulo se referiu a Deus principalmente como Pai e Filho, o que é de se esperar, pois o que Paulo está fazendo é expandir nosso entendimento de tudo o que Deus está fazendo em duas frentes: fazendo-nos ser quem somos (como filhos de Deus, redimidos, escolhidos para viver em louvor da sua glória) e fazendo a igreja ser o que ela é (o corpo de Cristo, a comunidade da ressurreição, a congregação de cristãos crescendo para a maturidade em Cristo).

As citações de Paulo sobre a presença de Deus conosco como Espírito Santo estão longe de ser tão frequentes como as do Pai e do Filho,[6] mas a primeira ocorrência é estrategicamente notável por apresentar a conclusão daquela longa frase periódica de abertura que nos esclarece "toda sorte de bênção espiritual nas regiões celestiais [...] tanto as do céu como as da terra" (Ef 1.3,10). Estamos envolvidos em tudo isso. Não somos espectadores de tudo o que Deus está fazendo, mas sim pessoas íntimas, "selados com o Espírito Santo da promessa; o qual é o penhor da nossa herança, até ao resgate da sua propriedade, em louvor da sua glória" (1.13-14). Paulo está prestes a repetir esse texto conforme nos orienta no comportamento apropriado para uma vida de ressurreição.

---

[6] Nessa carta aos efésios, o Pai (ou Deus e Pai, ou Deus), 33 vezes; Jesus (ou Jesus Cristo, ou Cristo Jesus, ou Filho), 21 vezes; Espírito Santo (ou Espírito), 14 vezes.

O Espírito Santo é Deus presente conosco, tornando-nos participantes pessoais de toda a sua obra, autorizando-nos a estar presentes na totalidade dela. Nada na criação, nada na reconciliação está "lá fora" para ser admirado ou "a nossa disposição" em ocasiões especiais, ou reservado para os preferidos de Deus. Tudo o que está nas Escrituras é viável em nossa vida. Mas não no sentido de uma mercadoria que podemos obter e depois usar como queremos, e não no sentido de uma habilidade que podemos adquirir e depois usar como desejamos. O Espírito Santo é a presença ativa de Deus, tornando-nos participantes plenos, que respiram o Espírito (o sopro de Deus — "espírito") da criação e salvação de Deus em nossa vida de ressurreição.

Essa viabilidade de viver a vida de ressurreição em nosso corpo, em nossa casa, em nossa vizinhança, em nosso local de trabalho, é a obra de Deus localizada e personalizada na igreja e em nós. Mas ela também tem uma certa qualidade de anonimato divino. É importante perceber esse anonimato silencioso. Quando Deus nos traz para essa vida de participação do Espírito Santo, ele não faz disso um espetáculo. Retidão e santidade não consistem em caminhar de cabeça para baixo ou saltar de um trampolim fazendo piruetas. Deus se serve de nós exatamente como somos para dar testemunho dele: para servir, louvar, ajudar, curar, cuidar, amar. Ele não põe uma auréola sobre nossa cabeça para que todo mundo note que Deus está presente e está vivo de modo a garantir que ele receberá o crédito apropriado. E Deus não parece constrangido por misturar-se com vidas como a nossa, às vezes indolentes, muitas vezes desleais. Ele não se mantém distante de nós para proteger sua reputação.

* * *

Ontem minha mulher e eu estávamos caminhando num bosque e nos assustamos quando uma águia-americana a apenas uns sete metros de distância irrompeu em seu voo. Ela estivera se alimentando da carcaça de um cervo e foi forçada a fugir quando nos aproximamos. É raro alguém chegar tão perto da uma águia-americana. Ficamos lá embasbacados — a enorme envergadura de dois metros de suas asas nos tirou o fôlego. Ela voou para o galho de uma árvore a uma distância que deve ter imaginado segura e ficou nos observando desconfiada ao mesmo tempo que estava de olho em seu jantar. Nós nos sentimos honrados por sermos incluídos entre os observadores íntimos dessa feroz beleza da criação em ação.

Hoje de manhã passei mais ou menos uma hora lendo e ponderando o relato de João sobre a crucificação e ressurreição de Jesus, a história da minha salvação. Eu me sentia nostálgico e evoquei a lembrança de várias das muitas pessoas que conheci, algumas já falecidas, algumas ainda vivas, que participam dessa mesma história. Não foi a primeira vez que me senti subjugado diante da constatação de que sou um participante íntimo dessa radicalmente esperançosa forma de entendimento da salvação que ocupa o centro da história.

Depois do almoço fui de carro para a nossa aldeia. Apanhei a correspondência no correio, parei na quitanda, onde comprei uma cebola vermelha e um pouco de iogurte para a salada do jantar, abasteci o carro num posto de combustível. Encontrei umas quinze pessoas com quem falei. Conhecia metade delas pelo nome e sabia alguma coisa de suas histórias. Três ou quatro delas participam do culto todo domingo. Nada "aconteceu". Não ouvi ninguém dizer nada que fosse memorável. Mas eu vejo as coisas de modo diferente. Sei que a santidade e a retidão estão sendo elaboradas na vida daquelas pessoas, talvez na de todas pelo que sei. No caso de algumas delas, conheço os detalhes: criação vivida, salvação vivida.

Esse é o contexto em que Deus Espírito Santo vive a criação, vivendo a salvação em nós, de corpo e alma, conforme vamos para o trabalho, corremos atrás de nossas incumbências, saudamos amigos e estranhos. Essa obra do Espírito Santo muitas vezes passa despercebida e sem ser notada. Outras vezes é muito percebida e notada com entusiasmo. Mas isso na maioria das vezes não acontece.

F. Dale Bruner, que é um amigo meu e um estudioso do Novo Testamento, chama o Espírito Santo de "o membro tímido da Trindade". Isso me parece correto. O Espírito é uma presença estimulante e poderosa mas silenciosa. Há uma qualidade dramática, kerigmática, que chama nossa atenção para a obra do Pai na criação e do Filho na salvação que faz da praça pública um ponto de encontro a se considerar. Quando a criação e a salvação são corporificadas pelo Espírito Santo em homens e mulheres comuns e em circunstâncias comuns, esses homens e mulheres e circunstâncias comuns geralmente não ganham as manchetes, mas apesar disso eles são, da mesma forma poderosa e efetiva, a obra de Deus. O adjetivo "tímido" nesse contexto trinitário nada tem a ver com acanhamento ou hesitação, mas é um aviso bem colocado contra a expectativa de feitos extravagantes como evidência do Espírito.

* * *

A primeira menção de Deus Espírito Santo em Efésios 1.13-14 é agora retomada e repetida por Paulo em 4.30. Mas aqui o contexto é diferente. No capítulo 1 o Espírito Santo é a promessa de que toda a obra de Deus será realizada em nossa vida, sendo o Espírito Santo uma garantia de que essa grande obra acontecerá no seio "do povo de Deus" — *nós*.

Essa segunda menção no capítulo 4 repete como no capítulo 1 a natureza do Espírito em ação, afirmando que o Espírito Santo é a garantia de que receberemos a herança da redenção, mas ela é agora prefaciada por uma negativa: "Não entristeçais o Espírito de Deus". Isso chama nossa atenção.

Até aqui todos os imperativos éticos e morais que Paulo estabeleceu estão relacionados com a maneira como nos comportamos uns com os outros. E todos eles aparecem na seguinte formulação: Não façais isto, *mas* fazei aquilo. Primeiro a negativa, depois a afirmativa. Mas o imperativo "Não entristeçais o Espírito de Deus" aparece isolado. Todos os outros imperativos se referem a como nos comportamos com os outros; este diz respeito a nosso comportamento em relação a Deus. E é o único imperativo que não é seguido por uma forma afirmativa.

Isso merece ponderação: "Não entristeçais o Espírito de Deus". "Entristecer" é um verbo pessoal, relacional. Estamos sendo orientados sobre comportamentos que ofereçam condições apropriadas para o crescimento em Cristo, para o desenvolvimento de uma vida madura. Esses comportamentos são formas que o Espírito Santo emprega para dar ao mundo seu testemunho em relação às maneiras de Deus ser Deus no Pai e no Filho, através da igreja. As formas em si mesmas são apenas formas, formas vazias. É o Espírito Santo que supre o conteúdo e a energia que preenche as formas para que elas se tornem vasos de retidão e santidade.

Se entendermos essas formas como regras impessoais que podemos observar ou quebrar sem outras consequências a não ser o que acontece conosco, então nos mostraremos esquecidos do fato de que há consequências para a Divindade: o Espírito de Deus sofre — *entristece-se*. Se tomarmos essas formas e as usarmos do nosso jeito (dizendo a verdade, trabalhando honestamente, dividindo com os necessitados, amando etc.), se as assumirmos e usarmos como roteiros para um desempenho pessoal, nós, com efeito, rejeitaremos ou ignoraremos ou dispensaremos o Espírito. "Entristeceremos" o Espírito. Na melhor das hipóteses, seremos rudes. Na pior, seremos blasfemos, voltando as costas para o Espírito, assumindo o controle de nossa vida e inventando nossa própria versão de retidão e santidade.

O que devemos entender em tudo isso é que o Espírito Santo é, acima de tudo, cortês. Não há nenhuma coerção, nenhuma manipulação, nenhuma imposição. O Espírito Santo nos trata com dignidade, respeita a nossa liberdade. O Espírito Santo é a presença capacitadora de Deus, e o poder que ele cria em nós é uma vida de bênção e salvação, uma vida de ressurreição. Não é absolutamente uma vida de obstinação, uma vida de hipocrisia, uma vida que usa Deus para conseguir o que nós queremos. Vivendo nesses termos e com essa mentalidade, certamente entristeceremos o Espírito.

Mais uma coisa. Em algumas partes da igreja há uma grande queixa sobre a ausência do Espírito Santo. Os que fazem essa crítica estão seguros de que sabem como deveria ser a presença do Espírito Santo e protestam em altos brados contra a sua suposta ausência. Eles também têm as estratégias prontas para recrutar o Espírito. Considerando-se, porém, o que sabemos pelas Escrituras e pela igreja sobre a notória inclinação do Espírito pelo anonimato, e considerando-se as garantias de Paulo de que nós já fomos "selados [no Espírito Santo] para o dia da redenção" (1.13 e 4.30), não seria mais sábio descobrir a nosso redor o que nos é dado neste exato momento e aceitar isso com gratidão? Alguns sugeriram que esse hábito de afirmar solenemente a ausência do Espírito e promover a duras penas um reavivamento pode muito bem ser mais uma maneira de entristecer "o Espírito de Deus".[7] O Espírito de Deus é o Guia indispensável do nosso espírito.

---

[7] Ver Markus Barth, *The Broken Wall* (Chicago: Judson Press, 1959), p. 70.

11

Amor e adoração: Efésios 5.1-20

> Sede, pois, imitadores de Deus, como filhos amados; e andai em amor, como também Cristo nos amou e se entregou a si mesmo por nós, como oferta e sacrifício a Deus, em aroma suave.
>
> Efésios 5.1-2

> A ressurreição me situa num mundo que não é fechado em si mesmo, mas aberto e arejado, onde sopram os ventos da eternidade.
>
> Paul Scherrer, *The Word God Sent*

Estamos a esta altura já bem adiantados no caminho para entrar num profundo ritmo trinitário em nossa vida, tendo uma consciência viva de todas as formas de Deus ser Deus e depois *participando* delas, o que constitui a prática da ressurreição. Paulo nos fez começar a jornada trazendo-nos a um entendimento participativo da retidão e da santidade (Ef 4.17-32). Agora, no capítulo 5, ele trata do amor e da adoração.

Estamos bem encaminhados, encaminhados para uma vida de participação no ser e na obra de Deus Pai e Deus Filho. Preste atenção: não se trata de aplicação, essa palavra contemporânea para adesão àquilo que Deus está fazendo. "Aplicação" parece sugerir que, uma vez que soubermos quem Deus é e o que ele faz, caberá a nós assumir o controle e executar o plano. Nada nos poderia induzir mais ao erro. Deus está totalmente envolvido tanto em nossa participação quanto em sua Revelação e Encarnação. E sua maneira de fazer isso é a maneira do Espírito Santo.

Paulo construiu uma sólida fundamentação para o entendimento e a absorção das maneiras abrangentes pelas quais Deus é Deus: as maneiras pelas quais Deus se revela como Pai (as glórias da criação e da aliança); as maneiras pelas quais Deus se dá a conhecer como Filho (a salvação realizada em Jesus e a comunidade de salvação que é a igreja); as maneiras pelas quais Deus está presente entre nós como Espírito (a própria vida de Deus que nos é dada numa profusão de dons que nos habilitam a viver a vida de Deus). As maneiras de Deus ser Deus como Pai e Filho preencheram o horizonte nos três primeiros capítulos de Efésios. O Espírito não estava ausente — como poderia estar? Todas as maneiras de Deus ser Deus estão implícitas em tudo o que Deus é, fala e faz.

Mas em 4.1-16 Paulo faz uma transição muito habilidosa de como lidar com Deus como ele é e faz para a nossa participação em quem ele é e no que ele faz. Não é uma transição em preto e branco — a primeira parte toda sobre Deus, a segunda parte toda sobre nós. Não, nós estivemos nisso com Deus desde o princípio, e Deus estará nisso conosco até o fim. A vida de Deus e a vida humana não são assuntos separados. A principal maneira pela qual participamos de quem Deus é em todas as particularidades de nossa vida prática, numa relação profunda, pessoal e inextricável, é a maneira do Espírito Santo.

É por causa da maneira de Deus conosco como Espírito que nós sabemos que tudo em Deus e sobre Deus é *viável* em nossa vida — Deus nos tornando partícipes com Deus. Pai, Filho e Espírito Santo não são meramente verdades que devemos aprender e nas quais crer. Elas devem ser vividas. A igreja não é primeiramente um lugar para a educação. É um lugar, um campo de jogo se você preferir, para a prática de Deus, a prática da ressurreição.

* * *

Mas primeiro outro "pois", que nos garante proteção (Ef 5.1). Por mais familiarizados que estejamos com as implicações de pôr em prática o chamado de Deus, por mais vezes que nos tenhamos envolvido nessas ações, devemos manter uma atenta vigilância, alimentando continuamente uma conexão viva, orgânica entre o ser e a obra de *Deus* na igreja e no mundo e o *nosso* ser e a *nossa* obra na igreja e no mundo. Nada pode ser pressuposto. Tudo o que faz parte da prática da ressurreição requer vigilância para não vaguearmos por aí, isolados. Não uma vigilância preocupada, ansiosa, paranoica, é claro, mas mesmo assim uma vigilância. Haverá ainda mais um "portanto" nesta seção (5.7) antes de concluirmos o tratamento desse par de práticas da ressurreição, o amor e a adoração.

A proteção neste caso consiste em mergulhar deliberadamente e sem pressa nas maneiras de Deus antes de partir por nossa própria conta: "Sede, pois, imitadores de Deus...". Não estamos nos preparando para um exame que nos proporcionará um certificado de bom comportamento em ressurreição ou uma admissão no céu; estamos absorvendo em nossa imaginação em oração uma maneira de ser. Observar o que Deus faz, e depois agir da maneira dele. Como crianças que aprendem o comportamento apropriado por meio da convivência com os pais, devemos ser imitadores de Deus, manter-nos na companhia de Deus. Devemos ler as histórias de Abraão e Moisés, Josué e Calebe, Débora e Rute, Davi e Jônatas, Elias e a viúva de Sarepta, Jeremias e Pasur, Isaías e Acaz, Amós e Amazias, Oseias e Gomer. E Jesus. Principalmente Jesus: Jesus e sua mãe, Jesus e Herodes, Jesus e Zaqueu, Jesus e Pedro, Jesus e Judas, Jesus e Maria Madalena, Jesus e Cleopas. Marinamos nossas orações e nosso comportamento nessas histórias que revelam Deus e suas maneiras em relação a nós.

Agindo por nossa própria conta, quase tudo o que imaginamos que Deus é e faz está errado. Quase tudo o que nossa cultura nos diz que Deus é e faz está errado. Não absolutamente errado, veja bem — há uma assombrosa quantidade de verdade e bondade e beleza misturada nisso tudo —, mas errado a tal ponto que se o engolirmos por inteiro correremos o risco de contrair uma "doença de morte" (diagnóstico de Kierkegaard). A revelação é uma reorientação radical da realidade — realidade de Deus, realidade da igreja, realidade da alma, realidade da *ressurreição*. Precisamos de uma imersão sempre repetida na revelação do Deus nas Escrituras e em Jesus como proteção contra as mentiras do diabo. São mentiras tão afáveis: mentiras que seduzem sorrindo e nos desviam da cruz de Cristo, mentiras que cordialmente se oferecem para nos mostrar como despersonalizar o Deus vivo e transformá-lo num ídolo feito sob medida para nosso uso e controle.

"Sede, pois [*pois!*], imitadores de Deus." Observemos com cuidado as maneiras de Deus no amor, "como Cristo nos amou", e as maneiras de Deus na adoração, como Cristo "se entregou a si mesmo por nós, como oferta e sacrifício a Deus, em aroma suave" (5.1-2).

"Tudo esboroa; o centro não segura…"

Uma formidável dificuldade na prática do amor e da adoração é posta em nosso caminho pelas maneiras deste mundo. É um mundo no qual nem o amor nem a adoração desfrutam de muita credibilidade. Amar e adorar na contexto de hoje — e não era diferente na Éfeso, Roma e Atenas dos tempos antigos — é ser atirado pela cultura na lixeira da irrelevância. Nada contra o amor e a adoração, se tudo o que se busca é cuidar da própria alma. Mas se você quiser fazer diferença no mundo, levar prosperidade aos pobres, levar paz às nações, levar alimento aos famintos, levar cura aos doentes, levar saneamento ao ambiente, esqueça o amor e a adoração como formas de realizar o que quer que seja. Se você quiser seriamente fazer algo a respeito do que está errado no mundo, deve adotar maneiras que têm um histórico testado e aprovado, fazer algo que *funcione*, algo que seja eficaz.

Os meios apropriados de fazer o bem no mundo, reconhecidos pelos "poderes estabelecidos" e sancionados pela prática popular, são a educação, a tecnologia, a propaganda e a divulgação, a legislação e o dinheiro. E, como último recurso, a guerra. Se os problemas não puderem ser resolvidos de outro modo, partimos para a guerra. É alarmante a maneira como a linguagem da guerra se infiltra em nosso vocabulário e imaginação. Nós combatemos o câncer e lutamos pela liberdade; travamos guerras contra as drogas, guerras contra a pobreza e guerras pela paz. Esse último caso representa a maior das ironias, uma política de matar gente que é contra a paz.

O poeta irlandês William Butler Yeats escreveu seu sempre citado poema "A segunda vinda" em 1919, numa profética reação a um mundo que estava sendo devastado pelo ódio e por uma guerra sangrenta. Era um mundo com um nível de educação impressionante, altamente tecnológico, relativamente próspero. Ele observava esse mundo afundando num abismo de mentiras e violência:

> Tudo esboroa; o centro não segura;
> Mera anarquia avança sobre o mundo,
> Maré escura de sangue avança e afoga
> Os ritos da inocência em toda parte.[1]

---

[1] *Things fall apart; the centre cannot hold; / Mere anarchy is loosed upon the world, / The blood-dimmed tide is loosed, and everywhere / The ceremony of innocence is drowned.*
W. B. Yeats, *Poemas*, trad. Paulo Vizioli (São Paulo: Companhia das Letras, 1992), p. 93.

Seu poema profetiza a destruição do ciclo cristão de dois mil anos e o nascimento de uma nova anticivilização violenta, bruta, um nascimento em total contraste com o nascimento de Jesus. Essa é a "segunda vinda" de Yeats. Em vez de "o Filho do Homem vindo sobre as nuvens do céu, com poder e muita glória" (Mt 24.30) prometido por Jesus, a revelação da segunda vinda de Yeats é a vinda da besta do Apocalipse, um "rude animal, [que] chegado o tempo, / Arrasta-se a Belém para nascer".

"A segunda vinda" tornou-se para muitos *o* texto profético para uma sociedade que, como o juiz das parábolas de Jesus, afirma: "Não temo a Deus, nem respeito a homem algum" (Lc 18.4). Nos anos que passaram depois que Yeats escreveu aquelas palavras, a "maré escura de sangue" transformou-se num tsunami de violência social, política e sexual. Este é o mundo no qual a igreja pratica o amor e a adoração? A total enormidade da corrupção da moral e da degradação da linguagem leva muitos a colocar o amor e a adoração na periferia da vida e a tentar praticar as melhores coisas mediante a adoção da agenda do mundo.

Mas isto é que é interessante. Um mês depois que Yeats havia escrito "A segunda vinda", sua filha Anne nasceu nesse mundo muito descentralizado de "mera anarquia" que ele pintara como uma ameaça de destruição. Três anos mais tarde, ele escreveu outro poema, "Oração por minha filha", que, apesar das provas em contrário que ele expusera em "A segunda vinda", está repleto de comovente esperança. Em sua oração ele reconhece que sua filha crescerá em tempos de desespero. Mas se "o centro não segura", como pode esse nascimento, sua filha no berço, escapar do pesadelo visto no rude animal sendo embalado onde Cristo tivera outrora seu berço? Ele nesse momento ora com o mais terno amor e sentimento de reverência e cerimônia que é a adoração. Quando ele mais tarde organizou os poemas para publicá-los, colocou a oração por sua filha imediatamente depois da profecia do rude animal arrastando-se a Belém para nascer.[2] Sua profecia do amor supera a profecia da destruição. Os aparentemente frágeis métodos do amor e da adoração que Yeats articulou em "Oração por minha filha" ofereceram uma esperança de que a "arrogância e o ódio" de seus contemporâneos que estão fazendo todo aquele barulho — um

[2] John Unterecker, *A Reader's Guide to William Butler Yeats* (Nova York: Noonday Press, 1959), p. 166-168.

"velho fole cheio de rajada" — não prevaleceriam contra a "inocência radical" pela qual ele orava em favor de sua filhinha.

Não estou citando Yeats como um perito num tribunal que defende o amor e a adoração contra seus detratores. Ele não se identificava como cristão. Sua espiritualidade era em grande medida uma criação pessoal baseada num depósito de ideias e mitos ocultistas. Mas eu o considero útil como voz na praça pública, alguém que atesta a indestrutibilidade do amor e da adoração, que sobrevive e suplanta o pior que um mundo que opta pelo ódio e a guerra arremessa em nosso caminho à medida que praticamos o amor e a adoração. Homens e mulheres que praticam a ressurreição não são ingênuos. Afinal, a prática atingiu sua expressão absolutamente plena na "maré escura de sangue" provocada pela crucificação. As condições, pelo menos as condições mostradas pela mídia, nunca são propícias à prática da ressurreição.

Três mil anos antes de Yeats, um poeta hebreu, depois de detalhar as condições nada promissoras que o haviam deixado titubeante, registra como recuperou seu equilíbrio. Conclui sua oração com um dístico de reatamento:

Em Deus faremos proezas;
    porque ele mesmo calca aos pés os nossos adversários.

Salmos 108.13

Certo. Amor e adoração na prática da ressurreição. Ninguém que eu conheça questiona a desejabilidade do amor e da adoração. Pouquíssimos, pelo menos na vida cristã, negam seu lugar em algum ponto de nossa vida. Mas e a *prática*? Aqui o consenso começa a desfazer-se nas pontas. Precisamos entender isso direito.

A linguagem do amor

O imperativo de imitar a Deus, de amar como Deus ama, é preenchido com três formas gramaticais do termo "amor" — como adjetivo, como nome e como verbo. Nós somos definidos como *filhos amados*. Recebemos a instrução de andar *em amor*. A palavra de Paulo para indicar a ação é "andar" (*peripateo*), uma espécie de amor com os pés no chão. E esse amor é aquela espécie que vemos representada em ruas e calçadas reais, na história real, e narrada na história (revelação) de Jesus; a espécie de amor que experimentamos diretamente em Jesus, que *nos amou*. Essas formas gramaticais cobrem todas as bases: nossa identidade batismal de amados, o território do amor em que vivemos, nossa experiência de sermos amados por Jesus.

Essas não são as maneiras de empregar a palavra "amor" com que fomos criados. Se somos felizardos (e nem todos são), ouvimos essa palavra primeiro da boca de nossos pais. Mais tarde a empregamos com amigos da infância; mais tarde ainda como adolescentes, em hesitantes tentativas de intimidade. Poucos de nós — absolutamente não a maioria — consideram mais seriamente essa palavra quando a usamos nos votos matrimoniais. Mas logo já estamos usando esse termo ao acaso, depreciando-o vulgarmente como sinônimo de "gostar": "Eu amo o ar livre... aquele vestido... este filme... o meu time do coração...". "Amor" talvez seja a palavra mais frequente em nosso falar para dizer do que gostamos, o que nos atrai, o que desejamos muito. Em seu uso comum ela é despida de conotações teológicas e de reciprocidades pessoais.

Se quisermos recuperar essa palavra para usá-la na prática da ressurreição, teremos muito trabalho a fazer.

O amor que praticamos nessa vida de ressurreição origina-se em Deus e apenas nele. Todo amor se origina no amor de Deus. O amor de Deus permeia todas as expressões da graça do Pai, Filho e Espírito Santo. É sempre pessoal, nunca impessoal; é sempre "as coisas do céu como as da terra", nunca uma abstração ou ideia; é sempre específico em relação a pessoas e lugares, nunca uma nebulosa generalização.

* * *

É preciso insistir repetidamente nisso, pois é provável que não exista nenhuma palavra em nossa língua que tenha sido tão esvaziada de sua origem no Pai, do conteúdo de Jesus e da dinâmica do Espírito quanto essa palavra. Mentiras são contadas usando-se o nome "amor" para lhe conferir credibilidade, mais talvez do que qualquer outro nome. E sem dúvida mais bobagens são perpetradas sob a bandeira do amor do que sob qualquer outra.

"Eu te amo" é uma frase que transforma a vida, intensifica a vida, salva a vida. Proferida por Deus é assim. E proferida em nome de Deus é assim.

Mas, se sua origem divina e seu conteúdo divino forem eliminados, ela será uma palavra oca, desesperadamente trivializada, infinitamente banalizada. Todos os anos no Dia dos Namorados há um desfile e uma exposição pública de banalidades. Homens e mulheres compram milhões de cartões de namorados repletos de insípidos clichês; toneladas de chocolate e vastos campos de roseiras que são vãos e fúteis disfarces de tentativas de dizer "Eu te amo" sem que ninguém de fato precise dar-se ao trabalho de fazê-lo.

Mas as coisas são ainda piores. A palavra tem sido erotizada de modo tão implacável que até quando é empregada com as melhores intenções e com o coração puro ela diz exatamente o contrário do que quer dizer. Aqui temos uma de nossas melhores palavras, recendendo a todas as operações da Trindade, abrangente em suas implicações para todos os homens e mulheres do mundo, fundamental na prática da ressurreição — enxovalhada. A erotização do amor a esvazia de tudo com exceção da genitália e da luxúria, reduz a pessoa que ama e a pessoa amada a consumidores de êxtase. E como acontece com qualquer vida dominada pelo obter alguma *coisa*, ela finalmente impede que ele ou ela possa ser *alguém*. Quanto mais uma pessoa consegue *obter* tanto menos ela *é*. "Amor", a melhor e mais complexa palavra relacional que temos, é abusada de tal modo que transforma as pessoas em objetos de uso. A palavra em si é arruinada, e quanto mais a empregamos tanto mais ela nos arruína e arruína a outros. Palavras têm peso: palavras matam e palavras dão vida. Qual das duas coisas acontecerá com "amor"?

Significativo é o fato de que, imediatamente depois de introduzir a prática do amor, Paulo nos adverte contra a corrupção do amor mediante a fornicação (Ef 5.3-5). Fornicação é amor reduzido a sexo, amor sem relacionamento, "amor" sem amor. A corrupção do melhor é a pior. "Podre, o lírio cheira pior que erva daninha" é o acerbo comentário de Shakespeare. Não que haja alguma coisa errada com sexo. O destaque dado a Cântico dos Cânticos em nossas Escrituras, uma celebração exuberante em grau máximo que abarca o aspecto sexual numa madura, santa intimidade digna e boa, é uma refutação adequada de qualquer tentativa, por mais "espiritual" que seja, de dessexualizar o amor. Mas o amor *reduzido* a sexo, despersonalizado para o mero consumo, quaisquer que sejam os prazeres iniciais provados, logo fica feio, degrada-se e no fim destrói a intimidade. Quando o "amor" sem amor se torna uma epidemia, nós nos vemos, como aconteceu com Jesus, vivendo em meio a uma "geração má e adúltera" (Mt 12.39), e sabemos que precisamos nos preparar para uma dura reorientação nas maneiras como Deus é amor, nas maneiras como Deus ama e nas maneiras como praticamos o amor na companhia de Deus.[3]

* * *

Bernardo de Claraval, um cristão do século 12, escreveu um tratado intitulado "Do amor a Deus", no qual apresentou sensatos e santos conselhos sobre o entendimento e a prática do amor em sua própria cultura, que também estava imensamente confusa sobre o assunto. O século 12 foi o século em que a erotização do amor se tornou epidêmica no mundo ocidental. A epidemia continua fora de controle em nossa época. Qualquer amor digno de seu nome passou a ser identificado como amor-paixão e desenvolveu-se como um culto ao amor cortês. Era perseguido por cavaleiros e decantado por trovadores que conseguiram redefinir todo amor "real" como amor adúltero, isto é, o amor concebido como conquista idealizada, não mutuamente relacional e pessoal e, naturalmente, excluindo tudo o que incluísse Deus, Jesus, o Espírito. É também uma expressão religiosa na heresia do amor dos cátaros que envenenaram o entendimento e a prática do amor na igreja cristã.[4]

Bernardo de Claraval conhecia bem essa cultura. Conhecia a ameaça mortal que isso significava para a revelação cristã do amor em Jesus e nas Escrituras. Fez disso um tema principal de seus escritos, pregações e obra pastoral para combater a infiltração dessa tóxica expressão do amor na sociedade bem como na igreja. Sua obra mais extensa foi um magnífico e bem argumentado comentário sobre Cântico dos Cânticos. Tendo em

---

[3] Paulo precede seu imperativo do amor em Efésios 5.2 — começa de forma fluente sua reorientação — usando a palavra oito vezes em seu contexto que se origina em Deus: "santos e irrepreensíveis perante ele; e em amor" (1.4), "Amado" (1.6), "amor para com todos os santos" (1.15), "o grande amor com que nos amou" (2.4), "arraigados e alicerçados em amor" (3.17), "conhecer o amor" (3.19), "seguindo a verdade em amor" (4.15), "edificação de si mesmo em amor" (4.16).

[4] Um tratamento completo do "amor romântico" desse século e as detalhadas formas em que ele continua sendo um grande rival do amor cristão são apresentados pelo teólogo francês Denis de Rougemont em seu magistral tratado *Love in the Western World* (Garden City, NY: Doubleday, 1957).

vista a cultura adúltera, romântica do amor daquela época, essa obra é magnífica, pois Cântico dos Cânticos é, do ponto de vista do sexo, o mais explícito testemunho bíblico da beleza, dignidade e completa reciprocidade relacional envolvida no amor criado e abençoado por Deus.

Em seu tratado mais sucinto Bernardo descreveu os quatro graus do amor. No primeiro grau, "amar a si mesmo para o próprio bem", nós tentamos cuidar da situação sozinhos. Desenvolvemos competência no modo de viver, o que os modernos chamam de "autoestima". Parece uma boa atitude e consegue muita aprovação dos outros. Mas a vida é complexa demais e nos apresenta um número excessivo de situações com as quais não sabemos o que fazer. Limitados pela inadequada competência adquirida no amor-próprio, mais cedo ou mais tarde nos encontraremos numa situação para a qual não estamos preparados. Voltamo-nos para Deus em busca de ajuda.

Isso nos leva a uma transição para o segundo grau, "amar a Deus para o próprio bem". Recorremos a Deus em busca do que ele pode fazer por nós. Oramos. Analisamos as Escrituras. Embora nossas orações sejam raramente atendidas de acordo com nossa expectativa, e embora as Escrituras não se revelem o manual para resolver problemas que esperávamos que fossem, coisas boas acontecem. Esse estágio pode durar muito tempo. Aos poucos, porém, à medida que nos familiarizamos com as maneiras de Deus, nossas preocupações imaturas e egoístas desaparecem, e começamos a reconhecer e entender a Deus como ele é, não como imaginávamos que ele fosse, e somos atraídos para o que descobrimos: a bondade essencial de Deus. As margens das listas diárias do que queremos que Deus faça por nós começam a acumular rabiscos e anotações nas margens do que Deus é para nós. A agenda de Deus ainda está lá, mas não é a única coisa presente.

Estamos agora bem adiantados no caminho do terceiro estágio, "o amor a Deus pelo próprio Deus". O amor se transforma nas intimidades da adoração. Amamos não pelo que podemos receber de Deus, mas por quem Deus é em si mesmo. É um amor abnegado. É Maria, mãe de Jesus, dizendo a Deus: "Que se cumpra em mim conforme a tua palavra" (Lc 1.38). É Simeão orando: "Agora, Senhor, podes despedir em paz o teu servo" (2.29). É Maria sentada aos pés de Jesus entregando-se a "uma só coisa" considerada necessária (10.42). É Isaías no templo dizendo: "Eis-me aqui, envia-me a mim" (Is 6.8).

O quarto estágio está agora a poucos passos de distância: "amar a si mesmo pelo amor de Deus". Não ficamos menos humanos quando amamos mais a Deus. O amor de Deus nos faz crescer. O amor de Deus não transige conosco. O amor de Deus não é paternalista. O amor de Deus por nós permeia nosso amor por ele. Há reciprocidade no amor maduro. Não que alguma vez sejamos iguais a Deus ou que estejamos no mesmo nível dele. Mas temos nossa própria integridade humana afirmada no amor de Deus. Os três anteriores estágios do amor não são substituídos. São completados.

* * *

Deus é amor. O amor é a essência do ser de Deus. O homem e a mulher, criados à imagem de Deus, também são, em sua essência, amor. Fomos criados para ser isso, pessoas que amam, pessoas que recebem amor. Quando amamos, somos mais nós mesmos, vivemos da melhor forma, maduros. Todo mundo, ouso dizer, sente em algum nível profundo essa identidade essencial primária.

Mas aqui reside a suprema ironia: o amor é quem somos, o amor é o que buscamos, o amor é o que queremos praticar, mas é amando e sendo amados que acumulamos mais falhas. Sentimo-nos repetidamente desapontados com o amor. Percebemos que somos desesperadamente inadequados no amor. Podemos nos tornar competentes na escola, conseguir notas excelentes e exibir diplomas para certificar nossas conquistas intelectuais. Podemos nos tornar competentes em nossa profissão, conseguir promoções, receber aumentos de salário e adquirir a reputação de excelentes médicos, confiáveis mecânicos, habilidosos advogados, sábios e diligentes lavradores. Podemos vir a ser competentes políticos, ganhar eleições, trabalhar pelo bem público, decretar leis, inspirar a boa cidadania.

Mas a competência no amor nos escapa. Não há prêmios concedidos na prática do amor. Não há níveis de conquistas. Não há diplomas de pós-graduação que atestem nossas realizações. O que acontece com muita frequência então é que desistimos. "Sim, eu gostaria de amar, amar bem, amar fielmente, amar firmemente, amar de todo o coração, com toda a mente e toda a força, mas veja bem, não sou muito bom nisso. Então por que não deixar isso para os santos e para os que sabem amar naturalmente? Vou fazer aquilo em que sou bom: trabalho ou hospitalidade ou jardinagem ou literatura ou ensino. Com certeza vou tentar o que for possível para amar, mas não é o meu dom. Vou simplesmente cultivar este pedaço de terra que recebi".

Isso é certamente compreensível. Mas não parece correto. O que não parece correto neste caso é que o amor é entendido e interpretado como algo a fazer, e quanto mais eu me dedicar ao amor tanto melhor vou ficar nisso. E quando não melhoro, volto a fazer as coisas em que *sou* bom e nisso consigo algum reconhecimento de ser bom. Em outras palavras, entendo o amor visto num *continuum* que engloba todas as tarefas que me são atribuídas para garantir o emprego, sustentar a família, evitar a cadeia e divertir-me quando se apresenta a oportunidade nos fins de semana e nas férias.

Há duas coisas obviamente erradas nessa visão. A primeira é ver o amor como uma habilidade que posso melhorar ou até aperfeiçoar, como jogar golfe. A segunda é ver o amor sem nenhum contexto no âmbito das operações de Deus.

O amor é mal-entendido quando supomos que ele tem a ver com dizer a coisa certa na hora certa. Não. O amor tem a ver com estar numa relação com Deus e com o próximo, independentemente do que dizemos ou fazemos e do lugar onde estamos. O amor é a linguagem relacional por excelência. Nós também entendemos mal o amor se ignoramos sua origem em Deus. Ele começa como uma linguagem teológica. É uma linguagem usada num relacionamento em que se ouve e se dá atenção a Deus em todas as operações reveladas da Trindade *e* uma maneira de estar num relacionamento ouvinte, atento, afetuoso com outra pessoa tal qual ela se apresenta diante de nós.

* * *

Anos atrás, num curso de pós-graduação, tive de submeter-me a um exame de proficiência em língua alemã, mas não tinha tempo para fazer um curso e receber a instrução apropriada. Arrumei então algumas gramáticas e livros de leitura e tentei aprender aquela língua por conta própria. Quando achei que estava preparado para o exame, procurei meu professor e lhe disse que estava pronto para ser testado. Os exames de língua eram conduzidos de modo informal no departamento daquela universidade. O professor me levou para seu gabinete, apanhou um livro da estante e disse:

— Leia isso em alemão.
Li. Depois ele disse:
— Traduza.
Traduzi. Era uma gramática de siríaco. As gramáticas têm um vocabulário limitado, de modo que a tradução foi fácil. Ele me passou outro livro e repetiu o mesmo processo. Achei que estava indo muito bem. Eu entendia o que estava lendo e tudo indicava que a tradução era satisfatória. Mas uma ruga que surgiu no rosto do professor me deixou apreensivo. Depois veio um terceiro livro, um livro de antiga história egípcia. Abri-o ao acaso e comecei a ler a partir do alto da página. E fui lendo, lendo, lendo. Era uma daquelas intermináveis frases do alemão. Já no meio da página, ainda não havia chegado a um ponto final, havia perdido a conexão entre o sujeito e o verbo, e finalmente gaguejei e parei. O professor me interrompeu:
— Sr. Peterson, onde foi que aprendeu seu alemão?
Relutei em lhe contar que o fizera sozinho, temendo que ele me testasse procurando áreas que eu ignorava. Hesitei. Ele continuou:
— Que língua o senhor falava em sua casa?
Eu lhe disse:
— Um pouco de norueguês.
("Pouco" é um exagero — essa língua era falada uma vez por ano no jantar de Natal por meus tios e tias e minha mãe.) Ele prosseguiu:
— O senhor tem um sotaque muito estranho. Não consigo localizá-lo. Estou intrigado.
Continuou falando por algum tempo sobre sotaques — e se esqueceu de me pedir para traduzir. Passei. Mais tarde soube que ele se orgulhava muito de sua capacidade de identificar sotaques, um orgulho que me salvou de uma reprovação.
Esse tipo de situação ocorre o tempo todo. Recebemos uma ordem: "Andem em amor". Apressados, empreendemos a tarefa; lemos alguns livros e fazemos algumas perguntas. Quando achamos que pegamos o jeito da coisa, passamos a pôr em prática o nosso conhecimento. Sentimo-nos muito bem. Achamos que estamos fazendo tudo certo. Deus fica ouvindo. Então há uma leve sensação de que as coisas não vão tão bem assim: "Onde você aprendeu sua linguagem do amor?". O fato é que a aprendemos em particular, sozinhos — não de modo que pudéssemos ter um relacionamento com outras pessoas ou com Deus, mas simplesmente para passar num exame. Deus, contudo, percebe o que estamos fazendo.

Estamos empregando as palavras certas na ordem certa, mas alguma coisa está errada nas inflexões, no sotaque, no ritmo. Não é uma coisa autêntica. Não é pessoal. Não é uma linguagem viva, mas sim uma linguagem "livresca".

A igreja é o lugar mais importante de que dispomos para aprender essa linguagem do amor. As condições aqui na igreja, ao contrário das condições do mundo, *são* favoráveis — não são as infinitas variações da erotização da fornicação e do adultério que posam no mundo como amor, nem são, para tomar uma alternativa à erotização, uma sala de aula com um distinto professor fazendo palestras sobre o amor, marcando tarefas, com nossa escrivaninha coberta de gramáticas e concordâncias e dicionários. Em vez disso, na igreja encontramos uma reunião de gente compromissada com a aprendizagem da linguagem na companhia da Trindade e na companhia de uns com os outros. Não aprendemos o amor nos livros.

"Desperta, ó tu que dormes!"

Amor. E adoração. O imperativo "andai em amor" é sustentado pelo modo como Cristo nos amou *e* pelo modo como ele "se entregou a si mesmo por nós" (Ef 5.2). Nós amadurecemos no amor entrando num local e num tempo protegidos onde podemos ouvir novamente a "velha história de Cristo e seu amor", ombro a ombro com homens e mulheres que levam a sério a prática do amor do modo como Cristo nos ama. A igreja em adoração é esse tempo e lugar. A igreja em adoração imerge no "sacrifício a Deus, em suave aroma", de Jesus (5.2). Quando adoramos nós nos tornamos partícipes dessa oferta e sacrifício, e com o tempo essa participação permeia nossa vida com o mesmo amor com que Cristo nos ama. No ato de adoração nós cultivamos uma vida de amor na companhia da Trindade de amor e na companhia de homens e mulheres e crianças que estão conosco, todos praticando a ressurreição.

Quero empregar o termo "adoração" aqui no contexto de Efésios para referir-me à adoração que os cristãos praticam quando se reúnem num lugar de adoração em resposta ao convite: "Vamos adorar a Deus". Adoração é também o nome atribuído a uma atitude ou reação interior de adoração perante Deus. Nesse sentido ela pode acontecer em quaisquer circunstâncias, em qualquer lugar, na solidão ou no meio de muita gente, ouvindo um quarteto de cordas, parando numa praia superlotada para contemplar o pôr do sol, presenciando numa sala de parto, com algumas outras pessoas, em sagrada reverência, o momento em que uma criancinha entra milagrosamente neste mundo. Mas no presente contexto de Efésios, quando experimentamos a prática da ressurreição na qual crescemos em Cristo, eu quero insistir na adoração *comunitária*, na adoração em comum com outras pessoas — ocupando o nosso lugar sentados ou de pé com outros membros numa congregação em condições que não satisfazem nossas necessidades ou preferências pessoais, mas que honram a prioridade de Deus: Deus que nos fala, Cristo que se entrega por nós, o Espírito que nos confere poder de vida. Todos os homens, todas as mulheres e crianças nessa congregação recebem o tratamento digno que resulta de ser filho e filha de Deus, que primeiro nos amou.

* * *

O chamado para a adoração dirigido à igreja de Éfeso é sucinto e imperativo:

> Desperta, ó tu que dormes,
>   levanta-te de entre os mortos,
> e Cristo te iluminará.
>
> Efésios 5.14

A adoração exige nossa atenção plena. Crescer em Cristo envolve tudo o que está em nós e em nossos relacionamentos. Na prática da ressurreição despertamos para tudo o que Cristo é e faz. Na medida em que nos atemos a ela, nós nos tornamos maduros. Precisamos de toda a ajuda possível. O culto congregacional é o local indicado para conseguir a ajuda necessária. Não é o único lugar, mas é o lugar onde a maioria dos cristãos, na maioria dos séculos, na maioria dos países, tem recebido a maior ajuda.

O "sacrifício a Deus, em aroma suave", de Jesus ancora a adoração nas oceânicas profundezas do amor de Deus. Durante séculos mulheres e homens do povo hebreu vinham trazendo ofertas em aroma suave de farinha e cordeiros, incenso e bois, sacrificando-os sobre os altares de Siquém e Hebrom, de Betel e Berseba, altares no tabernáculo do deserto e no templo de Jerusalém, ofertas de bom grado feitas a Deus em agradecimento, em expiação e reparação, por pecado e perdão. A adoração era o ato de um povo, uma congregação, numa reunião perante Deus, oferecendo sacrifícios, vários sacrifícios que forneciam uma linguagem de sinais para todas as formas em que eles apresentavam a Deus sua vida fracassada ou necessitada ou agradecida.

O acontecimento central de todos aqueles séculos de adoração, o ato de adoração que unia todos aqueles altares e sacrifícios e orações, era a semana da Páscoa com seu ponto culminante na Ceia Pascal. A refeição anual da Páscoa era o ato de adoração que mantinha viva e intacta a memória hebraica da libertação da tirania do Egito conduzida por Deus e de seu dom salvador de uma nova vida. Durante muito mais de mil anos aquela adoração havia sido construtiva na manutenção da identidade do povo hebraico como povo de Deus. A adoração da Páscoa era a história da salvação, mas não apenas uma história contada; era uma história revivida conforme as pessoas participavam de uma reencenação dramática de sua salvação, comendo e bebendo a morte e a ressurreição.

Jesus juntou aqueles séculos de adoração — "sacrifício a Deus, em aroma suave" — e os complementou quando reuniu seus doze discípulos para comemorar a festa da Páscoa em Jerusalém. Jesus foi o anfitrião. O que ele fez e disse à mesa — "isto é o meu corpo oferecido por vós [...] este é meu sangue derramado em favor de vós" — transformou a ceia pascal na Ceia do Senhor. No dia seguinte ele se transformou no cordeiro sacrificial da Páscoa ao ser crucificado no Gólgota.

Não demorou muito para que a Ceia do Senhor se transformasse no ato definidor da adoração na igreja cristã.

* * *

A igreja faz outras coisas além de comer e beber a Ceia do Senhor quando nos reunimos e adoramos. Nós cantamos "entoando e louvando de coração ao Senhor com hinos e cânticos espirituais" (Ef 5.19); "dando sempre graças por tudo a nosso Deus e Pai" (5.20); batizamos; lemos e pregamos a Palavra de Deus das Escrituras; trazemos ofertas; abençoamos nossos mortos em serviços de testemunho da ressurreição; abençoamos homens e mulheres que fazem votos de fidelidade em cerimônias de casamento. Mas a Ceia é o centro que tudo mantém em adoração. Se não houver centro, "tudo esboroa". A adoração se deteriora em "mera anarquia".

Na prática da ressurreição, a adoração é fundamental para a prática do amor. O amor não é um ato solitário; é relacional. O amor não é um ato genérico; é sempre local. O amor não é um ato que começa ou se define por si mesmo; é sempre "como Cristo nos amou". Sendo assim, como é que nós chegamos à maturidade na prática do amor que respeita o relacional e o local e a maneira de Cristo? Frequentamos a igreja e adoramos a Deus porque "ele nos amou primeiro".

Os cristãos sempre fizeram isso. Formas e normas de adoração sempre proliferaram na igreja em todos os continentes ao longo dos vinte séculos de culto a Deus. Nenhuma forma ou norma é imposta nas Escrituras. Mesmo assim, não é como se "valesse tudo", cada congregação agindo por conta própria — "cada uma por si, e salve-se quem puder".

Sabemos que o amor sempre corre o risco de ser arrancado com raiz e tudo de sua base em Cristo (Ef 3.17) e depois erotizado a ponto de não ser reconhecível como algo que poderia evoluir para uma vida humana madura. As ilusões românticas despersonalizam. A adoração também está constantemente em risco, mas no caso da adoração o perigo é o da mercantilização, é ser rebaixada e transformada em mercadoria para consumidores que estão procurando as melhores barganhas em Deus ou a última moda espiritual. Mas no instante em que Deus ou as coisas de Deus são embalados e depois anunciados como programas ou princípios ou satisfação garantida, nós somos despersonalizados, e isso diminui nossa capacidade de amar. Não há grande probabilidade de crescimento até a plenitude da estatura de Cristo num local de adoração onde se vendem bens e serviços estampados com o logotipo de Deus. Já não dispomos ali de um local e tempo para cultivar as condições adequadas visando a aquisição de um entendimento da prática do amor e do inerente companheirismo.

A extensiva mercantilização da adoração no mundo de hoje tem marginalizado um número excessivo de igrejas, transformando-as em centros de orientação sobre como viver de modo mais eficaz para Deus. O que a cultura secular fez com o amor ao romantizá-lo e transformá-lo em fornicação e na prática do adultério, a cultura eclesial tem feito promovendo maneiras de adoração concebidas para atrair gostos de consumidores em que o amor é redefinido como "Uau, gosto disso", ou "Preciso ter aquilo", ou negativamente como "Não ganho nada com isso".

* * *

Alguns acham um escândalo que o amor e a adoração, as duas coisas mais importantes que os cristãos fazem, sejam tão mal praticados por tanta gente entre nós. Não é de admirar que a igreja tenha uma fama tão ruim entre seus detratores mais cultos. Bancos que fossem tão inábeis na administração do dinheiro como é inábil a igreja no tratamento dispensado ao amor e à adoração, entrariam em falência numa semana. Hospitais que fossem tão amadores no cuidado aos doentes, no tratamento de emergências, na aplicação de anestesias e no controle de partos como a igreja é amadora no amor e na adoração, rapidamente quebrariam. Times profissionais de beisebol que cometessem tantos erros ao arremessar, rebater e apanhar a bola como comete a igreja no caso do amor e da adoração, logo estariam jogando para estádios vazios.

Mas há outra maneira de ver a situação. É verdade que o amor e a adoração exigem o melhor de nós, o melhor de nós que foi criado e redimido. Mas não se pode conquistar esse melhor criado e redimido mediante um esforço individual determinado. Deus está presente em todas as operações da Trindade; da mesma forma, a igreja está presente em todas as particularidades de seus membros. Cada detalhe envolvido no amor e na adoração exige um relacionamento pessoal com outros, com a família, os amigos e os vizinhos — respondendo, recebendo, dando — e com o Pai, o Filho e o Espírito Santo — também respondendo, recebendo, dando. Nenhuma parte do amor e da adoração pode ser isolada, transferida das complexidades dos relacionamentos para um laboratório, estudada, dominada e, depois de purificada com a remoção de todos os elementos contaminadores e causadores de ambiguidade, devolvida à vida cotidiana e reutilizada. Eu jamais posso ser o administrador do amor e da devoção, mas estou sempre participando de inúmeros relacionamentos multidimensionais.

Exige-se muito crescimento para alguém sentir-se moderadamente à vontade nessas práticas. Conseguir algo parecido com competência é impossível. Não são práticas nas quais alguém pode especializar-se e, com muito treino, tornar-se perito, alguns de nós podendo talvez até conquistar prestígio internacional. Não há jogos olímpicos no amor e na adoração.

Tem mais isto. A igreja tem em sua comunidade homens, mulheres e crianças de todos os níveis de imaturidade e maturidade. É como se uma orquestra sinfônica fosse composta de principiantes e mestres tocando lado a lado, o primeiro violino sentando-se junto a uma menina de dez anos que ainda não aprendeu a afinar suas cordas. A igreja não é um centro de artes para apresentações do amor e da adoração.

E tem mais isto. Cada detalhe na prática do amor e da adoração é suscetível de perversão e sacrilégio. Não há vacinas contra o pecado. Há muito mais maneiras de pecar contra o amor do que indo para a cama com Bate-Seba. Há muito mais maneiras de pecar contra a adoração do que dançando ao redor de um bezerro de ouro.

Ao escrever tudo isso, não tive nenhuma intenção de conferir um *imprimatur* na mediocridade ou dar de ombros para o desleixo. Só estou insistindo neste ponto: para abraçar uma igreja realmente formada pelo Espírito, devemos abraçar condições confusas — a complexidade de relacionamentos tanto interpessoais quanto trinitários, os muitos níveis de maturidade e imaturidade, a onipresente vulnerabilidade de todos ao pecado — a partir das quais ela é formada. Essas são as condições em que o Espírito Santo atua. Se levarmos a igreja a sério e quisermos participar naquilo que o Espírito Santo está fazendo, essas serão as condições. Habituemo-nos a isso.

* * *

O lugar habitual onde somos chamados a adorar é no santuário de uma igreja — um lugar consagrado à adoração de Deus e designado a nos imergir no mundo da revelação de Deus por meio do que ouvimos e do que vemos na palavra e no sacramento. O tempo habitual reservado para isso é o domingo, o dia que junta o sétimo dia hebraico da criação para o descanso e o primeiro dia cristão da ressurreição de Jesus. A frequência habitual é a semanal.

A adoração cristã nos orienta numa realidade abrangente formada por Deus Pai, Deus Filho e Deus Espírito Santo. É uma realidade que tudo inclui, encerrando tudo o que aconteceu nos seis dias anteriores da semana e tudo o que acontecerá nos seis dias seguintes. Tudo o que vemos e tudo o que não vemos. Todas as operações de Deus que nos fazem quem somos, que dia após dia formam em nós uma eterna vida de salvação, que colocam nossa semana de trabalho no contexto mais amplo da semana de trabalho de Deus, que possibilitam nossa participação numa vida de santidade e amor ao mesmo tempo que estamos lavando roupa, consertando máquinas, vendendo verduras, lecionando física quântica e plantando trigo. É uma grande ordem. Nenhuma congregação faz isso à perfeição. Algumas nem sequer tentam. Mas, apesar de todos os fracassos totais ou parciais, estou convencido de que qualquer pessoa que preste atenção e perceba o trabalho do Espírito na congregação — ousaria eu dizer em *qualquer* congregação? — terá pelo menos um vislumbre da adoração que dá testemunho "para o louvor da sua glória".

O chamado à adoração nos desperta para o que está acontecendo dentro e ao redor de nós: "Desperta, ó tu que dormes, levanta-te de entre os mortos, e Cristo te iluminará". O mundo está repleto de Deus: Olhem! Escutem! Animem-se! Venham comer!

Em atos de adoração, o Espírito Santo se internaliza em nós e nos transforma em participantes íntimos na obra da criação do Pai e na obra da salvação do Filho. No ato da adoração, afastamo-nos deliberadamente de nosso mundo de tarefas e relacionamentos e responsabilidades do dia a dia, assumimos uma postura de inatividade — sentando, ajoelhando, juntando as mãos em oração, erguendo os braços em gestos de louvor — e convidamos o Espírito Santo a formar em nós a vida de amor e santidade que nos unifica com o Pai e o Filho, certos de que o Espírito está mais do que disposto a fazê-lo. Não precisamos fazer nada, pelo menos não da maneira que estamos habituados a fazer coisas. Mas precisamos estar presentes, atentos, receptivos. Queremos estar a par do que Deus está fazendo. Queremos estar por dentro do que estamos fazendo. "Vem, Espírito Santo." Queremos deixar o local de adoração sentindo-nos mais leves — ainda presentes, atentos, receptivos — com uma bênção sobre a cabeça e obediência nos pés.

A maturidade cristã não é uma questão de fazer mais para Deus; é Deus que está fazendo mais em nós e por nosso intermédio. A imaturidade alerta alto e bom som para a ansiedade e a presunção. A maturidade é silenciosa e se satisfaz com uma vida de obediente humildade. A adoração cristã é um ato intencional de corrigir as proporções, as prioridades — mudando de "eu trabalhando para Deus" para "Deus trabalhando em mim", que é o Espírito Santo.

Evelyn Underhill foi uma inglesa leiga profundamente erudita e profundamente devota que, como muitos de nós, tinha dificuldades com a igreja. Mas depois de ponderar e refletir ela escreveu o seguinte: "A igreja é um 'serviço essencial' como o correio, mas sempre existirão funcionários mesquinhos, irritantes e despreparados atrás do balcão, e a gente sempre se sentirá tentada a sentir muita raiva por causa deles". Mas ela no fim superou os funcionários "irritantes" e chegou à seguinte conclusão: "Eu sinto que a prática regular, contínua, dócil da adoração coletiva é de extrema importância para a construção da vida espiritual. [...] nenhum volume de leitura ou oração solitária substitui a humilde imersão na vida de adoração da igreja".[5]

* * *

Paulo emprega dois imperativos surpreendentemente contrastantes para focalizar nossa atenção somente naquilo que está e o que não está envolvido na adoração: "E não vos embriagueis com vinho [...] mas enchei-vos do Espírito" (Ef 5.18). Vinho e Espírito são contrapostos como formas de adoração. No mundo asiático de Éfeso uma das formas mais correntes de adoração estava centrada em Dionísio. A adoração dionisíaca implicava danças e música excitante para levar a estados de êxtase. Dionísio era o deus do vinho. A intoxicação com vinho combinada com dança e música era o método de escolha para conseguir o desejado estado de entusiasmo (literalmente, "deus interior"). Paulo aponta para as orgias turbulentas, embriagadas, exibidas por toda a parte em Éfeso, e as contrasta com o que acontece na adoração quando os cristãos passam a se sentir cheios "do Espírito". Não a "mera anarquia" das danças de embriagados, mas sim a doce harmonia de pessoas "entoando e louvando de coração ao Senhor" (5.19).

O deboche maníaco associado ao culto dionisíaco estabelece um agudo e inesquecível contraste com a beleza do canto, das melódicas harmonias, obra que o Espírito visa expressar em cada congregação em adoração. Essa é a igreja em adoração enquanto bebemos nos enchendo do Espírito de Deus. Ouvimos a Palavra de Deus lida e pregada e mais uma vez entendemos direito a nossa história; recebemos a vida da salvação bebendo e comendo a Ceia do Senhor, seu "sacrifício a Deus, em aroma suave", e recuperamos nosso enfoque em Jesus; encontramo-nos cantando e dando graças, saudando-nos e orando, recém-renovados pelo Espírito para a prática da ressurreição na companhia da Trindade.

[5] Citada em Douglas V. Steere, *Dimensions of the Prayer* (Nova York: Harper & Row, 1962), p. 115.

Não estamos preparados para viver uma vida de amor por nossa própria vontade ou decisão. Não adianta tentar com mais vigor. Entre no Espírito. Deus oferece seu Espírito para viver a vida de Deus em nós, e nós somos reorientados em volta do centro que mantém. Quando deixamos a igreja, dispensados pela bênção, partimos com uma probabilidade muito menor de sermos intimidados pelo "rude animal que, chegado o tempo, arrasta-se a Belém para nascer".

12

No lar e no local de trabalho: Efésios 5.21—6.9

[...] sujeitando-vos uns aos outros no temor de Cristo.

Efésios 5.21

O céu nas coisas comuns [...]

George Herbert, "Prayer", em *The Temple*

Agora Paulo prossegue e entra num terreno familiar, os lugares mais imediatos onde nós praticamos a ressurreição. Primeiro, o lugar onde vivemos juntos na intimidade do lar como maridos e esposas, como pais e mães e filhos — a cozinha onde preparamos e consumimos nossas refeições, o quarto onde dormimos e fazemos amor, a moradia onde recebemos hóspedes e desfrutamos de mútua companhia (Ef 5.21—6.4). Ele passa depois a falar dos locais onde ficamos lado a lado, dia após dia, trabalhando juntos como senhores e servos, empregadores e empregados, proprietários e operários — fazendas e mercados, escolas e minas, abrindo estradas e assentando tijolos (6.5-9).

Ele já lançou uma ampla base para entendermos a completude com a qual o Espírito Santo penetra o nosso ser com a própria vida e presença de Deus, afetando cada detalhe de nossa existência. Não há nada de Deus que não seja viável em nossa vida. Nada na criação, nada na salvação está distante de quem somos ou é irrelevante para quem somos, as pessoas com quem moramos e as pessoas com quem trabalhamos. Cada detalhe do evangelho de Jesus Cristo está ali para *ser vivido,* para ser incorporado em cada um e em todo o *nosso* corpo, para ser inserido nos músculos e nos ossos do nosso dia a dia.

Se outrora pensávamos que o mundo a nosso redor se dividia em secular e sagrado e que cabe aos cristãos especializar-se no sagrado mas apenas tolerar o secular, já não podemos pensar assim: "Porque Deus amou ao *mundo* de tal maneira…" (Jo 3.16). E se outrora pensávamos que as ideias e ações diariamente a nosso dispor estão dispostas numa hierarquia ascendente desde o incidental trabalho doméstico e o trabalho pelo salário até o ápice do estrategicamente importante trabalho pelo reino no qual os "verdadeiros" cristãos priorizam a estratégia, já não podemos pensar assim. Jesus virou esse conceito de cabeça para baixo quando disse: "Aquele que se humilhar como esta criança, esse é o maior no reino dos céus. […] Qualquer, porém, que fizer tropeçar a um destes pequeninos que creem em mim, melhor lhe fora que se lhe pendurasse ao pescoço uma grande pedra de moinho, e fosse afogado na profundeza do mar" (Mt 18.4,6).

* * *

Todavia, apesar da clareza evidente das nossas Escrituras e de Jesus nesses assuntos, muitas vezes deixamos que as ideias grandiosas, os majestosos panoramas da salvação, as esplêndidas visões da obra de Deus no mundo e as grandes oportunidades de causar impacto em nome de Jesus nos distraiam de ver com a seriedade do evangelho as nada fascinantes coisas comuns. Alguém dotado de carisma, com extraordinários dons para motivar e energia para organizar pode tender a afastar-se do tédio do dia a dia em busca do amplo, do visionário, do influente — as verdades eternas —, sentindo uma atração magnética e virtualmente irresistível.

Quando se cede a essa atração, porém, as consequências são desastrosas e virtualmente garantem uma eterna adolescência. E as pessoas com as quais passamos a maior parte de nosso tempo, nossos familiares e colegas de trabalho, suportam o peso de nossa imaturidade. Homens e mulheres que conquistam o aplauso do público são especialmente vulneráveis. Muitíssimos líderes famosos na igreja e no governo, no comércio e nas universidades, bem como escritores e artistas, são lamentavelmente infantis e decepcionantes em relacionamentos íntimos. Parece que nunca percebem "a cana quebrada […] a torcida que fumega" (Is 42.3).

Assim, é compreensível que Paulo em Efésios, quando nos guia para o final de sua abrangente apresentação do que está envolvido na vida madura em Cristo, trate dos aspectos menos atraentes da prática da ressurreição no lar e no local de trabalho. Grandes coisas para Deus são muito maravilhosas. Pequenas coisas para Deus em certo sentido são ainda mais maravilhosas. Kathleen Norris em seus poemas e memórias insistentemente fixa nossa atenção no local: "são as tarefas diárias, os atos diários de amor e adoração que servem para nos lembrar que a religião não é, rigorosamente falando, uma atividade intelectual. [...] A fé cristã é um estilo de vida, não uma inexpugnável fortaleza feita de ideias; não uma filosofia; não uma lista de compras de crenças".[1]

Barrioboola-Gha

Charles Dickens, em seu romance *A casa soturna*, fez uma exposição longa, detalhada, devastadora de um elenco de pessoas que passaram a vida absortas em grandes ideias e causas, principalmente em busca de justiça e questões legais correlatas, vivendo o tempo todo em crassa ignorância ou indiferença para com as pessoas reais envolvidas. Logo no início do romance ele nos apresenta a Sra. Jellyby, uma inesquecível reencarnação dos homens e mulheres que, através dos séculos, iniciaram uma boa leitura de Efésios mas nunca chegaram ao fim da carta, nunca chegaram ao capítulo 5.

A Sra. Jellyby é uma representante tragicômica de um número considerável de cristãos que abrem sua Bíblia e começam a leitura da carta de Paulo aos efésios. Quando param a fim de recobrar o fôlego no fim da primeira longa sentença (Ef 1.3-14) — aquela frase periódica de 232 palavras, sem um ponto final, de assombrosa poesia teológica! — eles já foram fisgados. A eloquência de Paulo, o caleidoscópico deslumbramento das permutações da Trindade da criação e de Cristo e da igreja, os energizou. No final do capítulo 4, porém, começam a se sentir incomodados. Notam que as maravilhosas metáforas são substituídas por simples imperativos humanos. Percebem que a poesia está se tornando prosa comum. Sabem que agora eles chegaram ao cerne da mensagem de Paulo e, impacientes, querem partir para a gloriosa prática da ressurreição. É irresistível. Eles nunca haviam ouvido isso dessa forma — viver "para o louvor da sua glória"!

Fecharam o livro. Nunca leram os capítulos 5 e 6. Mas desistiram cedo demais.

[1] Kathleen Norris, *The Quotidian Mysteries* (Nova York: Paulist Press, 1998), p. 77.

* * *

Aprendemos sobre a Sra. Jellyby através dos olhos e ouvidos de uma jovem, Esther Summerson. Ela é colega de dois primos, Richard e Ada. Eles foram entregues aos cuidados da Sra. Jellyby em Londres e se hospedam em sua casa para uma refeição e um pernoite. No dia seguinte eles têm um encontro marcado no escritório de advocacia Jarndyce and Jarndyce, que está cuidando de seus complicados assuntos legais.

A Sra. Jellyby não está presente para receber os jovens, que vão entrando por conta própria. Abrem caminho da melhor forma possível pela casa cheia de crianças sob os cuidados da Sra. Jellyby, todas sujas e malvestidas, num caos de sujeira e desordem, pequenos acidentes e desleixo. Quando eles finalmente se encontram com a Sra. Jellyby, percebem que ela é uma mulher baixinha, gorducha, amável, com lindos olhos que têm "o estranho hábito de parecerem fixos num ponto muito distante [...] como se não pudessem ver nada aquém da África". Tinha "belos cabelos, mas estava ocupada demais com suas obrigações africanas para penteá-los". Descobrimos que a Sra. Jellyby é uma mulher devotada a projetos filantrópicos cristãos. Sua paixão atual é a África, onde cultiva café e cristianiza os nativos de Borrioboola-Gha na margem esquerda do rio Níger, região em que ela está fazendo o assentamento de duzentas famílias. Todos os cômodos da casa estão cobertos de lixo — "não apenas em desordem, mas muito sujos". No meio de tudo aquilo, porém, a Sra. Jellyby se conduz com "um doce sorriso".

Ela se apresenta aos três jovens que serão seus hóspedes para o jantar e o pernoite, dizendo: "Vocês vão me achar, meus queridos, como sempre muito ocupada. Desculpem-me por isso. No momento o projeto africano exige todo o meu tempo. Tenho de cuidar da correspondência com instituições públicas e com indivíduos autônomos ansiosos pelo bem-estar de sua casta no país inteiro. [...] Isso exige toda a dedicação de minhas energias, como dizem; mas não é nada, contanto que tudo dê certo; e cada dia que passa confio mais no sucesso".

Foi servido o jantar. Esther relata: "Comemos um belo bacalhau, um pedaço de rosbife e uma travessa de costeletas, e pudim; um excelente jantar, se tivesse sido minimamente cozido, mas estava quase cru. Durante toda a refeição — que foi longa, devido a acidentes como as travessas de batata que foram despejadas no cesto de carvão, a Sra. Jellyby conservou sua expressão tranquila. Ela nos contou muitas coisas interessantes sobre Borrioboola-Gha e os nativos, e recebia tantas cartas que vimos quatro envelopes jogados no molho ao mesmo tempo. [...] Ela sem dúvida estava cheia de serviço e era, como nos disse, dedicada à causa".[2]

Dickens atribuiu a seu irônico capítulo sobre a Sra. Jellyby e a missão africana em Borrioboola-Gha o título de "Filantropia telescópica". Seria muito mais engraçado se as condições não fossem tão frequentemente repetidas na comunidade cristã. Mas infelizmente isso acontece muitas vezes: a prática da ressurreição, o próprio âmago da vida cristã, é dissipada em causas e projetos desencarnados na distante Borrioboola-Gha por homens e mulheres que não dedicam nem tempo, nem atenção, nem contato ao que está acontecendo em seu lar e em seu local de trabalho. Esses homens e mulheres, a considerável descendência da Sra. Jellyby, estão completamente absorvidos na criação de projetos, angariação de apoio e estimulação de entusiasmo por aquilo que é dramático, romântico, desafiador no evangelho — e está muito distante. Distante demais para um envolvimento pessoal, do tipo "mãos na massa". Enquanto isso, estão ocupados demais para envolver-se na gloriosa prática da ressurreição que implica cuidar dos próprios filhos e manter a casa limpa em meio ao tédio das coisas comuns.

* * *

O lar e o local de trabalho nos imergem em detalhes específicos nos quais temos relacionamentos e deveres específicos, quer se trate de pegar uma chave de fenda para ajustar a dobradiça de uma porta, quer se trate de responder a uma pergunta de um filho ou da esposa ou de um colega de trabalho sobre a hora do dia. O que acontece no lar e no local de trabalho não pode ser generalizado. Não há nada de abstrato nisso. Tudo tem um nome. Todos têm um nome. Tudo está ao alcance da mão. E tudo e todos estão sempre num contexto de trabalho em relação a praticamente tudo e a todos os outros. Nada nem ninguém, no lar ou no local de trabalho, é uma peça de arte a ser contemplada num museu separada de todo o resto.

Ernest Hemingway põe suas próprias palavras na boca de um personagem de um romance quando escreve: "Sempre me senti embaraçado

---

[2] Charles Dickens, *Bleak House* (Nova York: New American Library, 1964), p. 49-61.

diante das palavras 'sagrado', 'glorioso' e 'sacrifício', e da expressão 'em vão'. Palavras abstratas como 'glória', 'honra', 'coragem' ou 'sagrado' soavam obscenas ao lado de nomes concretos de aldeias, dos números das rodovias, os nomes de rios, os números de regimentos e datas".[3] Hemingway ensinou toda uma geração a desconfiar de palavras "grandes", nomes complicados sem nenhuma textura, nenhuma personificação na vizinhança.

E isso é o que Paulo está fazendo aqui. À medida que preenche as maneiras de atuação do Espírito Santo que nos mostram as "insondáveis riquezas" de Cristo (Ef 3.8) para nossa participação nelas, é significativo que ele termine insistindo que prestemos cuidadosa atenção aos acontecimentos concretos na família e no local de trabalho. A *prática* de ressurreição começa no lar e no local de trabalho. E nós nunca nos diplomamos num nível superior a esses. As palavras grandes ainda estão presentes, mantendo-nos numa relação piedosa e crente com as glórias que são espalhadas de forma extravagante diante de nós, mas a *prática* nos imerge em pessoas que têm nomes, tarefas específicas, as coisas do dia a dia.

* * *

Paulo nos guia passo a passo para uma vida de participação na ressurreição de Jesus, nos guia para a maturidade, nos familiariza com os detalhes implícitos no viver "para o louvor da sua glória". Ele nos adverte para não recairmos em antigas suposições e práticas (para que não mais andemos "como também andam os gentios"), mas nos estimula a cultivar uma sensibilidade dócil, cortês ("não entristeçais o Espírito de Deus") à medida que o Espírito cria retidão e santidade em nossa vida (5.17-32). Ele repassa os pontos básicos do amor e da adoração que fornecem práticas focais para relacionamentos pessoais e adoração comunitária à medida que nos sentimos em casa no centro da igreja, desenvolvendo um apetite ("enchei-vos do Espírito") para receber todos os dons de Deus a fim de vivermos "em louvor da sua glória" (5.1-20).

Percebemos um movimento para o alto, para dentro, para Deus. Nossa intuição desperta. Vemo-nos "entoando e louvando de coração ao Senhor [...] dando sempre graças por tudo a nosso Deus e Pai, em nome de nosso

---

[3] Ernest Hemingway, *A Farewell to Arms* (Nova York: Scribner's, 1957), p. 191. [No Brasil, *Adeus às armas*. Rio de Janeiro: Bertrand Brasil, 2013.]

Senhor Jesus Cristo" (5.19-20). Isso está ficando cada vez melhor. Mal podemos esperar. Que grandes coisas deveremos encontrar virando a esquina! Estamos preparados para o nível seguinte da glória na realidade celestial. O que virá depois nessa vida formada pelo Espírito Santo?

Bem, veja o seguinte — *isto* vem depois: "sujeitando-vos uns aos outros..." (5.21), seguido por uma imersão nos detalhes da vida em família e nas relações de trabalho. Se estávamos esperando algo de dimensões cósmicas, isso soa como uma porta batida na nossa cara.

* * *

Será que Paulo percebe que há sementes de fantasias do tipo Borrioboola-Gha latentes em todos nós, esperando apenas as condições favoráveis para germinar? Será que ele conheceu pessoas que sonham de olhos abertos pensando que a obra do Espírito Santo é resgatar-nos da chatice dos deveres domésticos e aliviar-nos de ter de viver dia após dia do suor de nossa fronte concedendo-nos uma visão do "trabalho" a ser realizado em Borrioboola-Gha? Será que é por isso que antes de acabar de nos apresentar como o Espírito faz Deus presente e atuante entre nós, uma vida viável no exato lugar em que estamos, ele se certifica de que nossos pés estão firmemente plantados no chão mais próximo de nós, no lar e no trabalho? Penso que sim.

"Braço com braço e remo com remo"

"Sujeitando-vos uns aos outros no temor de Cristo" (Ef 5.21) é a frase de comando sobre a prática da ressurreição em casa e no local de trabalho. Ela é seguida pela indicação de oito tipos de "uns aos outros" com os quais todos lidamos no decorrer de um dia normal, seis deles no lar, dois no local de trabalho.

Não amadurecemos por conta própria. A maturidade, especialmente se for para atingir "a estatura da plenitude de Cristo", só pode ser conquistada em relacionamentos com outros, outros *com nome*, não qualquer pessoa daquelas duzentas famílias de Borrioboola-Gha cujo nome nunca ouvimos e que nunca reconheceríamos se ouvíssemos. Tampouco podem esses "outros" ser escolhidos a dedo, dentre pessoas de quem naturalmente gostamos e a quem admiramos. Começamos por aqueles que estão diante de nós sem nenhuma escolha nossa — pais e mães em primeiro lugar, depois os filhos — e pessoas com quem estamos comprometidos independentemente das mutáveis circunstâncias, amando e respeitando "na alegria e na tristeza, na saúde e na doença, até que a morte nos separe". E de novo, nesse ponto inicial, "todos os santos". A igreja recusa-se a individualizar nossa identidade, recusa-se a nos encarregar de nosso próprio crescimento, mas insiste que somos "membros uns dos outros" e estamos sujeitos "uns aos outros". A linguagem da família (irmão e irmã, pai e mãe) é empregada consistentemente nas igrejas para nos atribuir responsabilidade e intimidade em relação àqueles que não são parentes de sangue. Jesus nos deu o nosso texto quando estendeu as suas e as nossas relações de família de modo exponencial, apontando para seus seguidores e dizendo: "Eis minha mãe e meus irmãos" (Mt 12.49).

Cada uma das oito designações paulinas do lar e do local de trabalho se refere a uma função que é mais ou menos definida culturalmente. Uma mulher criada num lar budista da Coreia tem uma experiência de como filhos e filhas, maridos e mulheres, pais e mães desempenham seus papéis que é diferente daquela de uma mulher criada num lar católico da Itália. Um rapaz do centro pobre de Detroit que nunca conheceu um pai tem uma experiência de família que difere muito daquela de quem mora numa fazenda da família no Kansas com pai, mãe e sete irmãos e irmãs, tendo os avós numa fazenda vizinha. As funções no local de trabalho são experimentadas de maneiras radicalmente diferentes num *kibutz* em Israel e numa fábrica de carne embutida em Chicago.

Os detalhes culturais envolvidos num lar e num local de trabalho são extremamente complexos, como a maioria de nós já sabe por experiência, sendo alguns dolorosamente difíceis. Não faltam peritos oferecendo conselhos e orientações atinentes às relações conjugais e à criação de filhos. Há uma vasta análise econômica e são muitas as iniciativas programáticas sobre questões de administração de liderança e de satisfação no trabalho. É óbvio que não falta preocupação nem no mundo nem na igreja no que se refere a como devemos nos conduzir em nossos lares e locais de trabalho.

A maioria das pessoas tem um lar. A maioria das pessoas sai para trabalhar. Mas, dada a grande variedade de culturas em que se formam a vida no lar e a vida no trabalho, como é possível que Paulo nos diga como lidar com a prática da ressurreição em nossas diferentes culturas e ambientes?

Percebemos de imediato que, depois de algumas considerações gerais, ele se cala. Não apresenta conselhos ou orientações detalhados. Não distribui conselhos "cristãos" oficiais sobre como criar filhos ou conviver no matrimônio. O que ele faz é substituir nosso entendimento dos papéis culturalmente já definidos por um papel definido por Cristo. Todos os aspectos da vida em família ou no trabalho são redefinidos em relação a Cristo mais do que em relação àquilo a que nos habituamos como esposas em relação aos maridos ou como maridos em relação às esposas, como crianças em relação aos pais, como pais em relação aos filhos, como servos em relação aos senhores, como senhores em relação aos servos.

A repetida frase que redefine quem somos nós em todas as complexidades do lar e do local de trabalho é "como ao Senhor" (nove vezes) ou "no Senhor" (duas vezes) — onze frases que ligam as maneiras de entender nosso papel, não em termos da cultura, mas em termos de Cristo. Uma identificação final situa servos e senhores como iguais sob "o Senhor, tanto deles como vosso", independentemente de como eles são vistos pela cultura. Esse mesmo Senhor — isto é, Cristo — completa nossos papéis reformulados da cultura para Cristo totalizando exatamente uma dúzia.

Em geral, a maneira como Paulo nos treina para um novo entendimento de nós mesmos em relação àqueles com quem moramos e com quem trabalhamos é *como* ao Cristo ou *no* Senhor ou *sob* um Mestre comum. Na prática da ressurreição nós já não entendemos nosso papel comparando-o a algum modelo tirado de nossa cultura, mas sempre, sem exceção, comparando-o a Cristo. O padrão para medir a maturidade do cristão é "a medida da estatura da plenitude de Cristo".

Se levamos a sério a prática da ressurreição, devemos realizá-la na companhia do Cristo ressuscitado. Prestamos atenção às *maneiras* como Jesus perdoava, amava, tocava leprosos, recebia estranhos, orava por seus amigos. Sabemos muito sobre as *maneiras* de Jesus. A ressurreição não é uma verdade dogmática que tentamos entender pelo resto da vida. A ressurreição não é um comportamento que podemos aperfeiçoar com técnicas ascéticas cuidadosamente administradas. A ressurreição é uma *prática* na qual nos envolvemos ao "crer e observar, tudo quanto ordenar", quando o Espírito, a "Presença Capacitadora de Deus", faz a vida da Trindade viver em nós, em nome de Jesus.

* * *

A ladainha de conectivos (*como... assim como... tanto quanto*) em relação ao lugar de Cristo na formação de nossos papéis na família e no trabalho nos ancora na exortação de Paulo: "sujeitando-vos uns aos outros no temor de Cristo" (Ef 5.21). As duas partes da frase, "sujeitando-vos uns aos outros" e "no temor de Cristo", são radicalmente contraculturais, mas só quando combinadas. Separadas, elas perdem potência.

"Sujeitando-vos uns aos outros." A maturidade não é comparável a um regime de fisiculturismo em que levantamos pesos para desenvolver os músculos ao máximo e depois periodicamente nos postamos diante do espelho avaliando o progresso. A maturidade não é um estado solitário; é relacional. A maturidade não acontece mediante a extração do máximo de nós mesmos por nós mesmos; consiste em extrair o máximo de relacionamentos pessoais. Não fazemos isso tornando-nos mais fortes do que os outros, sobrepujando-os ao dominá-los física e emocionalmente. Não nos impomos. Partimos para uma vida pessoal de compartilhamento de forças e fraquezas. *Entramos* na vida uns dos outros, mas sem forçar a entrada. A reciprocidade está sempre implícita no "sujeitando-vos".

Não estamos habituados a isso. Fomos criados numa cultura agressivamente competitiva. Nós nos medimos comparando-nos uns aos outros, seja no aprendizado educacional, na competição esportiva, no salário, na popularidade, na moda, na aparência ou no desempenho. A competitividade é incutida em nós desde o berço. Quando avaliamos as pessoas a nosso redor como vencedoras ou fracassadas, refletimos isso.

Há muitos cenários nos quais esse espírito competitivo revela o melhor de nós. Mas são igualmente numerosos, talvez até mais, os cenários que revelam o pior. E o cenário principal que muitas vezes revela exatamente o pior é a família. Se os membros da família estão em competição entre si — marido e mulher, pais e filhos, irmãos e irmãs — a intimidade é insidiosamente minada. Só podemos conquistar a maturidade na família sujeitando-nos "uns aos outros". Mas isso não é fácil. As habilidades competitivas ocorrem muito mais facilmente do que as habilidades de submissão. A maturidade é uma forma de arte. A família é o contexto básico no qual esta é adquirida.

O ambiente de trabalho ocupa o segundo lugar como cenário no qual um espírito competitivo prolonga a imaturidade. Mas a dinâmica da competição é mais sutil no local de trabalho, onde os relacionamentos pessoais não são tão íntimos como na família. Elementos de competição em questões de produtividade e desempenho são obviamente úteis. Todavia, o discernimento é indispensável para evitar que a competição despersonalize o trabalhador transformando-o numa função. Quase todo trabalho é realizado com outras pessoas, e, se for bem feito, exigirá cortesias e concessões mútuas. Se o trabalhador for identificado apenas com o trabalho, se o empregador desempenhar exclusivamente um papel impessoal, o local de trabalho se torna um solo improdutivo do ponto de vista emocional e espiritual.

E quando o espírito competitivo entra na igreja, nós acabamos tendo uma *verdadeira* confusão.

"No temor de Cristo" é a frase companheira de "sujeitando-vos uns aos outros", e oferece as condições de trabalho sem as quais o "sujeitando-vos" não pode prosperar. Sem o temor de Cristo, é altamente improvável que o "sujeitando-vos uns aos outros" venha a acontecer, seja em casa, seja no local de trabalho. Sem "o temor de Cristo", o conselho "sujeitando-vos" nos reduz a capachos.

Temor: a palavra de Paulo é "medo" (*phobos*) — "no medo de Cristo". "Temor do Senhor" é a frase mais comum nas Escrituras hebraicas para designar uma atitude de vida apropriada, nossa reação aprendida para responder adequadamente à palavra de Deus e às maneiras de Deus. A frase habitual "temor do Senhor" que Paulo aprendeu no Deuteronômio e em Isaías, em Provérbios e em Salmos, é aqui emendada como "temor de Cristo".[4]

Muitos tradutores atenuam o aguçado gume do "temor" de Paulo parafraseando-o como "reverência", "respeito" ou "admiração". Isso é compreensível como forma de evitar conotações de terror e horror ou pânico, mas o que eles sacrificam provavelmente é excessivo.[5] O que se perde é o "temor e tremor" (Kierkegaard) que resulta de um encontro com O Santo. Deus não pode ser domesticado; Deus não pode ser reduzido a nada que nos deixe confortáveis. Um Deus despojado de santo mistério não é um Deus para adorarmos de joelhos, mas um ídolo barato a ser usado quando necessário.

---

[4] Discuto em detalhes o "temor do Senhor" em *Christ Plays in Ten Thousand Places* (Grand Rapids: Eerdmans, 2005), p. 39-44.
[5] Markus Barth, *Ephesians 4—6*, The Anchor Bible, vol. 34A (Garden City, NY: Doubleday, 1974), p. 608, 662-668.

Assim como é difícil verificar o "sujeitando-vos uns aos outros" no mundo competitivo contemporâneo, é difícil encontrar nesta cultura da irreverência o "no temor [*medo*] de Cristo" que constitui o cordão umbilical para uma vida de submissão. Talvez sejamos os orgulhosos detentores da mentalidade mais irreverente da história humana. Em geral, temos um senso mínimo do que é O Sagrado.

O temor reverencial, ou a temerosa reverência, é uma atitude ou disposição que reconhece a presença do Sagrado. Fico de pé ou de joelhos perante alguém ou alguma coisa que é mais e melhor do que eu. Isso começa junto à sarça ardente, quando tiramos as sandálias. Continua e permeia nossos relacionamentos quando reconhecemos e reverenciamos a Cristo em todos os homens e mulheres que conhecemos.

A reverência é, de alguma forma inexplicável, uma resposta ao sagrado mistério. Segue-se daí que nunca entenderemos adequadamente ou seremos capazes de definir o que, num sentido exato, significa o sagrado. O temor sagrado contém uma energia. Ele nos atrai para algo que está além de nós. Não "desenvolvemos" reverência. Não podemos "querer" reverência. Não podemos criá-la. O elemento distintivo que nos faz ficar reverentemente de joelhos ou calados não está em nós nem somos nós.

A reverência faz desabrochar em nós uma capacidade de crescer, de ser mais do que somos — de amadurecer. O temor do Senhor nos abre o espírito, a alma, para sermos o que ainda não somos. Faltando isso, ficamos estagnados em algum nível de conhecimento ou de comportamento ou de percepção que a essa altura já atingimos.

Sem um medo cultivado, "no temor de Cristo", nós inevitavelmente desenvolvemos hábitos de irreverência e tendemos a contrair a pandêmica doença do "nada mais que". Um feto não é nada mais que uma bolsa de protoplasma. Um cavalo não é nada mais que uma força para puxar um arado. Um Rembrandt não é nada mais que manchas de tinta numa tela. Uma criança não é nada mais que um estorvo. Uma mulher não é nada mais que um rosto bonito. Uma refeição não é nada mais que uma mistura de vitaminas e calorias sobre um prato. Um homem não é nada mais que um tíquete-refeição.

Ou, nos cenários do lar e do local de trabalho, dos quais há muito tempo o mistério se escoou, a esposa não é nada mais que "a mulherzinha", o marido não é nada mais que "o homem da casa", o patrão não é nada mais que "o chefe", o trabalhador não é nada mais que "a mão de obra". Palavras desprovidas de intimidade. Palavras sem conteúdo humano, apenas papéis ou funções.

Aqui há um detalhe que considero interessante. No capítulo 4, quando Paulo escreve sobre a igreja como um corpo do qual Cristo é a cabeça e nós as outras partes, ele a descreve anatomicamente como "todo o corpo, bem ajustado e consolidado pelo auxílio de toda junta, segundo a justa cooperação de cada parte", que "efetua o seu próprio aumento para a edificação de si mesmo em amor" (Ef 4.16). Algumas frases antes ele nos tinha dito que o Espírito Santo traz dons para a nossa vida "com vistas ao aperfeiçoamento dos santos para o desempenho do seu serviço" (4.12).

A palavra "aperfeiçoamento", *katartismos*, ocorre apenas aqui no Novo Testamento. É um termo médico. O respeitável médico grego Galeno a empregou referindo-se ao ajuste de uma articulação deslocada. O termo deriva do verbo *katartidzo*, que aparece várias vezes no Novo Testamento em diversos contextos: para consertar ou remendar redes (Mt 4.21); para ser bem instruído, qualificado para uma tarefa (Lc 6.40); para estruturar o caos anterior à criação criando um cosmos funcional (Hb 11.3) — todos esses casos indicando variações da restauração ou da criação da condição de bem-estar ou inteireza (*artios*).[6]

Um corpo tem sua estrutura garantida por suas juntas. Se o que está "bem ajustado e consolidado pelo auxílio de toda junta" (4.16) estiver "destroncado" ou enrijecido por uma teimosia artrítica, ou inchado pela presunção, o corpo não funcionará como deveria. Paulo identifica oito "juntas" no corpo de Cristo, seis em casa (esposas, maridos, pais, mães, crianças, parentes) e duas no local de trabalho (servos e senhores, correspondendo a trabalhadores e empregadores em nossos ambientes de trabalho). No corpo de Cristo, são as juntas entre os membros da família e entre os colegas de trabalho que garantem o funcionamento do corpo, em bom estado, "preparado" para viver "em louvor da sua glória". Se as juntas entre os membros da família e os colegas de trabalho não funcionam, se não há nenhuma flexibilidade nas juntas que facilitem a coordenação, o corpo não está "preparado" porque as partes não se encaixam.

* * *

[6] T. K. Abbott, *The Epistles to the Ephesians and the Colossians: A Critical and Exegetical Commentary* (Edimburgo: T. & T. Clark, 1897), p. 119.

Dentre os vários relacionamentos que Paulo identifica no lar e no local de trabalho, a relação de marido e mulher é a que recebe o tratamento mais extenso. Nenhum outro relacionamento que nós estabelecemos é mais complexo e mais difícil e exigente, ou mais recompensador e agradável e satisfatório. As semelhanças entre a igreja e o casamento são extensas. Paulo tira delas o máximo proveito ao mesmo tempo que nos apresenta nossas maneiras de entendimento e participação tanto do casamento como da igreja.

O casamento e a igreja são ambos compostos de relacionamentos que são fortes ataques contra o individualismo na sociedade e na igreja — o *pecado* do individualismo, o pecado de querer tudo do meu jeito em relação a Deus, do meu jeito em relação ao cônjuge, do meu jeito em relação a meus filhos e filhas. Se a maturidade, o crescimento em Cristo, insiste sobretudo nos relacionamentos — relacionamentos de confiança e adoração com Deus, relacionamentos mútuos de retidão e amor com os outros —, observar e ponderar o que acontece no casamento é uma excelente maneira de adquirir as percepções e desenvolver os hábitos do coração que se assemelham ao que acontece na igreja.

Robert Frost escreveu um poema sobre o casamento usando uma imagem surpreendente que sempre me pareceu valer tanto para a igreja quanto para o casamento. O poema, que Frost escreveu para celebrar o casamento da filha, observa que a intimidade do casamento oferece uma liberdade não "especialmente para ir aonde se quiser", mas uma espécie de liberdade diferente, uma "ligeireza, não para apressar-se", mas para viver junto numa coordenação rítmica espontânea, graciosa: "braço com braço e remo com remo".[7]

Relacionamentos íntimos envolvendo o "um só corpo" de marido e mulher no casamento não são estáticos, mas dinâmicos, em constante, veloz e comovente mutualidade: "braço com braço e remo com remo". Relacionamentos íntimos envolvendo cabeça e outras partes em "um só corpo" da igreja não são estáticos, mas dinâmicos, em constante, veloz e comovente mutualidade: "braço com braço e remo com remo".

* * *

[7] Robert Frost, "The Master Speed", *The Poetry of Robert Frost* (Nova York: Holt, Rinehart and Winston, 1969), p. 300.

Paulo está obviamente interessado no casamento como um cenário básico em que o Espírito Santo introduz o amor e a retidão, o amor e o canto, as maneiras como falamos e as maneiras como perdoamos na prática da ressurreição. Ele dedica total atenção a isso. Sabe como o casamento é central e complexo e também como é exigente e difícil. Margaret Miles, numa rigorosa discussão que insiste na ascética fundamental oferecida pela família e o casamento para uma maturidade em Cristo corporificada, não apenas conceitual, apresenta o testemunho de Clemente de Alexandria, que "via o casamento como uma árdua disciplina espiritual; ele via a vida celibatária como um luxo em comparação com as exigências da vida no mundo, os afazeres de uma casa e as responsabilidades de criar filhos".[8]

Mas Paulo, tendo o casamento como pano de fundo, está ainda mais interessado na igreja como *o* principal cenário da vida em que o Espírito Santo leva todas as operações de Deus à maturidade em nós. Cinco vezes nessa seção (Ef 5.22-32) Paulo junta a igreja e o casamento de várias maneiras, mas sua última palavra é igreja: "Grande é este mistério [o casamento], mas eu me refiro a Cristo e à igreja" (5.32). O casamento é um mistério, como marido e esposa podem sujeitar-se mutuamente "no temor de Cristo", experimentando o casamento como forma de amadurecer no amor e na santidade. Mas a igreja é, em comparação, um mistério maior como forma de amadurecimento numa vida de amor e santidade — Cristo a cabeça e os cristãos o corpo, "braço com braço e remo com remo".

Entre

A maior parte do que constitui a igreja nós não vemos: todas as operações da Trindade nas maneiras do Pai, do Filho e do Espírito Santo. Tampouco vemos os "lugares celestiais" ou o selo com que fomos "selados com o Espírito Santo da promessa". E ninguém até hoje conseguiu tirar uma fotografia de "todas as coisas debaixo dos seus pés" ou da "parede da separação" demolida.

Mas, exatamente ao mesmo tempo, simultaneamente com esse "não ver", sem sequer tentar, sem a ajuda de um microscópio ou telescópio, nós vemos muita coisa quando olhamos para a igreja. Vemos homens, mulheres e crianças sendo batizados; vizinhos que conhecemos pelo nome

---

[8] Margaret Miles, *Practicing Christianity* (Nova York: Crossroad, 1990), p. 99.

comendo e bebendo o corpo e o sangue de Cristo na Ceia do Senhor; amigos que três dias atrás compartilharam conosco uma refeição num piquenique durante um concerto ao ar livre agora ouvindo a leitura e a pregação das Escrituras. Vemos um homem orando — imaginamos que esteja orando, está com a cabeça curvada — ele que na semana passada consertou o para-choque amassado do meu carro, e logo ali, tocando órgão, está a mulher que diagnosticou meu câncer e providenciou uma radioterapia pouco menos de um ano atrás.

Em questões referentes à igreja, nada do que vemos à parte do que não vemos é igreja. E nada do que não vemos à parte do que vemos é igreja. Não existe nenhuma igreja invisível. Não existe nenhuma igreja visível. A invisibilidade e a visibilidade são coinerentes na igreja. Não há igreja sem Deus, a quem "ninguém jamais viu" (Jo 1.18). Não há igreja sem a "grande multidão que ninguém podia enumerar, de todas as nações, tribos, povos e línguas" (Ap 7.9), que nós podemos ver.

A igreja é uma base de operações daquilo que acontece *entre* o céu (invisível) e a terra (visível).

* * *

"Entre" é uma palavra que percebi ser essencial para o entendimento da igreja. Não a descobri sozinho; foi-me dada por Martin Buber. Buber foi um judeu alemão que passou a vida escrevendo e ensinando como viver uma vida íntegra e santa nas condições específicas da época em que vivemos. Ele estava muito envolvido com todas as situações relatadas pelos jornais de seu tempo: as questões políticas, econômicas e bélicas; campos de concentração e fornalhas nazistas que assassinaram seis milhões de seus colegas judeus; o movimento sionista que trabalhou obstinadamente para achar uma pátria para os deslocados e marginalizados judeus. Forçado a deixar a Alemanha, migrou para a Palestina em 1938. Participou da formação da nova nação de Israel e tornou-se professor em sua recém-fundada universidade.

Estou mencionando tudo isso — o profundo e complexo envolvimento em grandes eventos públicos e sociais que mudaram radicalmente o panorama do mundo em que vivemos — porque Buber escreveu um livro no qual nunca disse uma palavra sobre os acontecimentos violentamente catastróficos de seu tempo, mas que tinha e tem tudo a ver com eles. *Eu e Tu*[9] é um livro sobre o invisível, algo que não se pode ver, um relacionamento, um "entre". O livro não virou manchete quando foi escrito. Durante vários anos ficou quase tão invisível como as invisibilidades sobre as quais seu autor escreveu.

A semente da qual germinou o livro é Deus, como Deus se autodenominou para Moisés na sarça ardente em Midiã mais de três mil anos atrás (Êx 3.13-14). Esse livro se tornou para muitos, e certamente para mim, uma obra definitiva para recuperar uma fundamentação bíblica do entendimento da natureza e significância da presença invisível de Deus no meio de tudo o que acontece a nosso redor, um "tudo" que naquele tempo na Europa incluía exatamente em seu centro a tentativa de extermínio do povo judeu e do seu Deus, seguido por uma aceleração sem precedentes de uma tecnologia despersonalizadora e uma indústria de comunicações. Uma enorme energia continua fluindo desse livro, uma energia que durante os noventa anos desde sua publicação não diminuiu.

O livro nasceu de uma frase de três palavras (em hebraico): *ehyeh asher ehyeh*. Quando Deus falou com Moisés junto à sarça ardente em Mídia, e Moisés lhe perguntou seu nome, a resposta que ele recebeu não foi um nome. Um nome é um substantivo. Ele identifica e localiza, objetifica. O que Moisés ouviu saindo da sarça ardente foi um verbo: "Eu sou... Eu simplesmente sou quem sou... Eu sou aqui... Eu sou lá". O verbo em hebraico é o verbo básico para "ser" (*hayah*) falado na primeira pessoa: "Eu sou", e depois repetido: "Eu sou". Eu sou o que sou. "Eu sou" — duplicado — "Eu sou" — enfatizado ao máximo. Eu sou presente. Eu sou Presença. O "nome" não nome de Deus é transliterado como *Javé*. Buber traduz: "Eu sou lá como quem quer que seja eu sou lá". Depois elabora sua tradução: "[Eu sou] aquele que revela [...] [Eu sou] aquele que esteve aqui, nada mais. A eterna fonte de energia flui, o eterno toque aguarda, a eterna voz soa, nada mais".[10]

Não podemos transformar Deus num objeto; Deus não é uma coisa a ser nomeada. Não podemos transformar Deus numa ideia; Deus não é

---

[9] Martin Buber, *I and Thou*, trad. Walter Kaufmann (Nova York: Charles Scribner's Sons, 1970 [publicado inicialmente em alemão em 1923 como *Ich und Du*]). [No Brasil, *Eu e Tu*, trad. Newton Aquiles von Zuben. Porto Alegre: Centauro, 1974.]

[10] Buber, *I and Thou*, p. 160.

um conceito a discutir. Não podemos usar Deus para fazer ou agir; Deus não é uma força a controlar.

Isso parece — e é — bastante simples. Mas ninguém de nós gosta muito disso. Temos uma longa história de querer criar Deus à nossa imagem e usá-lo para nossos propósitos. Moisés, seguido por uma longa série de profetas hebraicos, fez o melhor possível para nos libertar das ideias ou atitudes ou práticas que nos impedem de deixar Deus ser Deus nos termos de Deus, não nos nossos. Jesus é a palavra final sobre Deus.

Mas, em vista de nossa teimosa preferência para ter Deus em nossos termos, não nos termos de Deus, nós precisamos de repetidos cursos de recuperação sobre Moisés junto à sarça ardente, sobre Elias na caverna, sobre Isaías no templo. Martin Buber é uma testemunha irresistível nessa extensa tradição profética hebraica. *Eu e Tu* é uma sustentada, detalhada, enérgica recuperação de Deus como Deus se revela a si mesmo: Deus não como uma coisa ou uma ideia ou um poder, mas uma Presença para a qual nós só podemos estar presentes.

* * *

No âmago de seu livro Buber desenvolveu um vocabulário hifenado de três pares de palavras: Eu-Isto, Nós-Eles e Eu-Tu. Nenhum desses pares de pronomes pode ser dividido em duas partes, cada parte sendo depois entendida isoladamente, separada de sua palavra parceira. O par só pode ser entendido em sua combinação, hifenado. Esses pares de palavras são fundamentais para os relacionamentos humanos, mas por extensão eles se tornam inevitavelmente relacionamentos com Deus.

Eu-Isto: este é o relacionamento que nega e depois destrói um relacionamento. O Eu-Isto transforma o outro num objeto, numa coisa. Um Isto é uma pessoa despersonalizada. O outro é alguma *coisa* a ser experimentada ou usada. O outro está lá para eu fazer com ele o que quiser. Eu não escuto um Isto. Eu digo a Isto o que quero, o que penso d'Isto. Eu me divirto com o Isto como uma novidade, uma experiência. Não converso com um Isto. Não há mutualidade entre um Eu e um Isto — nenhuma. A pessoa Eu-Isto não conhece a reciprocidade. "Quando essa pessoa diz Tu ela quer dizer: Tu, minha capacidade de usar!".[11]

---

[11] Buber, *I and Thou*, p. 109.

Nós-Eles: o mundo dividido em duas partes, os filhos da luz e os filhos das trevas. É um modo muito conveniente de pensar sobre o mundo, porque qualquer coisa que esteja errada, é naturalmente por causa de "Eles". As complexidades desaparecem. Tudo de repente está em ordem. Há cabritos e ovelhas, e as ovelhas pela própria natureza das coisas hão de triunfar — Jesus não disse isso? O Nós-Eles sempre atraiu demagogos, e os demagogos sempre atraíram multidões. Isso com efeito demoniza todos os que não pensam ou sentem de acordo com o Nós. O Eles pode ser uma nação, uma religião, uma raça, uma família, um partido político ou um time.[12]

Eu-Tu: esta é a palavra fundamental numa vida vivida corretamente, uma vida vivida num relacionamento pessoal. "O Eu-Tu só pode ser proferido com todo o ser de quem fala. A concentração e fusão num ser total nunca podem ser conquistadas por mim, nunca podem ser conquistadas sem mim. O Eu requer um Tu para vir a ser; tornando-se Eu, o Eu diz Tu. Toda vida real é um encontro."[13]

Não há humanidade sem relacionamento. "No princípio é a relação."[14] A reciprocidade está construída na própria natureza de tudo o que existe. Uma pessoa "torna-se um Eu mediante um Tu".[15]

Os hífens em Eu-Isto e Nós-Eles são marcas de separação, de isolação e, finalmente, de desolação. O hífen em Eu-Tu marca um "entre", uma dinâmica relação de espírito entre pessoas.

O Eu-Isto transforma as pessoas em coisas, de modo que eu as posso controlar ou usar ou descartar ou ignorar. O Eu-Isto é a palavra básica que é particularmente atraente em comprar e vender, mas ela se infiltra em cada setor da vida. Quando se infiltra em nossa congregação, os homens e as mulheres com quem adoramos e trabalhamos são objetificados. Em vez de serem primeiramente pessoas que amamos, seja pela afeição natural (cônjuge, filhos, amigos), seja pelo mandamento de Cristo ("amarás o teu próximo como a ti mesmo"), eles são gradativamente funcionalizados. Sob a pressão de "trabalhar para Jesus" ou de "realizar a missão da igreja",

---

[12] "Nós-Eles" é uma glosa do tradutor da obra para o inglês, Walter Kaufmann, sobre a hifenização básica de Buber. Em suas palavras: "Há muitas maneiras de viver num mundo sem um Tu" (p. 14).
[13] Buber, *I and Thou*, p. 62.
[14] Buber, *I and Thou*, p. 69.
[15] Buber, *I and Thou*, p. 80.

começamos a tratar os familiares e os colegas de trabalho mais como peças de uma máquina do que como partes de um corpo. Desenvolvemos um vocabulário que trata homens, mulheres e crianças mais como problemas a solucionar ou recursos a usar do que como participantes de um mistério sagrado. Desenvolvemos um vasto vocabulário do tipo Eu-Isto para facilitar a despersonalização: "ativos e passivos", "um homem-chave" ou uma "mulher-chave", "disfuncional", "material para liderança", "peso morto". O amor, o relacionamento ordenado, dá espaço a considerações de eficiência interpretadas por abstrações — planos e programas, objetivos e visões, estatísticas de evangelismo e estratégias de missões.

O Eles-Nós transforma os outros em inimigos. É a palavra básica que demoniza os outros. Ela sobressai em guerras militares e religiosas, em conflitos políticos e batalhas ideológicas. Elimina a linguagem como uma maneira de dizer a verdade.

* * *

Não podemos viver em isolamento, desconectados, independentes. A vida é complexa demais. A trama da vida é intrincada demais. Há mais coisas em relação a nós do que nós mesmos.

Não que não tentemos. Nós tentamos viver com um "Isto-Deus", um Deus com quem podemos falar tudo o que queremos, mas a quem nunca escutamos ou nos dirigimos como um Tu. Tentamos viver mantendo a nossa distância dos outros, inclusive de Deus. Tentamos viver indiferentes a todo o cosmos que nos fornece as condições de respirar e comer e beber. Tentamos viver sem uma igreja que nos mantém num lugar onde ouvimos obedientes a Deus que nos fala, nutridos pela vida de Jesus que se dá a si mesmo por nós na santa comunhão, recebendo os dons do Espírito que procura nos fazer participar de seu amor e da comunidade de seu amor.

A vida só existe relacionalmente. Tudo está conectado. Deus é Deus apenas relacionalmente — Pai, Filho e Espírito Santo. Deus cria apenas relacionalmente. Deus existe apenas relacionalmente. Deus dá apenas relacionalmente. A igreja é uma reunião de cristãos sob as condições relacionais de Deus. Efésios é uma imersão na relacionalidade.

Nós somos concebidos num ato de relacionamento, uma concepção seguida por nove meses de aprendizado de total intimidade no ventre. Nós não somos nós sozinhos. Temos a nossa origem por meio de um relacionamento entre nosso pai e nossa mãe. Depois de sair do ventre, temos vida fácil por um par de anos. Há quem cuida de todas as nossas necessidades: comida e calor e afeto. Somos um com nossa mãe, sugando o peito. Somos um com nosso pai, cavalgando sobre seus ombros. Nossos irmãos e irmãs nos divertem, brincando e rindo conosco. Mas não demora muito para começarmos a explorar as ilusões de que podemos nos virar sozinhos, fazer as coisas do nosso jeito, impor nossa vontade a outros. As ervas daninhas do Eu-Isto crescem sobre nós. As falhas do pecado começam a aparecer na intimidade do Eu-Tu. Descontrolada, a desintegração nos deixa sem um Tu. Paulo se refere a isso ao dizer que estávamos "mortos [em nossos] delitos e pecados" (Ef 2.1).

É uma coisa estranha e realmente triste: as primeiras baixas entre aqueles que iniciaram a caminhada em direção à maturidade, equipados para "a edificação do corpo de Cristo" (4.12), envolvem as pessoas mais próximas de nós.

* * *

A transição é silenciosamente insidiosa. Começamos como participantes naquela rica herança da igreja e nos sentimos chamados para algo além e mais intenso que o simplesmente ser "cristão" — nós temos *trabalho* a fazer. Vemo-nos ocupando posições de liderança e responsabilidade na igreja, saindo à procura de recrutas, juntando aliados, discutindo para levar a oposição a concordar conosco, motivando os letárgicos e envolvendo participantes para garantir o sucesso de um projeto concebido para "a glória de Deus". Mas não há Deus no projeto. Cônjuges e filhos desaparecem no fundo. Deus teoricamente pode ter prioridade em relação a colegas de trabalho (os "senhores e servos"). Mas o Deus que nós nomeamos foi "desdeusado" num Isto. Sob o despotismo do prolífero Isto, o Eu continua sonhando que está em posição de controle, administrando programas, criando visões, introduzindo o reino.

Martin Buber é implacável. Ele mostra como é fácil e comum tratar as pessoas e até mesmo Deus como um Isto em vez de um Tu. Também nos mostra como isso é horrível, transformar o que Deus criou como uma comunidade humana, concebida para que seus membros se sujeitassem "uns aos outros no temor de Cristo", numa despersonalizada terra estéril de papéis presunçosos e funções impessoalmente eficientes. Por mais justos que sejam os papéis e as funções, cometeu-se um sacrilégio.

A arca e a tumba

Wayne Roosa, professor de história da arte na Bethel University de Saint Paul, no estado de Minnesota, num brilhante trabalho de crítica da arte, chama nossa atenção para a arca da aliança de Israel como uma maneira de observar "o Entre de um relacionamento".[16] Suas percepções reforçam o que está envolvido na prática da ressurreição.

A arca, colocada no centro do tabernáculo do deserto, ofereceu um foco visível para a adoração de Deus. Era uma caixa retangular que parecia um esquife, com 1,10 metro de comprimento, 70 centímetros de largura e 70 centímetros de altura, revestida de ouro. A tampa da arca era chamada de propiciatório. Sobre ela, um de cada lado, havia dois querubins de asas estendidas. Mas o propiciatório, de fato, era um espaço vazio, uma lacuna definida pelas asas angelicais como a presença de Deus entronizado, Javé. Javé: "entronizado acima dos querubins" (Sl 80.1). Javé: Deus que se revelou a si mesmo a Moisés como Presença, Deus que libertou seu povo da escravidão do Egito, Deus que falou a seu povo no trovão do alto do Sinai, Deus que alimentou seu povo com codornizes e maná em sua passagem pelo deserto, em direção a Canaã. Dentro da arca havia tábuas contendo o Decálogo, o título de salvação dos judeus.

O foco e a função da arca era o espaço vazio demarcado pelos querubins — nada que se pudesse ver, nada que se pudesse ouvir, nada que se pudesse pegar. Mas não era um completo vazio; era antes um vazio que é uma plenitude, "a plenitude daquele que tudo enche em todas as coisas" (Ef 1.23). "Eu sou o que sou; sou aqui, presente para ti, e tu estás presente para mim." O "Eu sou o que sou" junto à sarça ardente é expandido por Jesus em sua ladainha de sete voltas dos "Eu sou" do Evangelho de João que inclui "Eu sou a ressurreição e a vida"[17] — todas as maneiras pelas

---

[16] Wayne Roosa, "A Meditation on the Joint and Its Holy Ornaments", in *Books and Culture, A Christian Review* (Carol Stream, IL: Christianity Today International), janeiro/fevereiro de 2008, p. 16-23.

[17] A lista completa das sete voltas inclui: o pão da vida (Jo 6.35), a luz do mundo (8.12), a porta das ovelhas (107), o bom pastor (10.14), a ressurreição e a vida (11.25), o caminho, e a verdade, e a vida (14.6), a videira verdadeira (15.1).

quais Jesus é Deus *presente* para nós como um *entre*. Não podemos ver um entre; não podemos ver um relacionamento. Um relacionamento é uma ausência do *Isto* para que o *Tu* possa ser dado e recebido. Há muitas coisas nesta vida sobre as quais falar. Há muitas coisas nesta vida para fazer. Mas quando se trata de *viver*, o relacionamento é fundamental. Nada dito ou ouvido, visto ou feito, que não seja ato de mutualidade, de reciprocidade, um *entre*: Eu e Tu, Tu e Eu. Só quem participa pode entrar.

O espaço entre os querubins é uma inaudibilidade, uma invisibilidade: nada a ser invocado, nada a ser controlado ou manipulado. É um nada que encerra uma plenitude. O vazio não é um vácuo. É constituído pelo elemento rarefeito mais fundamental, o ar: o termo hebraico *ruach*, o grego *pneuma*, o latim *spiritus*, o alemão *Geist*. Em nossa língua temos palavras diferentes: sopro, fôlego, vento, a invisibilidade que torna a vida possível, que muito literalmente anima, dá vida. Quando falamos do meio de relacionamento, comumente empregamos a palavra "espírito". Mas "espírito" perdeu o contato com sua raiz metafórica como o ar que respiramos e o vento que sopra. Precisamos de um lembrete: o espírito/ar é a matéria de que são feitas as palavras; o ar, por intermédio da garganta, da laringe, dos dentes, da língua, dos lábios e pulmões, é transformado em palavras. Não se pode ver o ar. Não se pode ouvir o ar. Não se pode estender a mão e tocá-lo. Mas em certas condições nossos sentidos conseguem detectar algumas coisas de modo singular. Quando acontecem certas mudanças na atmosfera, o ar se move e podemos sentir a brisa. Podemos contrair os pulmões e soprar sobre as mãos e verificar a realidade do ar. Depois de uma chuva, se a temperatura for adequada, certas mudanças químicas liberarão o aroma pungente de ozônio no ar. Quando o vento sopra, podemos ver os resultados nos movimentos do ar que farfalha nas árvores, faz a pipa voar e o veleiro navegar.

Se ainda precisamos verificar a realidade do ar invisível, tudo o que temos de fazer é segurar o ar e interromper a respiração. Logo ficamos roxos no rosto e percebemos no corpo inteiro que não há vida sem respiração, sem arejamento. Sem vento nos pulmões, estamos mortos.

O espírito — vento, ar, sopro, fôlego — nos proporciona a metáfora mais penetrante para vida. O espírito é a invisibilidade que dá vida a tudo o que é visível, o interior que anima tudo o que é exterior, sem o qual nada vive.

O espírito habita o invisível "Entre", a condição na qual acontecem as relações, a invisibilidade que proporciona a reciprocidade. O elemento mais característico de nossa humanidade, nossa capacidade de relacionamento, acontece no Entre como espírito. Não se pode ver um relacionamento. Só se pode participar daquilo que acontece no vazio, a eterna, a inefável Profundeza demarcada pelas asas dos querubins.

Outro termo para Entre é "mistério". O mistério está fora de nosso controle. Um indivíduo não consegue criar o mistério. Existe algo além ou diferente do que podemos controlar ou subscrever. Paulo chamou a relação entre marido e mulher de mistério, e depois imediatamente o reaplicou a Cristo e à igreja (Ef 5.32). Para participar do mistério nós temos de nos submeter, sendo humildes diante daquilo que é outro e maior do que nós. A precondição para apreender o mistério é desprender-se, o que os alemães denominam *Gelassenheit*, a relaxada passividade da receptividade.

* * *

O Espírito é Deus-em-relacionamento: um relacionamento no âmbito de si mesmo como Pai, Filho e Espírito em unidade, e um relacionamento conosco à medida que ele nos dá Deus e nós o recebemos. Deus é Deus apenas relacionalmente. Podemos conhecer Deus e estar com ele apenas relacionalmente. Deus não se apresenta a nós como uma ideia a ser ponderada. Deus não se apresenta como uma experiência a ser saboreada. Deus não se apresenta como um poder a ser usado. Deus se apresenta a nós apenas num relacionamento. Se escolhermos estudar Deus como estudamos filosofia ou astronomia, ou se tentarmos experimentar Deus como experimentaríamos um safári na África, ou usar Deus para melhorar o mundo ou para nos transformarmos em santos, nunca saberemos o básico sobre Deus. Devemos apenas receber Deus na mutualidade na qual ele nos recebe. Deus não nos coisifica, não nos trata como objetos ou recursos ou peças interessantes da humanidade exibidas em algo parecido com um zoológico eclesiástico para que os visitantes possam passear por ela e ver "o que Deus tem feito". Tampouco nós coisificamos Deus, despersonalizando-o numa ideia ou força ou argumento.

> Deus só se revela a si mesmo como Eu-Tu.
> Nós só conhecemos Deus como Eu-Tu.

Eu só te conheço como Eu-Tu.
Tu só me conheces como Eu-Tu.

O espaço vazio no qual essa relação acontece, marcada pelo hífen, não é de modo algum vazio, mas sim cheio de Presença. A presença não é um objeto a ser medido. Não é uma ideia a ser discutida, não é um recurso a ser usado. É uma relação, um abraço, um encontro: *entre* Eu e Tu. Sem um Eu, não pode haver um Tu. Sem um Tu, não pode haver um Eu. O Espírito é o invisível *entre* onde o relacionamento nasce e amadurece.

Não ignore ninguém, especialmente no lar e no local de trabalho onde é fácil ignorar as pessoas. Diga "Você", não apenas "Ei, você aí!".

* * *

Um amigo meu sugeriu o seguinte: "Você acha que o sepulcro vazio da ressurreição é um eco do propiciatório vazio da arca? Que os dois anjos 'com vestes resplandecentes' [Lc 24.4] que deram testemunho do sepulcro vazio como prova da ressurreição poderiam ser uma alusão aos dois querubins demarcando o espaço vazio que é a plenitude na arca?".

Eu nunca havia pensado nisso. Fiquei intrigado. Ainda estou pensando nessa possibilidade.

13

As ciladas do diabo e a armadura de Deus: Efésios 6.10-17

> Quanto ao mais, sede fortalecidos no Senhor e na força do seu poder. Revesti-vos de toda a armadura de Deus, para poderdes ficar firmes contra as ciladas do diabo; [...] orando em todo tempo no Espírito [...] de tudo vos informará Tíquico.
>
> Efésios 6.10,18,21

> A primeira trapaça do diabo é nos convencer de que ele não existe.
>
> Baudelaire

Últimas palavras: Paulo se despede, profere suas palavras de adeus. O tom é decidido, quase objetivo. Em vista da seriedade do que está no futuro da igreja cristã — oposição e perseguição, com consequentes perigos de desânimo, apostasia e martírio — a linguagem é surpreendentemente livre de qualquer coisa que sugira ansiedade ou pânico. Ele não ergue a voz. Não temos aqui uma retórica cheia de adrenalina como a que empregam líderes militares — esquadrões da Alta Escócia com suas gaitas de fole, batalhões da Revolução Americana, bandas do exército e da marinha, com seus tambores e pífaros — instigando as tropas à batalha. Nada semelhante às preleções de vestiário para estimular atletas a "darem tudo de si!".

O barão Friedrich von Hugel, um de nossos mais sábios mestres na orientação à obediência perseverante e duradoura seguindo Jesus, muitas vezes disse que nada jamais se consegue num rompante: "rompantes e pânico não têm nenhuma utilidade terrena".[1] A energia indisciplinada é inútil, ou pior que inútil. Quando as táticas do medo são empregadas nas comunidades cristãs para motivar uma vida de confiança em Deus e amor ao próximo, os hábitos de maturidade nunca têm a chance de se desenvolver. Quando a igreja reduz sua pregação e ensino a bordões e clichês contundentes, ela abandona as complicações ricamente matizadas que conferem a cada parte de nossa vida uma inteireza flexível e cheia de graça. Os cristãos que se deixam seduzir por prometidos atalhos para uma gratificação instantânea que passam ao largo do caminho da cruz acabam descobrindo que as assim chamadas gratificações se transformam em vícios, que não lhes permitem relacionamentos maduros no lar, no local de trabalho e na congregação.

As palavras finais de Paulo nos estabilizam nas condições e ao longo do caminho para o qual ele nos conduziu. Não há nada de novo a ser dito sobre o assunto. Mas vale um sucinto lembrete que consiste em cinco itens: afirmar a postura resoluta, identificar exatamente o "inimigo", manter a prática de uma disposição nos aprofundamentos de uma vida de "glória", e orar, sobretudo orar. Uma referência pessoal a Tíquico dá o toque final.

"Estai, pois, firmes"

Primeiramente, manter a posição. Paulo repete essa ideia quatro vezes: "para poderdes *ficar* firmes" (Ef 6.11), "para que possais *resistir*" (v. 13), "depois de terdes vencido tudo, *permanecer* inabaláveis" (v. 13) e "*estai, pois, firmes*" (v. 14). Estabilizem-se. Mantenham-se de pé. Não se deixem distrair. Não considerem cada nova oferta ou propaganda ou programa que aparece na estrada. Fiquem firmes.

Fiquem firmes no lugar da bênção que agora ocupamos. Que podemos esperar adicionar às bênçãos de Deus já derramadas sobre nós? Será que entendemos como nossa condição é única e como é reconfortante ser simplesmente abençoado? E nada menos que por *Deus*? Num mundo onde enfrentamos exigências, críticas, incompreensão, desconfiança, manipulação, rivalidade, ganhos e gastos, mentiras e seduções, existe algo semelhante a essa pura e simples bênção? Fiquem firmes e assimilem isso.

---

[1] Baron Friedrich von Hugel, *Selected Letters 1896-1924*, ed. Bernard Holland (Nova York: E. P. Dutton, 1933), p. 147.

Fiquem firmes nessa igreja que Deus nos deu, essa dádiva de um lugar e uma comunidade onde temos pronto acesso à revelação nas Escrituras e temos Jesus e companheiros no louvor e no sofrimento. Ainda nos resta um longo caminho a percorrer para uma assimilação adequada dessa revelação. Esta é uma palavra *vivente* — continuem ouvindo. E continuem abraçando essa igreja com seu profundo dom de hospitalidade, onde repetidas vezes somos convidados à mesa para comer e beber a vida de nosso Senhor na companhia de seus amigos. Não estamos habituados a isso. Para lojistas somos fregueses, para médicos e psicólogos somos problemas a resolver. Para os inescrupulosos somos vítimas a explorar. Fora isso, somos estranhos a evitar. Felizmente há muitas exceções, mas a indiferença protetora, individualizada, arrogante que é amplamente cultivada em nossa sociedade nos enfraquece o espírito e nos deixa diminuídos. Vocês percebem como essa clara revelação e essa permanente hospitalidade são extraordinárias? Não ignorem essa dádiva. Aproveitem-se dela ao máximo.

Fiquem firmes no Espírito. O Espírito é Deus se relacionando: por meio do Espírito nossos espíritos estabelecem um relacionamento com Deus e com o próximo. Deus é Presença: por seu Espírito nossos espíritos estão presentes à Presença. Não tomem nenhum rumo secundário, indicado por quem quer que seja. Estamos imersos num mundo de dádivas, dons do Espírito. Nossa vida é feita de dádivas: dádivas dadas e recebidas. Uma dádiva é sempre recíproca — sem quem a receba não há dádiva, sem quem a conceda não há dádiva. Uma dádiva retida não é dádiva. E enquanto não for recebida uma dádiva não se torna uma dádiva. Graça é outra palavra para esse abrangente e contínuo intercâmbio entre todas as operações da Trindade em nós, que depois passamos a praticar uns com os outros — a prática da ressurreição.

Mas hábitos de pecado corroem nossa capacidade de viver uma vida relacional. Velhos hábitos de pecado são reforçados diariamente por um mundo que pretende deixar Deus à margem e outras pessoas excluídas ou presas a uma coleira, sob nosso controle. É difícil sair dessa rápida e forte correnteza tão poluída pelos peixes mortos da despersonalização Lembram-se da mão estendida que vocês agarraram? Vocês foram arrancados do rio afogados e vomitando água. Sentiram os pés tocando o chão firme e começaram a respirar o ar puro de espírito, do Espírito. Vocês levaram um tempo para descobrir o que estava acontecendo: receber em vez de possuir, dar em vez de adquirir, olhar alguém no rosto e aprender seu nome em vez de tratar as pessoas como não pessoas — o que é muito menos problemático!

Vocês descobriram que precisavam de ajuda. Ainda precisam. E aqui está: esta comunidade de homens e mulheres à qual vocês aderiram a fim de praticar uma vida relacional, uma vida-dádiva do Espírito caracterizada pelo dar e o receber por meio da adoração e da oração e da compaixão. A esta altura vocês notaram que muitos membros da comunidade não são muito bons nisso. Isso não é tão ruim; caso contrário, vocês se sentiriam intimidados. Mas para que outro lugar iriam vocês em busca de companheiros dispostos a pelo menos tentar? Posicionem-se ao lado dessas pessoas na companhia constituída pela Trindade.

* * *

A mensagem aos efésios é uma sólida orientação para toda a igreja cristã nas condições criadas por Deus em Cristo por meio do Espírito visando uma vida de crescimento para a maturidade em Cristo. Esse é um lugar confiável para ficar. É um chão firme. As condições aqui são favoráveis para o crescimento até "a estatura da plenitude de Cristo". Fiquem firmes.

Vivemos numa cultura de propaganda na qual continuamente nos são apresentados novos produtos. Essa é a cultura da obsolescência embutida. Nada é projetado para durar. Para manter o sistema econômico sadio, somos condicionados a reagir vendo o produto mais recente como o melhor: um carro novo, a última moda em roupas, um modelo de computador inovador, o recém-lançado romance campeão de vendas, a dieta milagrosa que acabou de ser descoberta. Mal compramos ou usamos um produto e já saímos à procura do seguinte. Logo aborrecidos, deixamos de lado o artigo que acabamos de comprar ou o livro que sequer terminamos de ler ou a igreja à qual aderimos dois meses atrás. Chamarizes construídos com altíssima tecnologia e orçamentos astronômicos nos atraem o tempo todo. Cada última novidade é superada por outra "mais recente" numa sucessão estonteante.

Quando essa mentalidade da novidade se infiltra na igreja, começamos a procurar a última moda em Deus, a última moda em adoração, a última moda em ensino, o melhor pregador da cidade. A igreja como *shopping* é uma epidemia. Quando a religião se propaga como novidade, a maturidade se dilui. O fato bem estabelecido e bem verificado é que seguir Jesus não é uma atividade de consumo. A oração não é uma técnica que se pode adquirir como uma habilidade; ela só pode ser estabelecida como uma relação pessoal. O amor não pode ser aperfeiçoado com joias ou com um cruzeiro exótico; ele exige submissão e sacrifício e reverência.

Paulo nos advertiu de que estamos perpetuando nossa adolescência quando nos entregamos a novidades espirituais pedindo "que não mais sejamos como meninos, agitados de um lado para outro e levados ao redor por todo vento de doutrina", mas sim que "*cresçamos em tudo*" (Ef 4.14-15). Mantenham-se no lugar. Mantenham os pés no chão. Fiquem firmes.

"As ciladas do diabo"

Como seguidores de Jesus nós vivemos em território hostil. Como Moisés, sentimo-nos peregrinos "em terra estrangeira" (Êx 18.3). Mas não é sempre fácil localizar ou identificar o inimigo. Paulo reconhece isso: "nossa luta não é contra o sangue e a carne" (Ef 6.12). O que são, então, esses inimigos que não têm nem sangue nem carne? Fantasmas? Não exatamente.

Paulo não falou muito até agora sobre os inimigos invisíveis. Ele usou termos como "todo principado, e potestade" (Ef 1.21), em contraste com Jesus, que exerce seu poder "nos lugares celestiais" (1.20). Mencionou, quase como um aparte, "o príncipe da potestade do ar" (2.2). Falou sobre "a inimizade" entre nós que foi derrubada por Jesus "por intermédio da cruz" (2.14,16). Advertiu-nos para não dar "lugar ao diabo" (4.27). Usou a frase "os dias são maus" para definir os tempos em que vivemos (5.16).

Acima de tudo, porém, Paulo nos fez uma explanação completa sobre a centralidade e a enorme presença de Deus neste mundo, que criou a igreja como uma forma de dar testemunho e representação de sua presença e nos chamou para vivermos "braço com braço e remo com remo" com ele — em quem ele é e no que ele faz. Em suas últimas palavras aos efésios Paulo é mais direto, mais explícito e mais expansivo acerca dos inimigos. Nós estamos postados "contra as ciladas do diabo [...] contra os principados e potestades, contra os dominadores deste mundo tenebroso, contra as forças espirituais do mal, nas regiões celestes" (6.11-12).

Temos uma longa história como povo de Deus enfrentando perigosos inimigos. As pessoas que odeiam a Deus expressam sua inimizade contra o povo de Deus. A história de Israel, o povo de Deus, é salpicada com nomes de inimigos, revestidos de armadura e armados com espadas e dardos e carruagens — principalmente o Egito. O salmo 83 apresenta uma extensa e colorida ladainha dos povos que estão *contra* o povo de Deus: "as tendas de Edom" e os ismaelitas, Moabe e os hagarenos, Gebal, Amom e Amaleque, a Filístia "como os habitantes de Tiro", a Assíria, "os filhos de Ló", Midiã, Sísera e Jabim, Orebe, Zeebe, Zeba e Zalmuna (Sl 83.6-11). Cada um desses nomes evoca a memória de guerra e violência.

Mas a lista de inimigos de Paulo é de natureza diferente: principados, potestades, dominadores, forças espirituais do mal (6.12). Aqui não há nomes que evocam histórias. Com que estamos lidando? Com *quem* estamos lidando? O "mal" (*ponerias*), a última palavra na lista de Paulo, é uma variante da mesma palavra usada na petição final da Oração do Senhor, "livra-nos do mal [*ponerou*]". De que devemos nos acautelar? De que devemos ser libertos? Precisamos de uma libertação do mal que não se parece com o mal, o mal que tendemos a não reconhecer como mal.

Muitas coisas que as pessoas fazem neste mundo são erradas e *parecem* erradas. Paulo menciona algumas delas: a fornicação, o furto, a dureza de coração, a licenciosidade, a impureza, a luxúria, a falsidade, a conversa maliciosa, o rancor, a raiva, a contenda, a calúnia, a malícia. Ele não explica por que essas coisas são ruins, não nos acautela contra elas; simplesmente nos diz que não as pratiquemos. É fácil identificá-las. A tábua dos mandamentos da lei de Moisés identifica dez delas. Nossos ancestrais listaram sete pecados "mortais" para erigir indicações claras e orientar nosso comportamento moral. Nós mais ou menos sabemos onde nos situamos em relação a essas coisas erradas, esses pecados. Quando os cometemos podemos confessar-nos e arrepender-nos, sendo então absolvidos e perdoados. Isso não é simples e muitas vezes há complicações e ramificações, mas tudo está exposto às claras. Temos pai e mãe para nos orientar, pastores e sacerdotes para nos instruir e orar por nós, leis para nos proteger uns dos outros, punições para nos dissuadir de atitudes criminosas e um enorme e complexo sistema de justiça para manter maus procedimentos sob controle: a polícia e os militares, os juízes e os legisladores, os guardas de segurança e os sistemas de vigilância, as celas e as grades da cadeia.

Não há um grande mistério envolvendo os pecados, pelo menos não na maioria dos casos. Eles podem ser identificados e tratados de forma apropriada. Nem tudo, obviamente, é preto no branco, mas em geral nós sabemos com que estamos lidando.

Mas há muito mais coisas erradas no mundo do que a soma total do que chamamos de pecado e pecados. Há o mal pelo qual é quase impossível responsabilizar algum indivíduo ou mesmo um grupo específico de pessoas. Há o mal que quase nunca se parece com o mal. Esse mal nada tem a ver com as caricaturas de desenho animado exibindo demônios brandindo forcados ou dragões expelindo enxofre. Alguns anos antes de escrever sua carta aos efésios, Paulo advertira aos cristãos de Corinto, a 350 quilômetros a oeste, do outro lado do mar Egeu, que não se deixassem enganar pelo diabo, que tem todas as aparências de ser bom. E não apenas bom, mas fascinantemente bom: "O próprio Satanás se disfarça em anjo de luz" (2Co 11.14).

Agora, escrevendo aos efésios, Paulo faz uma lista preliminar dos inimigos que não podemos ver ou tocar (não "o sangue e a carne") começando pelas "ciladas do diabo" (Ef 6.11). Paulo emprega o mesmo termo em 4.14, ali traduzido por *"astúcia"* que induz ao erro. As *ciladas* do diabo, a *astúcia* enganadora. Há inimigos — inimigos de Deus, inimigos da igreja, inimigos do povo de Deus, inimigos de todos os homens, mulheres e crianças que seguem Jesus — inimigos que ali estão e não se pode ver, que não têm uma forma que se possa reconhecer e identificar como o mal. Paulo está nos pedindo para ficarmos alerta ao mal que, de fato, se parece com o bem.

Há uma pista de como o mal entra sorrateiramente em nossa vida na palavra *ciladas*. As *ciladas* do diabo. A palavra em grego é *methodias*: os métodos, as *maneiras* de agir do diabo. Não se pode ver um método, uma maneira — só se pode ver o que ele consegue fazer. Se ele produz com eficiência o que se quer, ele é logo acatado. O mal está escondido dentro do próprio método. Se o produto final é algo que consideramos bom, ficamos indiferentes ao método. Se o método pelo qual induzimos alguém a comprar algo que queremos vender é bem-sucedido e a pessoa compra, não notamos que o método era uma mentira (propaganda). Se o método pelo qual induzimos alguém a fazer alguma coisa resulta em benefício da sociedade, não notamos que o método era manipulador e despersonalizador. O mal do método se esconde nos benefícios do objetivo atingido.

Compare-se isso com Jesus, que nos diz: "Eu sou o caminho, e a verdade, e a vida" (Jo 14.6). Jesus não nos ilude em nada, não arma esquemas para nos levar a segui-lo. É tudo uma coisa só: caminho, verdade, vida. É um todo orgânico: caminho, verdade, vida — tudo visível, pessoal, explícito, *revelado*. Não acontece o mesmo com o diabo, caso em que tudo é abstrato, impessoal, disfarçado de bem — o mal escondido num método imperceptível.

* * *

Os quatro itens da lista de Paulo, muitas vezes resumidos na expressão "principados e potestades", são essa espécie de mal: o mal que não parece mal, o mal disfarçado de luz, o mal que tem todos os aspectos de bem, mas silenciosa e invisivelmente destrói a vida das pessoas. Não sabemos exatamente em que consistem as "potestades", qual é sua essência. Reconhecemos o mal apenas por meio de suas funções — desumanizar, causar a morte, alienar. Onde vamos procurar esse mal sem rosto, sem sangue, difícil de detectar?

Markus Barth articula o consenso da igreja quando nos faz ver os principados e poderes naquelas "instituições e estruturas pelas quais negócios terrenos e reinos invisíveis são administrados".[2] Por causa do anonimato que elas conferem a quem nelas trabalha e das oportunidades de exercer o poder impessoal, as instituições propiciam um terreno preparado para semear o mal. Não é que as instituições sejam um mal em si mesmas, mas elas propiciam um disfarce para as "forças espirituais do mal". Aqui e acolá a cumplicidade humana está implícita, mas raramente em toda parte; todavia, ela está dispersa em toda a estrutura muito antes que suas consequências cumulativas sejam eventualmente reconhecidas, quando isso acontece, como o mal. Quanto maior for a instituição e quanto mais se cuidar das relações públicas para preservar intacta a própria reputação (dirigindo o país, ganhando dinheiro, administrando a justiça, organizando a religião, cuidando dos doentes etc.), tanto mais escondido estará o mal e tanto mais difícil será detectá-lo e fazer algo para saná-lo.

O estudioso da igreja cristã que dedicou a reflexão e análise mais penetrante ao modo como as instituições oferecem uma base segura para o

---

[2] Markus Barth, *Ephesians 1—3*, The Anchor Bible, vol. 34 (Garden City, NY: Doubleday, 1974), p. 174.

anonimato dessa espécie de mal é Jacques Ellul, um sociólogo francês.[3] A maioria das pessoas, às vezes todas, envolvidas nessas instituições não faz ideia do acúmulo e da dispersão do mal que acontece no local onde elas trabalham. Como poderiam fazê-lo? O mal está mascarado por aquilo que é bom. As numerosas obras de Ellul nos apresentam um estudo abrangente das potestades e das maneiras como esses insidiosos poderes se estabelecem confortavelmente em instituições criadas para o bem e depois as usam como disfarce para o mal. Por causa das boas intenções no momento da fundação da instituição e dos benefícios contínuos que a sociedade vê como provenientes dela, o mal fica na maioria das vezes encoberto — pelo menos até que Ellul ou alguém que pensa como ele entra em cena.

Ellul é um bom detetive. Ele presta atenção especialmente às maneiras como o dinheiro, a linguagem e a tecnologia — todas coisas boas em si mesmas — , sem que ninguém o perceba, podem transformar-se no mal quando são institucionalizadas como negócios, governos, mídia, escolas, igrejas e outras estruturas sociais, políticas e culturais. O bem básico do dinheiro é idolatrado e transformado no deus Mamon; o bem básico da linguagem é aviltado e transformado em mentiras da propaganda; o bem básico da tecnologia é despersonalizado e transformado num mundo de não relacionamento.

William Stringfellow, advogado que iniciou sua carreira trabalhando com os pobres numa missão no bairro nova-iorquino de East Harlem, tomou os *insights* de Ellul e os desenvolveu no contexto americano: "anda às soltas entre os principados desta nossa sociedade um processo institucional cruel, que se multiplica e tudo consome, que ataca, desanima, derrota e destrói a vida humana".[4]

"Toda a armadura de Deus"

Portanto — o mundo é perigoso. Nossa vida está em risco. Essa vida de prática da ressurreição está seriamente ameaçada. O crescimento em

---

[3] O primeiro de muitos livros de Ellul, base de todos os outros que vieram depois, é *The Presence of the Kingdom*, trad. Olive Wyon (Colorado Springs: Helmers and Howard, 1989 [publicado inicialmente como *Presence au Monde Moderne* em 1948 por Editions Roulet]).

[4] William Stringfellow, *An Ethic for Christians and Other Aliens in a Strange Land* (Waco, TX: Word Books, 1973), p. 93.

Cristo está sendo atacado. Quem é e onde está o inimigo? Percebemos que estamos labutando num pântano de ciladas do diabo, e seus embustes são difíceis de identificar. Que vamos fazer? As respostas óbvias se encaixam numa destas duas categorias: ou afundamos na areia movediça da paranoia, vivemos em pânico, sem nunca ter certeza de onde provém o mal ou de como ele se manifesta, fazendo tudo o que nos é possível para mantê-lo à distância; ou juntamos nossa força à dos demagogos, moralistas e defensores da pureza, caluniamos, organizamos cruzadas, definimo-nos por aquilo que combatemos e levamos uma vida de espiritualidade negativa. Há, naturalmente, muitos que não aderem a nenhum dos dois lados, mas vão vivendo da melhor forma possível numa espécie de flácida complacência, uma tepidez inofensiva como a de Laodiceia.

Mas há um outro jeito: não viver na defensiva nem na ofensiva, mas assumir uma posição como cristãos, agindo e crendo a partir de quem somos em Cristo, sem pânico diante do inimigo e sem uma cruzada contra ele. Essa é a maneira que Paulo nos apresenta em Efésios. Somos chamados a perceber e cultivar nossa identidade única de homens e mulheres vivendo sob o domínio de Cristo na família de Deus que é a igreja; somos testemunhas de uma forma única e revelada de vida na prática da ressurreição — ressurreição não como doutrina ou "verdade" abstrata, não como estratégia ou programa, mas pessoalmente encarnada em Jesus e agora em nós.

Para exemplificar em que consiste essa vida, Paulo nos dá uma amostra de seis itens: verdade, retidão, paz, fé, salvação e palavra de Deus. Contrastando com as "ciladas do diabo", nenhum desses seis itens é uma maneira de *fazer* alguma coisa. Eles não constituem um plano ou programa. Nenhum deles pode ser praticado por nossa própria conta, de modo autônomo. São dons e podem ser mantidos como dons apenas em atos de doação. Só podem existir encarnando-se em seres humanos com outros seres humanos em atos de vida — de *ser*. Nenhum deles é impessoal. Não procuramos o significado dessas palavras num dicionário. Não são habilidades espirituais que nós aperfeiçoamos. Temos um livro inteiro de histórias que emprestam conteúdo concreto a esses seis termos nas histórias de Abraão, Isaque, Jacó, José, Moisés, Josué, Samuel e Davi, Elias e Eliseu, Isaías e Amós, Jeremias e Habacuque, Esdras e Neemias, Maria e Isabel, João Batista e Simeão, Pedro e Tiago e João, Paulo e Barnabé. Juntando todas essas pessoas, encontramos as seis palavras encarnadas em Jesus, que é "o caminho, e a verdade, e a vida" (Jo 14.6), que deu "a sua vida em resgate por muitos" (Mt 20.28).

* * *

Ligando cada um desses termos a um item da prática militar, Paulo reforça nossa sensação de perigo. Isso é totalmente bíblico. O Apocalipse de João é nosso quadro mais abrangente das dimensões apocalípticas em que estamos envolvidos — em que *Deus* está envolvido! — quando lidamos com o pecado e o mal: a inimizade estabelecida entre a serpente e a mulher (Gn 3.15) e a guerra deflagrada no céu (Ap 12.7). A identificação de cada um desses seis aspectos da prática da ressurreição com um item da armadura nos ajuda a entender que essa vida em Cristo não é constituída por qualidades passivas; pelo contrário, cada uma deles delineia um campo de participação na obra de redenção de Cristo. As palavras não são descrições de cargos a partir dos quais improvisamos uma estratégia que depois implementamos da melhor forma possível. Nós *somos* as armas. *Quem somos* é mais importante do que aquilo que fazemos.

Jacques Ellul insiste que a vida da ressurreição deve ser vivida neste mundo, mas ao mesmo tempo ele ressalta que o cristão "não deve agir exatamente da mesma forma como todos os outros. O cristão tem um papel a desempenhar neste mundo que ninguém mais poderia desempenhar". Essa função é definida de três maneiras (estou resumindo e parafraseando Ellul):

1. Vós sois o sal da terra (Mt 5.13).
2. Vós sois a luz do mundo (Mt 5.14).
3. Eu vos envio como ovelhas para o meio de lobos (Mt 10.16).

O sal da terra é uma referência precisa a Levítico 2.13, em que somos informados que o sal é um sinal da aliança entre Deus e Israel. O que Jesus está dizendo, portanto, é que o cristão é um sinal visível da nova aliança em Jesus Cristo. Por isso, é essencial que os cristãos de fato *sejam* esse sinal, permitindo que essa aliança seja vista por outros. Caso contrário, como vão os outros saber para onde eles e o mundo estão indo?

A luz do mundo elimina a escuridão, separa a vida da morte, confere significado à história. Isso é suprido pela presença da igreja. O cristão é uma testemunha da salvação da qual ele ou ela é representante.

Como ovelhas para o meio de lobos. Jesus Cristo é o Cordeiro de Deus que tira os pecados do mundo. Mas todos os cristãos são tratados como foi tratado o Mestre deles. Eles são ovelhas não porque suas ações ou sacrifícios têm um efeito purificador sobre o mundo. "No mundo todos querem ser 'lobos', e ninguém é chamado a desempenhar o papel de 'ovelha'. Todavia, o mundo não pode *viver* sem esse testemunho vivo de sacrifício. É por isso que os cristãos devem tomar muito cuidado para não serem 'lobos' — isto é, pessoas que tentam dominar outras pessoas."[5]

Marva Dawn leva adiante essa penetração profética na cultura contemporânea (inclusive nossa cultura de igreja) numa torrente de palestras, sermões e livros. Ela é uma de nossas mais inestimáveis e argutas testemunhas na exposição das "ciladas do diabo". Elabora de forma especialmente útil e oportuna a interpretação de "ovelhas" de Ellul, e depois demonstra o que ela chama de "a tabernaculização de Deus e a teologia da fraqueza".[6]

* * *

As seis metáforas militares em Efésios 6.10-20 — cinturão, couraça, calçados, escudo, capacete, espada — acentuam o sentido de perigo, aumentam a urgência apocalíptica implícita na batalha entre a luz e as trevas, Deus e o Maligno. Essa é uma guerra séria, guerra no céu. Os exércitos de Javé e cada um dos "soldados cristãos" são convocados para a batalha. As metáforas garantem que nem mesmo por um momento nos esquecemos de que é uma *batalha*, exigindo nossa participação plena.

Mas as metáforas de Paulo garantem, ao mesmo tempo, que não vamos interpretá-las como exteriores a nós, algo que podemos vestir e despir, algo que podemos fazer ou não. G. K. Chesterton observou com precisão que os cristãos, em relação a tudo o que há de errado ao redor, são ou crustáceos ou vertebrados. Os crustáceos têm seu esqueleto do lado de fora; os vertebrados, do lado de dentro. Os crustáceos são sólidos do lado de fora, macios do lado de dentro. Os vertebrados são macios e vulneráveis do lado de fora, sólidos do lado de dentro. Não é difícil reconhecer qual é a forma superior de vida, cristãos crustáceos ou cristãos vertebrados.

---

[5] Ellul, *The Presence of the Kingdom*, p. 8-11.
[6] Marva J. Dawn, *Powers, Weakness, and the Tabernacling of God* (Grand Rapids: Eerdmans, 2001), p. 35-71.

A armadura de Deus é a encarnação, a interiorização da vida da Trindade — verdade, retidão, paz, fé, salvação, palavra de Deus — Cristo em nós, a esperança de glória.

A armadura é redefinida em termos de quem somos, não do que fazemos. E quem somos nós? Em primeiro lugar, como o Cordeiro de Deus e "o seu povo e rebanho do seu pastoreio" (que somos nós), não somos tirânicos, não somos combativos. Na prática da ressurreição as metáforas são totalmente desmilitarizadas. A prática da ressurreição é um estilo de vida totalmente pacifista, embora nunca passivo. A violência, quer verbal quer física, é inadmissível. Ela é também, dado "todo o desígnio de Deus" (At 20.27), inimaginável. Mas muitos de nós vão arrastando os pés por muito tempo nesse caminho. Numa cultura que romantiza a guerra e a promove como uma "cruzada contra o mal", não é fácil ouvir a clara palavra de Deus sobre esse tema. Definitivamente, arrastar-se *não* é enfrentar as "forças do mal".

A "armadura de Deus" nada tem a ver com matar e sobrepujar a oposição pela força. Se as armas que nos foram dadas não fazem de nós pacifistas de carteirinha, elas no mínimo afixam uma severa punição contra o uso de uma linguagem combativa. Com a armadura de Deus interiorizada, não aprofundaremos nossa paranoia por meio do acovardamento ou demonização da oposição. As seis "armas" não são armas em nenhum sentido exterior. A prática da ressurreição é um estilo de vida totalmente sem violência, seja ela defensiva ou combativa. Jesus não se serviu das "ciladas do diabo" para derrotar o mal. Nós também não podemos fazê-lo. O mal não pode ser superado mediante a convocação de principados e potestades como nossos aliados.

* * *

Um obstáculo maior a superar antes de vestirmos a armadura de Deus contra "as ciladas do diabo" — e, depois de vesti-la, *mantê-la* vestida — é que muitas vezes parece que não estamos ganhando terreno, sem falar em obter uma vitória absoluta. No fim do dia, olhamos para trás e não conseguimos ver que as armas da verdade, retidão, paz, fé, salvação e da palavra de Deus fizeram um mínimo de diferença. Se isso continuar por meses ou até anos, podemos perder a paciência e recorrer a armas que parecem fazer alguma diferença. A propaganda, por exemplo, muitas vezes consegue resultados muito mais depressa que a verdade ou a palavra de Deus. O dinheiro faz que as coisas aconteçam de forma muito mais eficaz do que a retidão e a salvação jamais fizeram. A tecnologia é muito mais eficiente em questões de comunicação e organização do que o amor paciente. A violência força mudanças bem diante de nossos olhos, ao passo que a paz e o louvor e a fé parecem meras palavras de fantasia geradas por fantasias caprichosas.

Em tempos assim requer-se que retornemos para a revelação nas Escrituras e em Jesus e leiamos contemplativamente, isto é, de modo paciente, lento, *escutando* o que está acontecendo ou vem acontecendo desde o início da criação.

É particularmente útil ouvir de uma forma nova o testemunho de homens e mulheres sábios que resolutamente passaram a vida imersos em dificuldades e complexidades aparentemente intratáveis para dar visibilidade à presença do reino de Deus neste "mundo tenebroso" (Ef 6.12).

Martin Buber dá um exemplo de sabedoria. Durante todo um período de inexorável secularização da Europa e das horríveis atrocidades do Holocausto, ele manteve um testemunho fiel que preservou a esperança de seus ancestrais hebreus presente e articulada ao longo do século 20 e além dele: "As verdadeiras vitórias acontecem lenta e imperceptivelmente, mas elas têm efeitos de longo alcance. Sob os holofotes, nossa fé em Deus como o Senhor da história pode às vezes parecer ridícula; mas há algo secreto na história que confirma nossa fé".[7]

E Herbert Butterfield, professor de história moderna na Universidade de Cambridge, estudou e escreveu atentamente sobre as formas como a fé cristã conferiu presença aos métodos de Deus em nossa história. No contexto da observação de que a igreja, numa luta renhida, nunca conseguiu dominar os demônios da violência e corrupção e decadência, ele nos dá este conselho objetivo: "Vamos pegar o diabo pelas costas e surpreendê-lo com uma dose de virtudes mais gentis que para ele serão um veneno. Pelo menos quando o mundo está insuportável, a doutrina do amor se torna a medida extrema de nossa conduta".[8]

---

[7] Martin Buber, *I and Thou*, trad. Walter Kaufmann (Nova York: Charles Scribner's Sons, 1970 [publicado inicialmente em alemão em 1923 como *Ich und Du*]), p. 238-239. [No Brasil, *Eu e Tu*, trad. Newton Aquiles von Zuben. Porto Alegre: Centauro, 1974.]
[8] Herbert Butterfield, *International Conflict in the Twentieth Century* (Nova York: Harper and Brothers, 1960), p. 98.

Em solo norte-americano, Dorothy Day passou a vida provendo generosamente comida e abrigo para os pobres. A terrível miséria que assolou nosso país na Grande Depressão a estimulou a viver em defesa dos deserdados da cidade de Nova York. Sua vida e seus escritos produziram uma grande quantidade de Casas de Hospitalidade espalhadas pelo país inteiro. Seus textos jornalísticos — baseados na participação direta em ruas e guetos e cortiços e relatados no semanário fundado por ela, *O operário católico* — manteve um testemunho não violento, compassivo, inteligente e corajoso durante a pior das crises. Ela trabalhou a vida inteira na pobreza e na obscuridade, sendo ativamente combatida pelo governo e por grande parte da opinião pública, mas em meio a tudo isso levou uma vida marcada por uma teimosa prática da ressurreição entre "estes meus pequeninos irmãos" (Mt 25.40).

"Orando em todo o tempo no Espírito"

O conselho de nos revestirmos "de toda a armadura de Deus" e de resistirmos contra as "forças espirituais do mal" é levado a termo com um conselho abrangente para orarmos. "Orar", juntamente com seu sinônimo "súplica", é aqui empregado seis vezes, ora como substantivo, ora como verbo.

Em seu conjunto, Efésios é uma revelação da igreja como dádiva de Deus que nos oferece condições de crescimento para atingir a maturidade em Cristo, que é a cabeça da igreja. A mensagem começa com uma oração que irrompe da página como um poço artesiano (Ef 1.1-23). Depois a oração prossegue no subsolo, como um profundo rio subterrâneo dentro da igreja que mantém os aquíferos cheios. No meio do percurso, as águas voltam brevemente à superfície (3.14-21). Mas durante a carta inteira nós temos consciência de que todos os substantivos e verbos, toda a sintaxe e todas as partes do discurso, foram regados por poços artesianos da oração. Essa mensagem que nos guia no crescimento em Cristo na companhia da igreja se desenvolve numa comunidade de oração. "Tudo o que a epístola tem a dizer sobre a fé e a vida está embalado na forma de oração. Tudo é realmente dirigido a Deus e aos efésios numa oração que é, ao mesmo tempo, solene, cheia de dignidade e devoção."[9]

---

[9] Markus Barth, *The Broken Wall* (Chicago: Judson Press, 1959), p. 29.

Ora, à medida que a mensagem caminha para seu final, a oração volta novamente à superfície: "orando em todo o tempo no Espírito" (6.18). Orar não é simplesmente "proferir orações", embora também seja isso. Conforme atingimos a maturidade, a oração é a linguagem que, cada vez mais, forma a base e impregna toda a nossa linguagem. Paulo escreveu aos romanos que, quando oramos, por mais breve e espontânea que seja a oração — "Aba, Pai!" por exemplo —, o Espírito de Deus está nessa oração (Rm 8.15-16). E mesmo quando não sabemos como orar, e mesmo quando não sabemos que *estamos* orando, o Espírito dentro de nós está orando "com gemidos inexprimíveis" (Rm 8.26).

Nem todas as orações são conscientes. Nem todas as orações podem ser identificadas como orações. A oração é a linguagem que está por baixo, e que às vezes aparece na superfície, de toda a nossa linguagem enquanto crescemos em Cristo. A maioria de nós ora muito mais do que temos consciência de fazê-lo. Isso não significa que a oração não implique atenção e vigilância em relação a Deus; significa apenas que ela não requer uma habilidade que se aprende. Tentar com mais afinco não ajuda.

Estamos entrando num mundo de uma linguagem na qual o texto são as Escrituras e a igreja é a escola de alfabetização. Mas essa linguagem nem sempre, talvez nem na maioria dos casos, soa ou parece ou dá a impressão de ser "religiosa". A oração é a linguagem mais congruente com a prática da ressurreição. Como no aprendizado de qualquer língua, a companhia de quem usa a língua que queremos aprender nos oferece o contexto mais adequado para adquirirmos proficiência. Sem que nos demos conta disso, adquirimos fluência em nossa língua materna muito antes de ir para a escola, simplesmente ouvindo falar e falando com nossos pais e irmãos e com as crianças da vizinhança. Quando ficamos na companhia de Moisés e suas histórias, de Davi e seus salmos, da pregação de Isaías, de nosso próprio Senhor em suas parábolas e orações, dos pastores e sacerdotes que nos orientam na adoração comunitária da igreja, cantando hinos com Wesley e Watts, nós estamos orando e aprendendo a orar mesmo sem ter consciência disso.

* * *

A oração e a "súplica por todos os santos" (Ef 6.18) não permitem que nossas preces sejam nebulosas generalizações e excessivas preocupações pessoais. Não que as generalizações e as preocupações pessoais sejam inapropriadas na oração, mas relacionamentos particulares, identificados, mantêm-nos focados nas formas cotidianas de praticarmos a ressurreição: com responsabilidade e envolvimento, agindo por amor, "compassivos, perdoando-vos uns aos outros" (4.32). Estamos numa comunidade, esses homens e mulheres batizados, "os santos" cujo nome conhecemos, irmãos e irmãs em Cristo. Os relacionamentos humanos requerem uma continuidade atenta e perseverante. Comecemos por esses santos, as pessoas que em Cristo têm mais coisas em comum conosco, e *depois* podemos nos voltar para fora. O fato de que muitos desses santos não se comportam como gostaríamos que se comportassem, ou não se parecem com o que gostaríamos que os santos se parecessem, não deveria nos preocupar. Eles são santos em virtude da maneira como Deus olha para eles e deles cuida. Orar por pessoas que não conhecemos e com quem não precisamos lidar é sempre mais fácil do que orar por quem faz parte de nossa congregação e nossa casa. Mas nós não somos professores que recebemos de Deus a tarefa de manter a ordem, estabelecer padrões e impor obediência. Nossa tarefa é praticar a ressurreição com eles. E a oração é a maneira mais pessoal e mais evangélica de fazê-lo.

* * *

E depois, duas vezes, Paulo pede que orem "também por mim" (Ef 6.19-20). O apóstolo não é mais autossuficiente do que os efésios. Sem a menor relutância, ele pede ajuda. Muitos dentre nós prefeririam estar numa posição que permitisse ajudar os outros, orar por eles em vez de pedir que eles orassem por nós. Pedir ajuda é admitir que não estamos à altura da tarefa que nos cabe. Pedir ajuda revela fraqueza. Também expõe uma incapacidade de atingir o ideal: "tudo posso naquele [Cristo] que me fortalece" (Fp 4.13). Mas minha impressão é a de que o "posso" de Paulo mais provavelmente significa "*nós* podemos". Orem "também por mim [...] para que me seja [...]".

Pedir orações nos mantém a todos no mesmo nível. Quando pedimos orações, somos companheiros na vida peregrina da igreja.

Pedir orações também torna a oração imediata, relacional, pessoal, local e honesta. Dentre todas as formas de linguagem, a oração é a mais vulnerável a clichês. Um clichê é uma palavra ou frase que pode ser, literalmente, precisa e verdadeira, mas cujo significado pessoal e relacional se perdeu. Temos aqui uma enorme ironia. A linguagem da oração é a maneira mais pessoal e íntima que temos de falar com Deus e de ouvi-lo com nossos vizinhos, mas é também, de certa forma, a mais exigente, pois requer que estejamos presentes, atentos, *ali* no ato. Quando as palavras da oração são separadas do aspecto pessoal (seja em relação a Deus, seja em relação a outras pessoas), não há oração. Uma oração que é um clichê não é oração. As palavras mascaram um vazio. Mas isso tem menos probabilidade de acontecer quando expomos nossas necessidades aos outros e pedimos: "Orem também por mim".

* * *

Um grande amigo meu estava deixando sua congregação pelo período de alguns meses durante seu descanso sabático. Ele hava sido o pastor formador da congregação daquelas pessoas, e os relacionamentos eram bastante íntimos, intricadamente íntimos após nove anos de convivência. Mas os nove anos também haviam sido intensos e desgastantes. O descanso sabático renovaria suas forças. Havia uma senhora idosa na congregação que orava com ele cada domingo antes do culto, e ela continuava orando por ele nos bastidores durante a semana. Com frequência ela lhe enviava bilhetes de oração. No último domingo, depois do culto, quando ele se preparava para afastar-se para um retiro de dez dias num monastério beneditino, o que marcaria o início de seu descanso sabático, ela lhe entregou uma carta que incluía o seguinte:

> Pastor, se o senhor não puder ler isto devido a todas as outras coisas que precisa fazer, tudo bem. Mas eu não podia deixar de lhe dizer que domingo foi um dia bom. Seu sermão foi muito apropriado, e o senhor separou tempo para ajudar cada pessoa a estabelecer uma ponte entre o primeiro sermão e seu seguimento. Não ouvi muita coisa porque eu estava concentrada em orar pelo senhor. Eu queria apenas que o senhor passasse aquela hora de tal forma que pudesse depois olhar para trás e sentir-se bem — e o senhor conseguiu, e espero que se sinta bem a respeito disso. Acho que todo mundo sente o mesmo. Suas sinceras observações sobre como o senhor se sentia foram uma parte genuína de seu carinho por todo mundo.

Não precisamos nos perguntar o que o senhor estava REALMENTE sentindo — nós sabemos.

Agora, meu filho, vá com Deus pois ele o ama e fala com o senhor a sós ou na companhia de seus irmãos beneditinos ou de sua bela família. Eu estou esperando mais do que uma experiência transformadora de vida ao longo dos próximos meses. Estou querendo muito conhecer o novo Hans. Estaremos todos orando pelo senhor, por sua família e por esta igreja. Deus estará com todos nós, o tempo todo. Carinhosamente...

Alguns meses após o retorno dele, ela morreu. Parte do obituário que ele publicou no boletim da igreja, trazendo-a à lembrança da congregação, foi o excerto dessa carta, que ele inseriu no contexto do pedido de Paulo para orarem "também por mim".

Todas as vezes que pedimos a alguém: "Ore também por mim", a igreja se torna mais forte e mais madura. Nós crescemos.

"De tudo vos informará Tíquico"

Apenas uma pessoa é mencionada nominalmente na carta aos efésios: Tíquico. Interessa-me o fato de Tíquico ter sido mencionado primeiro em Atos em conexão com Éfeso (At 20.4). Alguns anos antes de escrever essa carta aos efésios, Paulo pregou em Éfeso. Seu sermão provocou um tumulto na cidade. Paulo e sete de seus companheiros, um dos quais era Tíquico, fugiram. Voltaram para a Macedônia atravessando o mar Egeu e acabaram seguindo para Jerusalém. Agora, no fim da vida, Paulo encontra-se prisioneiro em Roma. Depois de escrever sua carta aos efésios, provavelmente a última, Paulo a envia para Éfeso pelas mãos de Tíquico, que havia participado com ele da aventura efesiana.

Essa não era a primeira vez que Tíquico era enviado por Paulo para representá-lo; ele também é citado em três outras cartas (Cl 4.7; 2Tm 4.12; Tt 3.12). Nada mais sabemos sobre Tíquico, mas seu nome confere um toque pessoal à carta, mantendo-nos conscientes de que aquilo que Paulo escreveu deriva de anos de convivência em comunidades de homens e mulheres identificados pelo nome e que estão sendo transformados pelo Espírito em congregações de igrejas, que estão adorando e dando testemunho dessa vida do evangelho, essa vida do "reino de Cristo" (Ef 5.5), em aldeias e cidades no primeiro século do império romano.

Uma das mais surpreendentes características das cartas de Paulo é o número de nomes pessoais que aparecem em suas páginas — oitenta nomes. Alguns deles, como o de Tíquico, são repetidos em mais de uma carta. Cada um desses oitenta nomes vincula a mensagem do evangelho a um homem ou uma mulher crescendo em Cristo, praticando a ressurreição enquanto trabalha para ganhar o sustento, cuidando da família, lidando com algum tipo de situação política ou econômica imposta pela vida. Cada palavra escrita nessas páginas foi *vivida* — não apenas escrita ou pregada ou ensinada ou discutida, mas vivida em condições do mundo real envolvendo todos os fatores das condições em jogo.

A igreja é a dádiva de uma comunidade de cristãos na qual ensaiamos a prática da ressurreição e nos orientamos por ela. Nunca é uma abstração, um anonimato, um problema a ser resolvido, um ideal romântico a ser sonhado. O ensaio e a orientação acontecem de várias maneiras, mas nunca excluindo conversas com Deus, que se revela em Jesus, e homens e mulheres identificados pelo nome, como Tíquico, por exemplo.

"De tudo vos informará Tíquico." Paulo pretende que sua mensagem aos efésios seja entregue e recebida no contexto em que foi escrita, de modo conversacional: contando "tudo" o que está acontecendo com Paulo, tudo o que está acontecendo com a congregação em Roma, como os eventos políticos em Roma estão sendo impostos à congregação de crentes, talvez fofocas e saudações de conhecidos e amigos, histórias da viagem.

Há mais coisas na igreja do que sermões e sacramentos, teologia e liturgia, estudos bíblicos e encontros de oração, atas de comitês e declarações de missões. Há nomes, refeições, conversas, nascimentos, mortes. Há gente como *nós*. A conversação é a forma que a linguagem assume quando as pessoas da Trindade e as pessoas da congregação estão na mesma sala. O "tudo" que Tíquico terá de contar aos efésios não é parte insignificante do que significa ser a igreja. E você e eu *somos* Tíquico.

Apêndice

Obras sobre a prática da ressurreição

"A única tristeza — não ser um santo" (Leon Bloy). Essa frase me perseguiu pela maior parte de minha vida adulta. Em minha opinião, o homem que a escreveu quis dizer que, tendo em vista a generosa extravagância que constitui o evangelho, a rica vida que nasce de seguirmos Jesus e os companheiros de jornada que temos, *não* abraçar e adotar tudo isso é um desperdício. Quando esbanjamos a vida com qualquer coisa que não seja o Deus revelado em Jesus e tornado presente no Espírito, perdemos a própria vida, a vida da ressurreição, a vida de Jesus. Quando dividimos a vida em secular e sagrada, reduzimos o que chamamos de sagrado àquilo que acontece aos domingos e no céu. E quando fazemos isso, ficamos mutilados, impedidos de desfrutar da glória de Deus que pulsa no que é chamado de secular. Isso explica a considerável tristeza que paira sobre o mundo como um cobertor de fumaça negra. Mas o "santo" e o "sagrado" não vendem bem no mercado. São artigos de museu.

Efésios é um documento da ressurreição. Ele nos treina no entendimento de nós mesmos como santos, não santos no sentido de exceções aureoladas em relação aos cristãos comuns, mas simplesmente cristãos que percebem que a ressurreição de Jesus nos coloca numa posição de viver vigorosamente no mundo da Santidade, crescendo em Cristo, praticando a ressurreição. A mensagem da ressurreição predomina em toda a carta, não deixando espaço para vivermos como se, nas palavras de Markus Barth, "o evangelho fosse apenas para o mundo futuro, ao passo que a dura realidade da ganância, da trapaça e da impureza são tudo o que existe no mundo presente".[1]

A vida cristã nunca foi concebida para ser um estilo de vida convencional, cauteloso, cuidadoso, como quem pisa em ovos, evitando poças

---

[1] Markus Barth, *The Broken Wall* (Chicago: Judson Press, 1959), p. 60.

morais de lama, não enfrentando problemas, na esperança de acumular pontos suficientes de bom comportamento que nos garantam uma vida futura feliz. E a igreja nunca foi concebida para ser uma subcultura especializada em santidade, santificação ou perfeição. A Santidade não é uma atividade para especialistas.

* * *

As vozes continuam se repetindo em cada geração, acordando-nos para a vida que nos foi oferecida — exatamente aqui, exatamente agora, esta vida de ressurreição — ecoando o imperativo de Paulo aos efésios:

> Acordem!
> Ressuscitem para a nova vida,
> e Cristo mostrará a luz para vocês!
>
> Efésios 5.14, *A Mensagem*

Essas vozes não são as mais altas. Não são vozes agressivas. Não estão pedindo votos. Não estão tentando nos vender alguma coisa. Não nos prometem soluções de problemas. Não estão tentando nos dizer algo de novo. São simplesmente testemunhos da prática da ressurreição, do que está envolvido no crescimento na "medida da estatura da plenitude de Cristo". Apesar de sua obscuridade não assertiva, são mais frequentes do que se poderia pensar. Suas vozes são muitas vezes sufocadas pelo dominante clamor adolescente e pelo ruído do trânsito que enche o ar com sons de "a única tristeza". Mas para ouvidos atentos, treinados a escutar esses testemunhos da prática da ressurreição, não será um problema identificá-los. Aqui estão sete autores que para mim têm confirmado tantas coisas envolvidas no crescimento em Cristo, e ao longo de muitos anos continuam sendo companheiros fiéis na prática da ressurreição.

Dante Alighieri, *A divina comédia* (c. 1308–c. 1321)

Uma das persistentes dificuldades no caminho do amadurecimento em Cristo é pensar pequeno. A maioria de nós — todos nós? — insiste na tentativa de encaixar a vida de Cristo em nossa vida. Decidimos "deixar espaço" para Deus. Mas na maioria das vezes acabamos numa grande bagunça religiosa. Em vez de alargar os horizontes, sentimo-nos enclausurados. O grande poema de Dante — muitos o consideram nosso maior poeta cristão — nos leva a uma amplidão inimaginável, um mundo muito abrangente de Deus e da igreja, do pecado e da salvação, do país em que vivo e dos vizinhos que tenho, do céu e do inferno. Nada é excluído; tudo e todos estão incluídos: política e negócios, guerra e família, gente famosa e gente comum — tudo tem a ver com Deus, todos têm a ver com todos. Não podemos restringir Deus a nossa vida pequena. Dante nos situa na imensidão de Deus, onde temos espaço para crescer. É também significativo que ele tenha escolhido a linguagem coloquial do dia a dia para escrever seu arguto poema que vasculha a alma e discerne com clareza a sociedade. Ele escolheu deliberadamente uma dicção em continuidade com a linguagem popular de Jesus. A elite cultural de seu tempo se sentiu ofendida por ele ter escrito na linguagem de ferreiros e almocreves. Esse que é o maior e mais cósmico poema cristão põe em prática a ressurreição na linguagem em que nós a praticamos. (Há muitas traduções excelentes. Eu cresci lendo a de Dorothy Sayers [New York: Basic Books, 1962].)[2]

Charles Williams, *A descida da pomba: Uma breve história do Espírito Santo na igreja* (1939)

Quando comecei a ler Williams, eu era um sectário, "relacionado" apenas a um pequeno círculo de pessoas que viviam e pensavam e oravam como eu. Terminada a leitura, eu era parte de uma congregação que abrangia séculos e continentes. Comecei com uma espiritualidade que era quase totalmente subjetiva; depois me vi envolvido em algo amplo — ligado à criação e à encarnação. Não é raro no mundo da "igreja" sentir-se em meio a conversas cansativas que se transformam em competitivas discussões sobre a "verdadeira" ou a "melhor" igreja. A igreja é reduzida a questões de gosto e preferência como se houvesse vários modelos dela, como acontece com carros que a gente pode escolher conforme a cor, a

---

[2] São muitas as traduções de *A divina comédia* em português. Uma versão já clássica é a de José Pedro Xavier Pinheiro (São Paulo: Edigraf, 1958). Mais recentemente, cabe destacar a edição bilíngue com tradução e notas de Italo Eugenio Mauro (São Paulo: Editora 34, 2017). [N. do T.]

potência e a quilometragem. Ou então a igreja é banalizada em polêmicas, como acontece com crianças discutindo e às vezes brigando com os colegas para determinar qual dos pais é o maior e o mais forte. Ou então a igreja é reduzida a um amnésico de uma única geração e dimensão, incapaz de ter consciência ou interesse por algo que vá além das atas da última reunião.

Williams não perde tempo com nada disso. Ele está interessado naquilo que o Deus Espírito Santo vem fazendo na igreja e através dela há dois mil anos. Homens e mulheres, naturalmente, estão com certeza envolvidos, mas é o Espírito Santo que garante a unificação de toda a operação, mantendo os santos e os pecadores num corpo abrangente e coerente de Cristo. (São Paulo: Mundo Cristão, 2019.)

Kathleen Norris, *The Quotidian Mysteries: Laundry, Liturgy, and "Women's Work"* (Nova York Paulist Press, 1998)

O diabo é especialista em atender qualquer um que lhe conceda parte de seu tempo do dia — ele se delicia principalmente em alvejar cristãos — com versões em tecnicolor, *wide-screen*, do que significa viver plenamente a vida. Muito drama, aventura, charme e grandeza — sobretudo Grandeza. Ele tentou isso, do modo mais infame, com Jesus: "todos os reinos do mundo e a glória deles" (Mt 4.8). Não tendo conseguido nada com Jesus, prosseguiu seu trabalho tentando iludir seus seguidores cristãos. Conosco ele obteve muito mais sucesso. Em meio a isso tudo, ainda temos um número considerável de testemunhas em todas as gerações que se opõem à grandiosidade proposta pelo diabo e mantêm nossos ouvidos colados ao chão, os olhos fixos em quem ou em que está bem diante de nós, seguindo Jesus por nossas Galileias, praticando a ressurreição em nossas cozinhas e quintais. Kathleen Norris, poetisa da Dakota do Norte, é uma brilhante testemunha contemporânea desse cultivo da simplicidade madura na vida americana.

Frederick Buechner, *The Sacred Journey; Now and Then; Telling secrets* (San Francisco: HarperSanFrancisco, 1982, 1991, 1991)

Há um acanhamento inerente à santidade que não gosta de ser alvo direto de atenção. Sendo assim, como escrever ou falar sobre uma vida de santidade e, dentro desse mesmo processo, não distorcer nem falsear o que um autor se propõe exprimir? Frederick Buechner descobriu um jeito. Esse autor é mais conhecido por sua ficção que enfoca homens e mulheres confusos e descobre neles linhas de graça que convergem para um transbordamento de vida vigoroso, contagiante e crível. Mas os três opúsculos mencionados acima nos dão diretamente seu recado: são relatos honestos e despretensiosos que usam o material da vida pessoal do autor — "ouvindo sua vida" na expressão dele — como um trabalho em andamento do Espírito Santo. Todos nós, de uma ou de outra forma, quando damos nosso consentimento, entramos na profissão de viver a santidade, de praticar a ressurreição. Mas nunca se deve confundir uma vida de santidade com uma vida de delicadeza. Uma vida de santidade não diz respeito a homens e mulheres corteses com Deus, mas a seres humanos que aceitam e adotam o trabalho de Deus na formação de uma vida santa a partir de materiais improváveis de pecado e ignorância, de ambição e rebeldia — e também de amores, aspirações e gestos de nobreza —, mas nunca suavizando as nossas arestas. Santidade não é polimento. Buechner ofereceu-nos perfeitamente o testemunho e as histórias que tornam a vida santa acessível e atraente.

C. S. Lewis, *Até que tenhamos rostos* (1956)

Não há atalhos para o crescimento. O caminho para a maturidade é longo e árduo. A pressa não é uma virtude. Não existe uma fórmula secreta capaz de tornar esse processo fácil e rápido. Mas as histórias ajudam. Por meio de uma história, mergulhamos nas intricadas complexidades de pessoas e lugares, sacrifícios e problemas, fracassos e sucessos, risos e lágrimas, sem falar da intrincada simplicidade de Pai, Filho e Espírito Santo que, palavra por palavra, dia após dia, conferem forma e beleza — o *bom* e o *muito bom* de Gênesis — a todas as coisas. Mas precisamos situar-nos na história tal qual está sendo contada, dar nosso consentimento, e não sair por aí com impaciência ou com raiva para improvisar nossa própria história. A história bíblica é nossa história mais abrangente para fazer isso. Outros contadores de histórias entram em cena de tempos em tempos a fim de ajudar-nos a nos situar na história. C. S. Lewis é um dos grandes contadores de histórias. Suas obras *As crônicas de Nárnia* e *Trilogia cósmica* batizaram nossa imaginação de modo que pudemos entender melhor o que está envolvido numa vida cristã em nossa época e lugar. Seu último romance, *Até que tenhamos rostos*, foi por ele considerado o melhor. Concordo. Mas é também o mais difícil, o que mais exige de nós. A raiz da dificuldade é que ele trata da mais difícil tarefa humana, a do amadurecimento, do crescimento até a estatura da plenitude de Cristo. (Rio de Janeiro: Thomas Nelson Brasil, 2021.)

Baron Friedrich von Hugel, *Letters from Baron Friedrich von Hugel to a Niece* (Chicago: H. Regnery, 1955)

Na qualidade de leigo, von Hugel foi um guia espiritual muitíssimo sábio das primeiras décadas do século 20. Viveu de sua renda pessoal e durante toda sua existência dedicou-se à vida do Espírito e à vida espiritual de seus contemporâneos. Há uma espécie de gravidade germânica em seu modo de escrever, mas eu o considero a mente mais sensata, equilibrada e sábia que conheço. Mergulhando na verdade profundamente vivida através dos séculos, ele apresentou um centro maduro para muitos outros em suas orientações e escritos. Era absolutamente insensível a novidades e modas que, tanto na cultura quanto na igreja, zumbiam como enxames de moscas a seu redor. A maior parte de sua orientação espiritual foi feita por escrito em cartas pessoais escritas em várias línguas. Assim, quando as lemos, estamos sempre em contato com a realidade concreta de uma vida vivida por uma pessoa real, uma pessoa que tem nome. Não há grandes generalizações. Não há "sabedoria" solene provinda do alto. Lendo von Hugel, tenho constantemente a impressão de estar na presença de um homem que se interessa sobretudo por *viver* a fé cristã, e vivê-la bem, não se limitando a apenas a discuti-la ou falar dela.

John Henry Newman, *Apologia Pro Vita Sua* (1864)

A mente mais brilhante da Inglaterra do século 19 foi também uma pessoa de surpreendente humildade. Renunciando a uma mínima fração de sua integridade, ele poderia ter sido o mais celebrado e louvado cristão de seu século; na realidade, foi alvo de zombaria, difamação e menosprezo — e mal parecia dar-se conta disso. Newman ensinou-me a nunca esperar aplauso ou recompensa, seja da igreja, seja do mundo, por uma vida vivida em busca de Deus.

A vida de Newman (1801–1890) atravessou o século 19, um século em que a igreja cristã foi atacada de todos os lados. Muitos estavam convencidos de que ela era um navio afundando. Havia muito pânico, ceticismo e nervosismo — e também muita complacência desinteressada. Em meio a tudo isso, Newman manteve o equilíbrio. Assumiu a tarefa de entender a igreja em sua inteireza, primordial e contemporânea, dentro e fora dela, e pôr no papel o seu entendimento para que outros pudessem entendê-la. Seu século não foi diferente do nosso; muitos desconhecedores do assunto, com ares de superioridade, descartavam a igreja como irrelevante; muitos membros da igreja estavam confusos e incertos acerca do que significava ser a igreja. Newman escreveu num estilo extraordinariamente enxuto e preciso sobre o que é a igreja e o que significa estar nela. Mas o que resiste ao teste do tempo não é apenas o que ele escreveu, mas o fato de que praticou o que escreveu — sua biografia (*vita sua*). (Londres: J. M. Dente and Sons; Nova York: E. P. Dutton, 1955.)

* * *

Newman escreveu cartas, sermões, contos, poemas, textos de teologia e romances, tudo expressando de algum modo a prática da ressurreição. Quero que ele tenha a última palavra neste livro — esta oração redigida por ele, que ainda é cantada como um hino pela igreja em seu culto.

> Na escuridão, oh! brilha, meiga luz!
> Guiar-me vem! Na negra noite brilha
> e me conduz: guiar-me vem!
> Não peço luz a fim de longe ver:
> somente luz em cada passo ter.
>
> Em outro tempo não queria luz
> pra me guiar; não quis seguir
> o que me impõe a cruz: quis vacilar.
> Sem luz eu não desejo mais andar;
> oh! vem, Senhor; oh! vem meus pés guiar!
>
> Guardou-me até aqui o teu poder,
> e guardará. Teu braço

vai-me ainda defender, e guiará.
E finda minha vida terreal,
irei morar no lar celestial.[3]

Amém.

---

[3] *Lead, kindly Light, amid th' encircling gloom, / Lead Thou me on; / The night is dark, and I am far from home; / Lead Thou me on: / Keep Thou my feet; I do not ask to see / The distant scene — one step enough for me.*

I was not ever thus, nor prayed that Thou / Shouldst lead me on; / I loved to choose and see my path; but now / Lead Thou me on. / I loved the garish day, and, spite of fears, / Pride ruled my will: remember not past years.

So long Thy power hath blest me, sure it still / Will lead me on, / O'er moor and fen, o'er crag and torrent, till / The night is gone; / And with the morn those angel faces smile, / Which I have loved long since, and lost awhile.
Hino 355 do Cantor Cristão, "Luz benigna", em tradução de William Edwin Entzminger. [N. do T.]

Sobre o autor

Eugene H. Peterson (1932–2018) foi pastor, teólogo e escritor. Graduou--se pelo Seminário Teológico de Nova York e pela Universidade Johns Hopkins. Fundou a Igreja Presbiteriana Cristo Nosso Rei, onde exerceu o ministério por 29 anos. Foi docente em Teologia da Espiritualidade na Faculdade Regent, no Canadá. É autor de mais de trinta livros, incluindo a celebrada paráfrase da Bíblia *A Mensagem*.

Compartilhe suas impressões de leitura,
mencionando o título da obra, pelo e-mail
opiniao-do-leitor@mundocristao.com.br
ou por nossas redes sociais

Esta obra foi composta com tipografia Minion Pro
e impressa em papel Pólen Natural 70 g/m² na gráfica Imprensa da Fé